De indringster

ERICA SPINDLER

De indringster

 MIRA BOOKS AMSTERDAM

MIRA

© 1999 Erica Spindler
Oorspronkelijke titel: Cause for Alarm
Originele uitgave: Mira Books, Canada

© Nederlandse uitgave: Mira Books, Amsterdam
Vertaling: Mieke Trouw
Eerder verschenen onder het imprint IBS
Omslagontwerp: Studio Jan de Boer BNO
© Illustratie: Hollandse Hoogte/Non Stock
Opmaak binnenwerk: Mat-Zet, Soest

Eerste druk mei 2005

ISBN 90 8550 031 1
NUR 332

www.mirabooks.nl

Proloog

◦◦◦

Heel de chique wijk in Washington was in diepe rust. Alle mooie, dure huizen in de straat waren donker als de nacht. Het enige licht was afkomstig van de straatlantaarns en de maan, en in de koude novembernacht rook het naar vocht en rottende bladeren.

De winter stond voor de deur.

John Powers liep zachtjes het trapje op naar de voordeur van zijn voormalige vriendin. Hij had geen haast, want hij wist precies wat hij deed. In zijn onopvallende zwarte kleding leek hij een donkere schaduw, een vluchtige schim in de duisternis.

Bij de voordeur ging hij op zijn hurken zitten om de huissleutel vanonder de bloembak naast de deur te pakken. In het voorjaar en de zomer hadden de bloemen in de bak uitbundig gebloeid, maar nu waren ze dood, verschrompeld door de kou. Zij hadden hun tijd gehad. Sterven was nu eenmaal het lot van alle levende wezens op aarde.

John stak de sleutel in het slot om de deur open te maken. Het ging gemakkelijk. Veel te gemakkelijk. Als je bedacht hoeveel mannen in de loop der jaren op deze manier waren binnengekomen, zou je verwachten dat Sylvia wat voorzichtiger was geworden. Maar ja, Sylvia Starr dacht over de meeste dingen eigenlijk nauwelijks na.

Zachtjes deed hij de deur achter zich dicht. Een paar tellen lang bleef hij bij de deur staan luisteren om vast te stellen hoeveel mensen er in huis waren en waar ze zich bevonden.

Uit de woonkamer klonk het scherpe getik van de antieke klok. Uit de slaapkamer daarachter klonk het luide gesnurk van een man. John vermoedde dat de man te veel had gedronken. Jammer dan. Waarschijnlijk was hij te oud en afgetakeld om de nacht door te brengen met de onverzadigbare Sylvia, maar dat had hij dan maar eerder moeten bedenken. Had hij maar thuis moeten blijven bij zijn saaie, dikke echtgenote en zijn chagrijnige kinderen. Nu had hij gewoon de pech dat hij zich op het verkeerde moment op de verkeerde plaats bevond.

Terwijl John naar de slaapkamer liep, haalde hij een pistool uit de tailleband van zijn zwarte spijkerbroek. Het was een klein, effectief wapen, waarmee hij zijn werk uitstekend kon doen. Net als al zijn andere wapens had hij het tweedehands gekocht en zou hij het na gebruik op de donkere bodem van een rivier laten belanden.

Hij sloop de slaapkamer binnen, waar Sylvia en de man in bed lagen. De lakens en dekens lagen rommelig en gekreukt over hen heen. In het zachte maanlicht zag John de contouren van Sylvia's ronde, roomblanke linkerborst.

Hij liep naar de kant van het bed waar de man lag en drukte de loop van zijn pistool op diens hart. Deze aanpak had twee redenen: het contact zou het lawaai van de knal verzachten, en de kogel zou het slachtoffer snel en netjes doden. Een beroepsmoordenaar nam nu eenmaal geen risico's.

John haalde de trekker over. De ogen van de man vlogen wagenwijd open, waarna zijn lichaam schokte van de knal. Twee tellen lang hapte het slachtoffer met een akelig, gorgelend geluid naar lucht.

Geschrokken schoot Sylvia overeind.

'Hallo, Sylvia,' begroette John haar. Hij was de man naast haar al weer vergeten.

Angstig krabbelde Sylvia achteruit, totdat ze met haar rug tegen het hoofdeinde zat. Met een verwilderde blik keek ze van John naar haar bloedende, stuiptrekkende bedgenoot en weer terug.

'Je weet wat ik kom doen, Syl,' zei John zacht. 'Waar is ze?'

Sylvia opende haar mond. Er kwam echter geen enkel geluid over haar lippen. Ze zag eruit alsof ze elk moment hysterisch kon gaan gillen.

Met een diepe zucht liep John om het bed heen. 'Kom op, schat, verman je. Kijk maar naar mij in plaats van naar hem.' Hij legde zijn wijsvinger onder haar kin om haar te dwingen hem aan te kijken. 'Ben je soms bang dat ik jou ook pijn zal doen? Vertel me nou maar gewoon waar Julianna is.'

Bij het horen van de naam van haar negentienjarige dochter probeerde Sylvia nog verder weg te kruipen. Vanuit haar ooghoeken keek ze naar haar minnaar, wiens lichaam inmiddels volledig stillag. Nadat ze met moeite had geslikt, dwong ze zichzelf weer naar John te kijken.

'I-ik weet alles,' bracht ze met moeite uit.

'Goed zo,' zei John, plaatsnemend op de rand van haar bed. 'Dan weet je ook hoe belangrijk het is dat ik haar vind.'

Trillend bracht Sylvia haar hand naar haar mond. Haar lichaam beefde zo hevig, dat het hele bed mee schudde. 'H-hoe jong was ze, John?' vroeg ze vol haat. 'Hoe jong was ze toen je míjn bed ging verruilen voor het hare?'

John trok zijn wenkbrauwen op. Het amuseerde en verbaasde hem dat ze zich zo boos maakte. 'O jee, krijgen we ineens last van moederlijke gevoelens? Als ik me goed herinner, vond je het destijds maar wat prettig dat ik veel met haar optrok en pappie voor haar speelde. Wanneer ik voor haar zorgde, had jij tenminste tijd om te doen waar je zin in had.'

Haar nagels klemden het laken steviger vast. 'Rotzak,' beet ze hem toe. 'Het was natuurlijk nooit mijn bedoeling dat je het bed met haar zou delen. Je hebt mijn vertrouwen beschaamd!'

'Sylvia, je bent een sloerie,' zei hij kalm. 'Jij bent alleen maar geïnteresseerd in feestjes, mannen en cadeautjes. Julianna is nooit meer voor je geweest dan een veredeld huisdier. Een manier om een verlopen slet als jij een klein beetje aanzien te geven.'

Woedend haalde Sylvia naar hem uit.

Met een enkele, krachtige klap sloeg John haar weer terug tegen het hoofdeinde van het bed, waarna hij de loop van zijn pistool tegen haar keel duwde.

'Wat Julianna en ik hadden, draaide niet om seks, Sylvia,' zei hij, dichter naar haar toe leunend. 'Ik denk echter niet dat jij dat begrijpt.'

Hij rook haar angst, vermengd met de geur van seks en het bloed van de man die naast haar lag. Ook hoorde hij haar doodsbenauwd piepen, als een muis die zich plotsklaps tegenover een hongerige python bevindt.

'Ik heb haar alles geleerd over het leven,' vervolgde hij. 'Ik heb haar geleerd wat liefde, loyaliteit en gehoorzaamheid is. Ik ben alles voor haar. Ik ben haar vriend, haar vader, haar mentor en haar minnaar. Ze is van mij. Dat is altijd al zo geweest.' Na deze woorden duwde hij het pistool nog wat strakker tegen haar keel. 'Ik wil haar terug, Sylvia. Waar is ze? Wat heb je met haar gedaan?'

'Niets,' fluisterde Sylvia. 'Ik heb niets met haar gedaan. Ze is uit zichzelf weggegaan. Z-ze...' Haar blik ging weer naar de dode man naast haar en de steeds groter wordende rode vlek op haar witte satijnen beddengoed. Ineens werd ze weer zo bang, dat ze niets meer kon uitbrengen.

Met zijn vrije hand greep John een flinke lok van haar haren om haar gezicht naar zich toe te draaien. 'Ik wil dat je naar mij kijkt, Sylvia. Alleen maar naar mij. Waar is ze naartoe?'

'I-ik weet het niet. I-ik...'

Grimmig schudde hij haar aan haar haren door elkaar. 'Waar is ze, Syl?' herhaalde hij nog eens.

Sylvia begon te giechelen, met een onnatuurlijk hoog en zenuwachtig geluid. Ze bracht haar hand weer naar haar lippen, alsof ze de lachbui daarmee wilde stuiten, maar ze slaagde er niet in om op te houden.

'Ze kwam bij me... Kennelijk wilde je dat ze de baby zou laten weghalen,' zei ze. 'Toen heb ik haar verteld dat je een monster bent, een kille, koudbloedige moordenaar. Ze geloofde me niet; dus toen heb ik Clark Russell gebeld.' Ondanks de penibele situatie waarin ze zich bevond, kreeg haar lachje iets triomfantelijks. 'Hij heeft haar het bewijs gegeven dat je een beest bent. Hij heeft haar foto's laten zien van wat je hebt gedaan. Ze weet nu precies hoe je in elkaar zit, John. Want ze heeft het bewijs onder ogen gehad.'

Een ijskoude woede welde in hem op. Clark Russell, vechtjas in dienst van de CIA. Ex-collega van John en een van Sylvia's talloze minnaars. Een man die veel te veel van John Powers wist...

Clark Russell ging eraan, zodra John hem te pakken kon krijgen.

Met de loop van zijn pistool dwong hij Sylvia haar hoofd nog verder op te tillen. 'Heeft Clark echt vertrouwelijke informatie beschikbaar gesteld? Dan ben je nog beter in bed dan ik dacht.' Hij vernauwde zijn ogen tot spleetjes. Het stond hem helemaal niet aan dat haar mededeling hem het klamme zweet in de handen bezorgde. 'Het was dom van je om hem te bellen, Syl. Dat had je beter niet kunnen doen.'

'O, loop toch naar de hel!' schreeuwde Sylvia boos. 'Je vindt haar toch nooit. Ik heb haar gezegd dat ze zo hard en zo ver mogelijk bij je vandaan moest lopen, om zichzelf en de baby te redden. Je vindt haar nooit. Nooit!'

Hij lachte. 'Natuurlijk vind ik haar, Sylvia. Dat is mijn vak. En zodra ik haar heb gevonden, elimineer ik het probleem, zodat Julianna en ik voor altijd bij elkaar kunnen zijn, zoals het lot het heeft bedoeld.'

'Nee! Je vindt haar nooit. Je –'

Hij haalde de trekker over. Het volgende moment spetterde haar bloed tegen het hoofdeinde van het bed en het bloemetjesbehang.

Nadat hij een paar tellen naar de rommel had gekeken, stond hij op van het bed.

'Dag, Sylvia,' zei hij. Daarna draaide hij zich om, om op zoek te gaan naar Julianna.

1

Mandeville, Louisiana, oudejaarsavond 1998

In elke kamer van de statige villa van Kate en Richard Ryan brandde licht. Het huis, dat nog de zuidelijke waardigheid van weleer uitstraalde, stond aan de prachtige Lakeshore Drive in Mandeville. Elke centimeter van het enorme gebouw met zijn metershoge ramen en balkongalerijen straalde rijkdom, status en degelijkheid uit. Het was echt een huis voor een groot gezin.

Een gezin was iets wat Kate en Richard echter nooit zouden hebben.

Kate liep door de openslaande louvredeuren van het bovenste balkon naar buiten. Om het lawaai van het oudejaarsfeest in huis te dempen, deed ze de deuren achter zich dicht. De kou van de winternacht, die voor Louisiana opvallend bijtend was, sloeg haar als een vlakke hand in het gezicht.

Langzaam liep ze naar de rand van de galerij om over het woelige, zwarte meer uit te kijken. Met haar handen op de leuning hief ze haar gezicht op naar de koude wind. Het leek haar niet te deren dat de bries aan haar haren en aan haar dunne fluwelen avondjurk trok.

Aan de andere kant van Lake Pontchartrain, op zo'n vijftig kilometer rijden, lag New Orleans, de stad die ooit een juweel voor het zuiden was geweest en over de hele wereld bekendstond om zijn jazz, carnavalsfeesten en verrukkelijke keuken. Helaas stond de stad inmiddels ook bekend om haar armoede en hoge criminaliteitscijfers.

Kate dacht aan al die mensen die aan de andere kant van het meer de jaarwisseling vierden. Het zou het laatste jaar van de eeuw worden. Een keerpunt, het eind van een tijdperk, een belangrijke periode die werd afgesloten.

Voor haar en Richard was het ook het eind van een belangrijke periode.

Vóór de feestdagen waren ze geconfronteerd met het nieuws dat ze nooit kinderen zouden kunnen krijgen. Het resultaat van de laatste test liet er geen twijfel over bestaan: Richard was steriel. Tot aan dat moment hadden ze aangenomen dat hun kinderloosheid aan Kates gynaecologische problemen lag. Toen diverse ingrepen geen resultaat hadden opgeleverd, hadden de artsen erop gestaan dat Richard zich ook liet testen.

Kate en Richard waren kapot geweest van het nieuws. Daarbij was Kate ook woedend geweest – op de hele wereld, op moeder Natuur en op al die mensen die zomaar achteloos kindertjes leken te krijgen. Ze had zich verraden gevoeld. Nutteloos. Het bos in gestuurd.

Na een paar dagen was ze zich echter wat beter gaan voelen. Ofschoon Richards tests niet het gewenste resultaat hadden opgeleverd, wisten ze nu in elk geval waar ze aan toe waren. Ze kon een punt zetten achter de lichamelijk en geestelijk uitputtende pogingen om zwanger te raken. Het werd nu tijd om de draad van haar leven weer op te pakken.

De vruchtbaarheidsbehandelingen hadden veel geëist van haar incasseringsvermogen, haar huwelijk en haar werk. Hoewel het verdriet om haar kinderloosheid er niet minder om werd, was ze in haar hart eigenlijk blij dat ze deze nare periode kon afsluiten.

Kon ze nu haar verlangen naar een kind maar vergeten... Vaak lag ze 's nachts klaarwakker naar het plafond te staren, omdat het verlangen zo'n pijn deed, dat ze er niet van kon slapen. Haar leven leek soms zo zinloos, zo incompleet...

Van achteren werden een paar sterke armen om haar heen geslagen.

'Wat doe jij hier in je eentje?' vroeg Richard zacht. 'En waarom heb je geen jas aan?' Je wordt nog ziek.'

Kate probeerde haar melancholieke gedachten van zich af te zetten door over haar schouder naar haar man te kijken, met wie ze nu al tien jaar getrouwd was. 'Zolang jij me warm houdt, word ik niet ziek,' zei ze glimlachend.

Richard grinnikte. Op zijn vijfendertigste zag hij er nog net zo jong en aantrekkelijk uit als hij er op zijn twintigste uit had gezien, toen ze hem had ontmoet. 'We zouden ons natuurlijk ook kunnen uitkleden en hier op het balkon met elkaar kunnen vrijen,' zei hij, suggestief zijn wenkbrauwen op en neer bewegend.

'Klinkt spannend.' Kate draaide zich om en sloeg haar armen om zijn hals. 'Ik vind het wel een goed voorstel.'

Lachend leunde hij met zijn voorhoofd tegen het hare. 'Wat moeten onze gasten dan wel van ons denken?'

'Ik hoop dat onze gasten het fatsoen hebben om hier niet onuitgenodigd naartoe te komen,' antwoordde ze.

'En als ze dat wel doen?'

'Dan zien ze een kant van ons die ze nog nooit eerder hebben gezien.'

Richard gaf haar een kus op haar mond. 'Kate, ik zou niet weten wat ik zonder jou zou moeten.' Een diepe zucht ontsnapte hem. 'Het wordt tijd om mijn aankondiging te gaan doen.'

'Ben je zenuwachtig?'

'Wie, ik?' Lachend schudde hij zijn hoofd. 'Natuurlijk niet.'

Kate wist dat hij het meende. Zelfs na tien jaar huwelijk was ze nog altijd onder de indruk van zijn onbegrensde zelfvertrouwen. Hoewel hij deze avond aan al zijn gasten wilde vertellen dat hij zich kandidaat stelde voor een belangrijke functie bij het Openbaar Ministerie, was hij niet nerveus. Hij maakte zich geen zorgen, twijfelde niet aan zichzelf en vroeg zich geen moment af of hij er wel goed aan deed om deze baan te ambiëren.

Waarom zou hij ook? Waarschijnlijk zouden al zijn vrienden, familieleden en zakelijke relaties achter hem staan. Hij rekende erop dat hij de baan zou krijgen en dat de race ernaartoe zonder noemenswaardige problemen zou verlopen. Tot dan toe was zijn leven nog altijd probleemloos geweest. Hij was altijd een zondagskind geweest, een man die altijd zijn zin kreeg en die altijd succes had.

'Weet je echt zeker dat Larry, Mike en Chas honderd procent achter je staan?' vroeg ze, verwijzend naar Richards partners in de advocatenpraktijk Nicholson, Bedico, Chaney & Ryan.

'Heel zeker.' Zijn ogen boorden zich in de hare. 'Weet jij het ook zeker, Kate? Sta jij ook volledig achter me? Als ik win, verandert ons hele leven. Vanaf dat moment zal het zijn alsof we in een viskom leven.'

'Probeer je me soms bang te maken?' vroeg ze plagerig. 'Dat lukt je heus niet. Je hebt mijn volledige steun, en ik ben ervan overtuigd dat je gaat winnen.'

'Hoe kan ik nu verliezen met jou aan mijn zijde?'

Lachend keek ze hem aan.

Met een liefdevol gebaar nam hij haar gezicht tussen zijn handen. 'Ik meen het, Katherine Mary McDowell Ryan. Je bent een unieke, fantastische vrouw. Ik ben elke keer weer dankbaar dat jij je leven met mij wilt delen.'

Ze kreeg tranen in haar ogen. Hoe kon ze haar leven nu incompleet noemen wanneer ze zo'n lieve echtgenoot had? Voor een arm meisje dat met kapotte schoenen en tweedehands uniformen naar school had moeten gaan, had ze het ver geschopt. Ze had nooit financiële zekerheid gekend, was met een beurs naar de universiteit gegaan en had talloze bijbaantjes gehad om in haar levensonderhoud te kunnen voorzien. Ze had ongelooflijk veel geluk gehad dat Richard Ryan, de zoon van een rijke, vooraanstaande familie uit New Orleans, tot over zijn oren verliefd op haar was geworden.

'Ik hou van je, Richard.'

'Gelukkig maar.' Opnieuw leunde hij even met zijn voorhoofd tegen het hare. 'Zullen we dan nu weer naar binnen gaan?'

Ze knikte.

Een paar minuten later werd hun aandacht weer opgeëist door hun vele uitbundige gasten. De aankondiging van Richard werd met enthousiasme ontvangen door de mensen die nog van niets wisten en met luid applaus ondersteund door de mensen die al van het besluit op de hoogte waren.

Vanaf dat moment hing er een drukke, koortsachtige sfeer op het feest. Het was alsof alle gasten er opeens van doordrongen waren dat ze op de drempel van een nieuw tijdperk stonden. Het jaar 1999. Het fin de siècle. De deur naar de toekomst, naar nieuwe dingen en naar sciencefiction.

De klok sloeg twaalf uur. Er vlogen confettisnippers en serpentines door de lucht, en overal klonk het geluid van toeters. Er werd gezoend en geknuffeld, en iedereen kreeg een nieuw glas champagne in de hand gedrukt. Pas na het uitgebreide buffet gingen de gasten een voor een naar huis.

Hoewel de Ryans een team van schoonmakers hadden ingehuurd om het huis de volgende ochtend op te ruimen, pakte Kate alvast een stel vuile glazen op terwijl Richard de laatste gasten uitliet.

'Wat ben je toch mooi.'

Kate keek op van haar werk.

Vanuit de deuropening tussen de eetkamer en de grote zitkamer stond Richard naar haar te kijken.

'En jij hebt rode wangen,' merkte ze glimlachend op. 'Komt dat van het succes, of van de alcohol?'

'Allebei. Maar jij bent beeldschoon.'

Kate wist dat ze allesbehalve een klassieke schoonheid was. Hoewel ze een tijdloos, aantrekkelijk gezicht had, was ze niet beeldschoon of supersexy. Al mocht ze er best zijn, ze was niet het type naar wie iedere man zich op straat omdraaide.

'Ik ben blij dat je er zo over denkt,' zei ze.

'Kate toch... Je gelooft me nooit wanneer ik je een complimentje maak. Dat komt allemaal door je vader,' zei Richard.

'"Je hebt wel een goede bouw, Katherine Mary McDowell. Onderschat nooit het belang van goede botten en tanden",' zei Kate, het Schotse accent van haar vader imiterend. Ze schoot in de lach. 'Alsof hij het over een werkpaard had!'

Bij die omschrijving grinnikte Richard.

En weer deed hij haar terugdenken aan de student die alle vrouwenharten op Tulane sneller had laten kloppen.

'Je vader wist precies wat een vrouw graag wil horen,' grapte hij.

'Zeg dat wel.' Ze schudde haar hoofd. 'Kun je mij misschien even helpen?'

Hij bleef haar echter aandachtig bestuderen. 'Mijn mooie Kate McDowell,' zei hij zacht. 'Veel mannen wilden haar hebben, mijn goede vriend Luke incluis, maar ik heb haar gekregen.'

Zoals altijd was het noemen van Lukes naam voldoende om een schuldgevoel en diepgeworteld verlangen bij Kate los te maken. Tijdens hun studietijd waren Kate, Richard en hun vriend Luke Dallas onafscheidelijk geweest. Misschien was Kates band met Luke zelfs nog wel hechter geweest dan die met Richard. Luke was haar raadsman, vertrouweling en allerbeste maatje geweest – totdat ze alles had verknoeid met een ondoordachte, roekeloze daad van passie en verdriet.

'Je hebt te veel gedronken, Richard,' zei ze zacht. Ze wilde liever niet terugdenken aan de manier waarop ze Luke was kwijtgeraakt.

'Nou en? Ik hoef niet meer achter het stuur.' Hij sloeg zijn armen over elkaar. 'En ik heb toch gelijk? Of wil jij soms ontkennen dat Luke verliefd op je was?'

'Luke en ik waren vrienden, Richard.'

'Ja ja. Verder niets?'

Ze keek hem recht in de ogen. 'We waren drie goede vrienden. Ik wilde dat dat altijd zo was gebleven.'

Een paar tellen lang keek hij haar zwijgend aan. Toen hij weer sprak, was de scherpe toon uit zijn stem verdwenen. 'Wanneer ik na mijn baan bij het OM nog eens de politiek in ga, heb ik al een geschikte, diplomatieke echtgenote,' merkte hij op.

Ze trok haar wenkbrauwen op. 'O ja? Ik heb anders geen indrukwekkende familiestamboom.'

'Dat hoeft ook niet. Je bent met míj getrouwd.'

Zwijgend zette ze de lege glazen op een blad en pakte nog wat vuile vaat van de tafels. Ze wist dat Richard gelijk had. Door haar huwelijk met hem werd ze in alle societykringen in New Orleans geaccepteerd. Ze had helemaal geen geld of goede naam nodig nu ze die van hem had gekregen.

Voor de tweede maal die avond realiseerde ze zich dat ze eigenlijk erg had geboft. Ze had een fantastische man, een prachtig huis en een eigen zaak – een gezellig koffiecafé met de naam The Uncommon Bean. Daarnaast had ze ook nog eens een atelier waar ze haar gebrandschilderde glaswerk maakte, en had ze voor de rest van haar leven geen geldzorgen meer. Op een kind na had ze alles wat haar hartje begeerde.

'Het spijt me dat ik je van streek maakte met mijn opmerking over Luke,' zei Richard opeens. 'Ik weet ook niet waarom ik dat zei.'

'Het is gewoon een lange dag geweest,' zei ze, nog een glas oppakkend.

Hij nam haar het glas uit de hand. 'Laat al die rommel toch staan. We hebben toch niet voor niets een schoonmaakploeg ingehuurd?'

'Dat weet ik.'

'Kate, luister eens.' Hij pakte haar handen tussen de zijne. 'Kom eens even mee. Ik heb een cadeautje voor je.'

'Een vrijpartij, zeker?'

'Dat ook, maar dat komt straks.' Aan haar hand nam hij haar mee naar de woonkamer, waar hij voor hen beiden een koud glas champagne uit een nieuwe fles inschonk.

'Op jouw campagne,' zei Kate, zachtjes met haar glas tegen het zijne tikkend.

'Nee, op ons.'

'Oké, op ons.' Glimlachend nam ze een klein slokje van haar champagne.

Plotseling werd zijn gezicht ernstig. 'Ik zou niet weten wat ik zonder jou zou moeten, Kate.'

'Richard toch... Je bent aangeschoten.'

'Nee, ik meen het.' Voorzichtig nam hij het glas uit haar hand om haar vingers te kunnen pakken. 'Ik weet hoe moeilijk je het de laatste tijd hebt gehad. Ik weet hoe graag je een gezinnetje wilde.'

Haar ogen vulden zich met tranen. 'Laten we er maar niet meer over praten, Richard. Ik heb al zoveel. Misschien is het wel verkeerd van me om ook nog eens een kind te wensen.'

'Het is heel normaal om kinderen te willen hebben. Als je met een andere man was getrouwd, was je wens waarschijnlijk wel in vervulling gegaan.'

'Dat is niet waar. Ik heb zelf ook vruchtbaarheidsproblemen.'

'Die kunnen allemaal verholpen worden. Je kunt hormonen slikken en je eisprong laten opwekken. Ik ben echter een hopeloos geval. Bij mij zwemt er niets.' Zijn toon werd bitter. 'Hoe denk je dat dat voelt? Om jou niet te kunnen geven wat je wilt? Ik voel me maar een halve man, Kate.'

De pijn in zijn woorden trof haar diep. 'Dat is onzin, lieverd,' zei ze zacht. 'Je mannelijkheid staat los van je onvermogen om kinderen te verwekken.'

'Ben je niet teleurgesteld in me?'

'Natuurlijk niet! En wie zegt dat al mijn wensen vervuld moeten worden? We hebben al zoveel! We hebben elkaar, onze liefde, ons huis en onze carrières. Soms moet ik mezelf in de arm knijpen, omdat ik nauwelijks kan geloven dat ik dezelfde Kate ben als dat arme meisje dat vijftien jaar geleden mocht gaan studeren. Ik ben wel eens bang dat dit allemaal maar een mooie droom is, die elk moment kan veranderen in een afschuwelijke nachtmerrie.'

'Dat zal nooit gebeuren, schat. Daar zal ik wel voor zorgen.'

'Er zijn mensen die zouden liegen, stelen en moorden om te krijgen wat wij zomaar in de schoot geworpen hebben gekregen,' vervolgde ze. 'We moeten ons er elke dag van bewust blijven dat we bijzonder bevoorrecht zijn. Zodra we te hebberig worden en te veel verlangen, komt ons geluk in gevaar. Dat mogen we absoluut nooit laten gebeuren, Richard. Daarvoor is onze relatie veel te belangrijk.'

Hij lachte. 'Dat klinkt nogal dramatisch.'

'Ik meen het.' Om haar woorden kracht bij te zetten verstevigde ze haar greep om Richards vingers. 'We moeten zuinig zijn op wat we hebben, want we kunnen het morgen kwijt zijn.'

'Ik begrijp wat je bedoelt, en ik ben het wel met je eens. Maar ik heb een grote verrassing voor je, waardoor je leven nog wel eens fijner zou kunnen worden dan het al is.' Vanachter de kussens van de bank toverde hij een grote envelop te voorschijn. 'Alsjeblieft, Kate. Een cadeau voor je. Ik hoop dat 1999 een heel gelukkig jaar voor je wordt.'

Verbaasd staarde ze naar de envelop. 'Wat is dit?'

'Maak maar open.'

In de envelop trof ze een brief aan van het adoptiebureau City-wide Charities, waarin hun werd meegedeeld dat ze waren opgenomen in het bestand van adoptiefouders.

Haar hart begon wild te bonken. Citywide was het beste bureau in de wijde omtrek. Ze accepteerden slechts een paar nieuwe aanmeldingen per jaar, en de echtparen die door hen in het bestand waren opgenomen, kregen doorgaans na een jaar een kind. Al een paar keer had ze de naam van de organisatie laten vallen, maar tot dit moment had Richard geweigerd over adoptie te praten.

Met vochtige ogen keek ze naar haar man. 'Waarom ben je van mening veranderd?' vroeg ze. 'Je wilde toch geen kind adopteren?'

'Maar jij wel.'

Tranen verstikten haar stem. 'I-ik wil het alleen als jij er volledig achter staat,' bracht ze met moeite uit. 'Anders is het verkeerd.'

'Ik wil niets liever dan jou gelukkig maken, Kate,' verklaarde hij. 'Ik denk dat dit een heel goede beslissing is. Het wordt tijd dat we aan een gezinnetje beginnen.'

Ze was te ontroerd om iets te kunnen zeggen. Zelfs als ze wel iets had kunnen uitbrengen, had ze niet de woorden kunnen vinden die uiting konden geven aan haar blijdschap. Daarom gaf ze hem een liefdevolle, innig dankbare kus om hem te laten voelen hoe gelukkig hij haar had gemaakt.

Natuurlijk hadden ze elkaar veel vaker gekust, maar deze kus was iets bijzonders. Ditmaal was haar hart zo vol van vreugde, dat het dreigde te exploderen.

Stel je toch eens voor, dacht ze. Volgend jaar om deze tijd zijn we de ouders van een kind. Dan zijn we een echt gezinnetje!

'Bedankt, bedankt,' fluisterde ze wel tientallen keren onder het kussen door.

Hij trok haar haar kleren uit. De gloed van het smeulende haardvuur verwarmde hun lichamen, evenals hun zoekende, strelende handen en hun ontvlammende passie.

'Dit wordt het beste jaar van ons leven, Kate,' fluisterde hij toen hij haar onder zich trok om bezit te kunnen nemen van haar lichaam. '1999 wordt perfect voor ons. Niets of niemand zal ooit tussen ons kunnen komen.'

2

New Orleans, Louisiana, januari 1999

De broodjeszaak lag op een van de drukste hoeken van het zakelijke district van New Orleans. De zaak, Buster's Big Po'Boys geheten, was gespecialiseerd in stokbrood met gefrituurde garnalen en oesters. De meeste klanten bestelden de stokbroodjes met sla, tomaat en een dikke laag mayonaise. Voor mensen die niet van schaaldieren hielden, had Buster ook allerlei andere soorten beleg. Op de kaart stonden verder nog een paar traditionele gerechten uit New Orleans, zoals een schotel met kidneybonen en rijst.

Buster's Big Po'Boys was gevestigd in een honderd jaar oud gebouw met afbladderende verf en vieze plafonds. De airconditioning snorde van juni tot september, maar kon desondanks nauwelijks iets aan de smorende warmte in de zaak veranderen.

Op elke andere plaats in het land zou de keuringsdienst van waren de winkel meteen hebben gesloten. In New Orleans ging het echter anders. Daar vonden veel mensen Buster's een prima plaats om tussen de middag een broodje te eten.

Julianna Starr verruilde de koude januarilucht voor de warmte in Buster's. Meteen werd ze weer misselijk van de zware frituurlucht die er binnen hing.

In die paar weken dat ze nu als serveerster bij Buster's werkte, had ze gemerkt dat die lucht overal introk. Wanneer ze thuiskwam, roken haar kleren, haar haren en zelfs haar huid naar garnalen. Elke dag ging ze na thuiskomst dan ook direct onder de douche, hoe moe of hongerig ze ook was.

De geur van de broodjeszaak was al niet aangenaam, maar Julianna vond de klanten nog erger. Ze kon maar niet wennen aan de aard van de mensen in New Orleans. Ze lachten te hard, praatten te luid, aten overdadig en dronken te veel. En dat alles deden ze met een uitbundig enthousiasme. Eén keer was de aanblik van een gretig in een oesterbroodje bijtende klant al voldoende geweest om haar kokhalzend naar het damestoilet te laten rennen. Helaas had ze de pech dat haar misselijkheid niet na de eerste drie maanden van haar zwangerschap was verdwenen.

Met een diepe zucht liet ze haar blik over de vele mensen in de zaak dwalen. Waarom had ze zich nu uitgerekend deze dag verslapen? Het was pas elf uur, maar elk tafeltje was al bezet.

Toen ze naar de keuken liep, wierp een van de andere serveersters haar een vuile blik toe.

'Je bent te laat, prinses!' riep haar baas luid vanachter de toonbank. 'Pak een schort en schiet een beetje op.'

Julianna verbeet haar ergernis. Buster Boudreaux was een lomperik, wiens IQ net zo laag was als dat van zijn achterlijke broodjes, maar ze had dit baantje nodig, hoe erg ze dat ook vond.

Zwijgend liep ze langs hem heen om een schort uit de keuken te pakken. Het lelijke, kanten roze ding stond strak om haar bollende buik, waardoor ze eruitzag als een grote roze walvis. Nijdig klokte ze vervolgens haar kaart in de stempelautomaat.

'Ga je nou ook nog chagrijnig doen?' zei Buster Boudreaux scherp achter haar. 'Als je ergens problemen mee hebt, kun je dat maar beter recht in mijn gezicht zeggen.'

'Er is niets,' zei Julianna. 'Welk deel van de zaak moet ik vandaag doen?'

'Help Jane eerst maar een poosje bij de afhaalbalie,' antwoordde Buster. Op het moment dat Julianna hem met opgeheven hoofd voorbij wilde lopen, hield hij haar aan haar arm tegen. 'Ik heb onderhand meer dan genoeg van jouw arrogantie, prinses. Als ik je hulp niet zo hard nodig had, zou ik je vandaag nog een schop onder je verwaande kont geven.'

Als hij nu soms verwacht dat ik smeek om te mogen blijven, kan hij lang wachten, dacht ze. Ik kom nog liever om van de honger.

Afkeurend keek ze naar zijn hand op haar elleboog. 'Was er anders nog iets, baas?' vroeg ze hooghartig.

'Ja zeker.' Buster liet haar arm los. 'Als je nog één keer te laat komt, lig je eruit. Desnoods bel ik mijn grootmoeder om je plaats in te nemen. Begrepen? Ik denk dat die nog harder kan werken dan jij.'

Griezel, dacht ze. 'Oké, begrepen,' zei ze.

Toen ze langs de toonbank liep, stootte ze per ongeluk tegen haar collega Lorena, die kribbig iets onduidelijks mompelde. Julianna negeerde haar. Het was niet de eerste keer dat haar collega's onaardig tegen haar waren. Dat was ook geen wonder, want ze maakte er geen geheim van dat ze zichzelf te goed vond voor Buster, zijn stomme broodjes en het gezelschap van de andere serveersters. Ze haatte haar collega's en haatte het om onsmakelijke broodjes te moeten serveren aan ongeïnteresseerde klanten, die haar nauwelijks een blik waardig keurden.

Begrepen al die andere, ruwe serveersters met hun ordinaire achtergrond dan niet dat Julianna niet in de wieg gelegd was voor dit vermoeiende, ondankbare, onderdanige werk? Haar moeder had haar opgevoed met het idee dat er heel andere dingen voor haar waren weggelegd. Julianna verdiende het om verwend, verzorgd en geadoreerd te worden. Heel haar leven had ze maar met haar vingers hoeven knippen om haar zin te krijgen. Een pruillipje was al voldoende geweest om iedereen te laten vliegen. Als het geld dat haar moeder haar had meegegeven niet was verdwenen, zou ze zich nooit hebben verlaagd tot dit werk.

Ze was nu al drie maanden op de vlucht, en in die tijd had ze gewoond in Louisville, Memphis en Atlanta. Tot haar aankomst in New Orleans had ze in hotels gelogeerd, gewinkeld en hele middagen doorgebracht in restaurants en bioscopen. Pas een paar weken eerder was ze erachter gekomen dat ze schrikbarend hard door haar geld heen ging. Het was gewoon niet bij haar opgekomen te sparen of vooruit te denken, domweg omdat ze nog nooit van haar leven geldzorgen had gehad. Tegen de tijd dat het tot haar was doorgedrongen dat ze nu echt op eigen benen moest staan, had ze nog maar vijftienhonderd dollar overgehad.

Nee, ze kon het zich niet veroorloven om door Buster op straat te worden gezet.

Met een verlangende zucht keek ze naar de munttelefoon naast de toiletten. Kon ze haar moeder nu maar even bellen...

Haar moeder had haar altijd voorgehouden dat een vrouw het ver kon schoppen door haar hersens en haar uiterlijk te gebruiken. Ze zei dat vrouwen bergen konden verzetten en steden konden vernietigen met een enkele welgekozen glimlach of blik.

Op dat moment had Julianna veel behoefte aan een peptalk van haar moeder. Kon ze Sylvia's stem nu maar even horen. Kon ze maar gewoon naar huis gaan...

Het volgende moment kwam het beeld van John weer op haar netvlies. Woedend had hij op haar neergekeken terwijl zij brakend boven de toiletpot had gehangen. Hij had haar gewaarschuwd dat ze het niet meer moest wagen hem te dwarsbomen, omdat hij haar anders ongenadig zou straffen.

De foto's van Clark Russell hadden geen enkele twijfel gelaten over de manier waarop John mensen strafte. Ze zag de slachtoffers met de doorgesneden kelen nog voor zich.

John was tot alles in staat; dat hadden haar moeder en Clark haar wel duidelijk gemaakt. Stel dat ze nooit meer naar huis kon gaan...

'*Miss?* Hebt u misschien even tijd voor ons, *miss?*'

Een klant aan een tafel aan haar rechterhand maakte een eind aan haar gedachten.

'We willen ketchup, *miss.*'

Julianna knikte, haalde een fles ketchup en bracht een andere tafel hun rekening. Daarna bracht ze een aantal bestellingen naar de bijbehorende tafels en liep ze door naar het toilet. Sinds ze zwanger was, moest ze veel vaker plassen dan anders, maar dat scheen normaal te zijn. Nadat ze had doorgetrokken, liep ze naar de wastafel om haar handen te wassen.

Daar stond een vrouw voor de spiegel haar lippen te stiften. Ze had dik goudbruin haar, dat in zachte golven tot op haar schouders viel.

Julianna bleef als aan de grond genageld staan, zo sterk riep het beeld een herinnering op van veertien jaar terug...

～

Haar moeder zat aan haar toilettafel, slechts gekleed in een beha, slipje en jarretelgordeltje. Vanuit de deuropening keek Julianna vol bewondering toe, terwijl haar moeder voor de spiegel zorgvuldig haar lippen stiftte.

'Je ziet er leuk uit, mama,' fluisterde ze.

Met een glimlach draaide Sylvia zich om. 'Dank je wel, schat. Maar onthoud dat mama's mooi zijn en dat kleine meisjes er leuk uitzien. Oké? Jij ziet er leuk uit, mama is mooi.'

Berouwvol boog Julianna haar hoofd. 'Sorry mammie,' mompelde ze.

'Het geeft niet, lieverd. Probeer er alleen volgende keer aan te denken.'

Julianna knikte en kwam schoorvoetend wat dichterbij, omdat ze niet wist of ze wel welkom was in haar moeders slaapkamer. Toen Sylvia niet protesteerde, ging ze voorzichtig op de hoek van de satijnen beddensprei zitten. Ze streek haar witte schortje glad en zorgde ervoor dat er geen kreuken in haar mooie jurk kwamen. Daarna keek ze of er geen strepen op haar zwarte lakschoenen stonden.

Haar moeder had heel veel regeltjes waaraan Julianna zich moest houden. De vijfjarige Julianna kon ze soms echter niet onthouden. Wel wist ze dat Sylvia straf gaf als ze haar kleren vies maakte, zeker wanneer er bezoek kwam, zoals die avond het geval was. Daarom weerstond ze de verleiding om haar zwarte lakschoenen met de zijkanten tegen elkaar te wrijven. Dat gaf een leuk geluid, maar Sylvia werd er meestal erg boos om. Ze hield Julianna steeds weer voor dat haar schoenen daarvan kapotgingen.

'Wie komt er straks, mama?' vroeg ze schuchter. 'Komt oom Paxton?'

'Nee.' Haar moeder haalde een ragdunne zijden kous te voorschijn uit de bovenste la van haar toilettafel. 'Er komt een heel bijzondere man.' Behendig liet ze de kous over haar been glijden, waarna ze de bovenkant vastmaakte aan haar jarretelgordel.

'Hoe heet hij?'

'John Powers,' vertelde Sylvia met een dromerige blik in haar ogen. 'Ik heb hem vorige week ontmoet, op dat grote feest in het Capitool waarover ik je heb verteld. Weet je nog?'

'Waar ze die hapjes hadden in de vorm van zwanen?' vroeg Julianna.

'Precies.'

Julianna hield haar hoofd een beetje schuin. Deze man moest inderdaad wel iets bijzonders zijn, want haar moeders gezicht had nooit deze uitdrukking wanneer ze over een van haar mannelijke bezoekers praatte.

'Ik verwacht van je dat je je heel netjes gedraagt, Julianna.'

'Ja, mammie.'

'Als je heel lief bent, koop ik misschien wel die pop die je zo graag wilt hebben.'

Julianna wist precies wat Sylvia van haar verwachtte. Ze moest rustig zijn, gehoorzamen en aardig zijn tegen het bezoek. Wanneer ze zich goed gedroeg, werd ze altijd beloond. Niet alleen door haar moeder, maar ook door Sylvia's vrienden. Zij brachten snoep en cadeautjes voor haar mee en noemden haar een voorbeeldig kind en een schatje.

Elke keer kwam er echter een moment waarop Sylvia Julianna naar haar kamer stuurde. Julianna vermoedde dat ze, als ze zich écht goed gedroeg, misschien wel een keertje bij het bezoek mocht blijven. Ze nam zich voor om later ook zoveel mannen te ontvangen als haar moeder deed.

'Oké, mammie, ik zal lief zijn.'

'Goed, ga dan nu maar lief spelen, dan kan ik me verder aankleden. John kan elk moment komen.'

'*Miss?* Gaat het?'

Met een schok keerde Julianna weer terug tot de werkelijkheid.

'Gaat het?' herhaalde de vrouw, haar lippenstift in haar tas stoppend. 'U staarde me aan alsof u een geest zag.'

Verdwaasd knipperde Julianna een paar keer met haar ogen. Nu ze goed keek, zag ze dat de vrouw helemaal niet op haar moeder leek. Ze had een lelijke huid, en het goudbruin van haar haren kwam overduidelijk uit een goedkoop flesje.

'Er is niets.' Ze draaide de kraan van de wastafel open. 'Ik stond alleen even te dagdromen.'

Glimlachend legde de vrouw een hand op haar arm. 'Ik ken het gevoel. Ik heb zelf ook zes kinderen gehad. Het schijnt door de hormonen te komen. Daar kun je tijdens je zwangerschap behoorlijk last van hebben. Maak je maar geen zorgen; het gaat wel over. Daarna heb je alleen nog maar last van je kinderen.' Lachend om haar eigen grap liep ze weg.

Peinzend staarde Julianna haar na. De herinnering had zo levensecht geleken, dat ze zich opeens heel eenzaam en kwetsbaar voelde. Ze miste haar moeder. Ze miste Washington en haar comfortabele appartement. Ze miste het gevoel om mooi en bijzonder te zijn, maar het ergst verlangde ze terug naar het gevoel van veiligheid.

De deur van het damestoilet vloog open. 'Ben je soms van plan hier de hele dag te blijven zitten?' vroeg Lorena snibbig. 'Er wordt naar je gevraagd.'

Julianna knikte en haastte zich terug naar haar klanten.

De rest van de dag kroop voorbij. Tegen de tijd dat de laatste lunchgasten verdwenen waren, deden haar voeten en rug behoorlijk pijn.

Samen met de andere serveersters vulde ze peper- en zoutvaatjes bij, maakte de tafels schoon en zette de stoelen er ondersteboven bovenop. Buster deed zijn zaak meestal om drie uur dicht. 's Avonds kwam er toch niemand eten, omdat er in deze wijk alleen maar kantoren waren. Wanneer die dichtgingen, was de hele buurt uitgestorven.

Julianna nam niet deel aan de gesprekken van de andere serveersters. Af en toe zag ze een van hen naar haar kijken of een lelijk gezicht naar haar trekken. Het deerde haar niet. Ze wilde alleen maar doorwerken om zo snel mogelijk naar huis te kunnen.

Eindelijk was ze klaar met al het schoonmaakwerk en de voorbereidingen voor de volgende ochtend. Toen ze de deur uit wilde stappen, werd haar echter de weg versperd door haar collega's.

'Je kunt nog niet weg, tuthola. We willen eens even een hartig woordje met je spreken.'

Nerveus keek Julianna van de een naar de ander. 'Wat is er?' vroeg ze.

Lorena, duidelijk aangewezen als leidster van het stel, deed een stap naar voren. 'We zijn jouw houding meer dan beu,' antwoordde ze bits. 'Je hoeft niet te denken dat je beter bent dan wij, hoor. En we zijn het ook zat om elke keer jouw werk te doen als jij de kantjes er weer eens vanaf loopt.'

Haar stem klonk zo vijandig, dat Julianna geschrokken een stukje achteruitliep. Ze keek over haar schouder of ze haar baas zag, maar Buster was nergens te bekennen.

'Waarom heb jij het zo hoog in je bol?' wilde Lorena weten. Ze zette weer een stap in Julianna's richting, op de voet gevolgd door de anderen. 'Dacht je soms dat je zwangerschap een excuus was om niet te hoeven werken? Dacht je dat je daardoor iets bijzonders was?'

Haar collega Suzi priemde een bloedrode nagel in Julianna's richting. 'Elke keer wanneer jij te laat komt, moeten wij jouw werk opknappen. Dat betekent dat we twee keer zo hard moeten werken voor die armoedige fooitjes.'

'Daar hebben we geen zin meer in,' vulde Jane aan.

'Ik had me verslapen,' verdedigde Julianna zichzelf koeltjes. 'Ik kom echt niet met opzet te laat.'

Dat was niet de reactie waarop Lorena had gehoopt, want haar gezicht werd rood van kwaadheid. 'Weet je wat ik nou weleens zou willen weten?' vroeg ze. 'Als jij te goed voor ons bent, waarom werk je dan eigenlijk in deze rottige tent? En waar is je vriend? Heeft hij je soms in de steek gelaten toen hij erachter kwam dat je zwanger was?'

'Of weet je soms niet wie de vader is?' vroeg Suzi op pesterige toon.

'Ik wed van niet,' zei Jane. 'Ze is gewoon een sloerie die bij ons graag de kakmadam uithangt.'

Lorena lachte. 'Je bent een zielenpoot. We hebben allemaal medelijden met je.' Ze leunde zo dicht naar Julianna toe, dat deze haar goedkope parfum kon ruiken. 'Zal ik jou eens wat vertellen? Jij redt het niet in deze stad. En die kleine bastaard van je ook niet. Kom mee, meiden.'

Met tranen in haar ogen keek Julianna haar collega's na. Was dat werkelijk wat ze van haar dachten? Dachten ze echt dat ze in de steek was gelaten en dat ze nog minder voorstelde dan zij? Ze had nooit gedacht dat iemand nog eens medelijden met haar zou hebben.

Verdrietig legde ze haar handen op haar buik. Ze had zelfs nog nooit medelijden met zichzelf gehad.

Verlangend dacht ze weer terug aan Washington, waar ze bijna dagelijks uit eten was gegaan en elke week een afspraak had gehad bij de schoonheidsspecialiste voor manicures, massages en gezichtsbehandelingen. Daar had ze een prachtig appartement en kasten vol met dure kleding...

Maar ja, daar was ook John. Trillend bracht ze haar hand naar haar mond. Zou hij werkelijk zo'n monster zijn als Sylvia beweerde?

In de keuken hoorde ze Buster en de kok de laatste voorbereidingen treffen voor de volgende dag. Omdat ze niet wilde dat ze haar zouden zien huilen, haastte ze zich naar buiten, de winterkou in.

Op straat liepen allemaal mensen die na een lange werkdag naar huis gingen. De tram van St. Charles Avenue kwam piepend voor haar neus tot stilstand.

Een paar tellen lang werd ze verblind door het felle zonlicht dat door de ruit van de tram werd gereflecteerd. Even later dreef er een wolk voor de zon en kwam de tram weer in beweging.

Op dat moment zag Julianna John staan.

Hij had haar gevonden!

De adem stokte haar in de keel. In paniek deinsde ze achteruit, niet wetend wat ze nu moest doen.

Hij stond aan de overkant van de straat op de stoep. Zijn gezicht had hij een stukje van haar afgewend, alsof hij verderop aan St. Charles Avenue naar iets of iemand zocht.

Hij zoekt mij, flitste het door haar heen. Of hij zoekt naar een plaats waar hij me naartoe kan brengen om me te vermoorden...

Als een bang konijntje dat gefixeerd naar een koplamp staarde, bleef ze staan. Wat moest ze doen? Ze kon alleen nog maar staren. Haar hart bonsde zo luid en zwaar, dat ze nauwelijks nog kon ademhalen.

Zo had ze zich veertien jaar daarvoor ook gevoeld, op de avond dat ze met hem had kennisgemaakt. Hij was de knapste man die ze ooit had gezien. Lang, slank, sterk en jong, heel anders dan de oude, gerimpelde senator Paxton of de dikke, kale rechter Lambert. In geen enkel opzicht had hij op haar moeders andere vrienden geleken.

Haar moeder had haar aan hem voorgesteld. Met haar sensuele, wat lijzige zuidelijke accent had Sylvia haar bij zich geroepen...

'Dit is mijn kleine meisje. Mijn dochtertje, Julianna.'

Met neergeslagen ogen maakte Julianna een keurig kniebuiginkje, zoals haar moeder haar had geleerd.

'Julianna, schat, zeg eens netjes dag tegen Mr. Powers.'

'Dag, Mr. Powers,' zei Julianna braaf. Haar wangen waren rood geworden van nieuwsgierigheid, want ze wilde Mr. Powers dolgraag beter bekijken.

'Hallo, Julianna,' zei hij. 'Ik vind het leuk om met je kennis te maken.'

Vanonder haar wimpers keek Julianna stiekem naar hem omhoog. Zijn aanblik verbaasde haar zo, dat ze haar moeders waarschuwingen compleet vergat en haar hoofd ophief.

'Uw haar is helemaal wit!' riep ze uit. 'Het lijkt wel zo wit als sneeuw.'

'Dat klopt.'

'Hoe kan dat nou?' Verward schudde ze haar hoofd. 'Dokter

Walters heeft ook wit haar, maar die is oud en rimpelig. U bent helemaal niet oud.' Ze hield haar hoofd een beetje schuin om hem beter te kunnen bestuderen. 'U hebt ook veel meer haar dan dokter Walters.'

Sylvia hield geërgerd haar adem in.

Op dat moment wist Julianna dat ze te ver was gegaan, maar gelukkig was John Powers niet boos. Integendeel, hij moest juist hard om haar opmerkingen lachen. Zijn stem klonk haar diep, melodieus en mooi in de oren. Ze vond hem meteen veel aardiger dan al haar moeders andere vrienden.

John Powers kwam op zijn hurken voor haar zitten om haar diep in de ogen te kijken. Dat had ook nog geen enkele vriend van haar moeder eerder gedaan.

Julianna was verrukt. Hij behandelde haar als een volwassene, iemand met wie hij echt kon praten. Het gaf haar het gevoel dat ze iets heel bijzonders was.

'Mijn haar is in één nacht wit geworden,' vertelde hij ernstig. 'Het is gebeurd tijdens een opdracht van mijn werk. Die missie is bijna mijn dood geworden.'

Haar ogen werden groot van verbazing. 'Echt waar? Was u bijna dood geweest?'

'Ja zeker.' Hij bracht zijn hoofd nog wat dichter naar het hare. 'Ik heb die opdracht overleefd door insecten te eten,' voegde hij er op zachte, vertrouwelijke toon aan toe.

Vol afschuw hield ze haar adem in. 'Insecten? Bedoelt u spinnen en kevers?'

'Precies. Van die grote, dikke, vette kevers,' antwoordde hij.

'Kunt u me nog wat meer over die opdracht vertellen?' vroeg ze hoopvol.

'Een ander keertje,' beloofde hij. 'Een volgende keer zal ik je er alles over vertellen.'

'Oké.' Teleurgesteld liet ze haar hoofd hangen.

Hij pakte haar handen en keek haar wel een halve minuut ernstig aan. Daarna verscheen er een glimlach om zijn mond.

'Zal ik jou eens iets vertellen, Julianna?' zei hij. 'Ik ben blij dat ik jou heb leren kennen.'

Vragend keek ze naar hem op.

'Ik heb namelijk het gevoel dat jij en ik heel dikke vriendjes zullen worden,' vervolgde hij. 'Lijkt je dat leuk?'

Ze wierp een schielijke blik opzij naar Sylvia. Bij het zien van de brede glimlach op haar moeders gezicht, wendde ze zich weer tot John. 'Ja, Mr. Powers. Dat lijkt me heel erg leuk.'

Heel dikke vriendjes. De vader die ze nooit had gehad. Haar beschermer. Haar minnaar. Al die rollen had John Powers voor haar vervuld.

En nu... Nu wilde hij haar een kopje kleiner maken.

Op straat klonk luid getoeter, gevolgd door een scheldkanonnade van een automobilist.

Ze schrok op uit haar overpeinzingen en keek even verward om zich heen.

Een paar van de vele voetgangers op het trottoir keken bevreemd naar haar opzij.

Haar blik dwaalde weer naar de overkant. John, als het echt John was geweest, was verdwenen.

Hij was weg, dreunde het door haar hoofd. Ze knipperde tegen de opwellende tranen en slikte met moeite een brok in haar keel weg. Heel haar verleden, haar vroegere leventje was weg. Alles wat ze had gehad met John was weg.

Huiverend trok ze haar jas nog wat dichter om zich heen. Daarna draaide ze zich om en vervolgde ze haar weg naar huis.

3

⚜

Midden in de nacht schrok Julianna wakker. Met bonkend hart liet ze haar ogen door haar kamer dwalen, zoekend naar een schim die er niet thuishoorde, of een ademhaling die niet de hare was.

Zoekend naar een monster.

John. Ze wist zeker dat hij het was geweest op straat. Hij had haar gevonden. Hij was in haar buurt. Plotseling werd ze zo bang, dat ze nauwelijks nog kon ademhalen. Haar angst werd een groot, levend wezen binnen in haar.

Binnen in haar... Ze legde haar handen op haar dikke buik. In haar paniek verwachtte ze half dat John haar buik had opengesneden. In plaats daarvan voelde haar huid rustgevend hard en strak aan.

Gelukkig maar. Gelukkig maar! Met gesloten ogen probeerde ze haar ademhaling weer onder controle te krijgen. Als John hier werkelijk was geweest, zou hij haar hebben gedood. Hij zou haar hebben opengesneden om haar te straffen voor haar ongehoorzaamheid. Net zoals hij die andere mensen had opengesneden.

'Maak me niet kwaad, Julianna,' had hij haar gewaarschuwd. 'Als je me nog eens zo boos maakt, sta ik niet voor de gevolgen in.'

Haastig veegde ze haar tranen uit haar ooghoeken weg. John had haar niet gevonden. Dat kón niet. Ze had bijna alles gedaan wat Clark haar had opgedragen. Ze was weggegaan uit Washington, was nooit lang op één plaats gebleven en had het gebruik van creditcards gemeden om geen spoor achter te laten. Verder had ze geen contact opgenomen met haar moeder en had ze haar auto in Louisville in een andere kleur laten spuiten.

Ze had echter ook een paar adviezen genegeerd. Clark had gezegd dat ze haar naam moest veranderen en een andere identiteit moest aannemen. In de praktijk was dat echter onmogelijk gebleken. In hotels moest ze zich legitimeren; onderweg had ze haar rijbewijs nodig, en Buster had haar sofi-nummer moeten weten om haar in dienst te kunnen nemen.

Langzaam schudde ze haar hoofd. Het maakte niet uit dat ze haar naam niet had veranderd. John zou haar hier nooit kunnen vinden. Ze had zich vast verbeeld dat ze hem op straat had gezien, net zoals ze zich in het damestoilet een paar tellen had verbeeld dat ze haar moeder had gezien.

Huiverend ging ze half rechtop zitten. In haar hart wilde ze nog steeds niet geloven dat John een meedogenloze moordenaar was. Per slot van rekening had hij haar altijd overladen met liefde, cadeautjes en aandacht. Hij had haar in zijn armen gehouden, gestreeld en gezegd dat ze zijn grote liefde was.

Ze kon het zelfs nog niet helemaal geloven na hun laatste, afschuwelijke gesprek. Johns gezicht was wit geweest van woede, en hij had een wrede kant van zijn karakter laten zien die ze nog niet eerder had ontdekt. Nee, ze dacht liever terug aan de tijd daarvoor, toen hij haar had vertroeteld en verwend. Het enige wat ze in ruil daarvoor had hoeven doen, was zijn lieve kleine meisje blijven.

Zijn lieve kleine meisje, gehoorzaam en zoet. Het kind dat vol vertrouwen en zonder enige kritiek naar hem opkeek als naar een vader. Het kind dat zijn woord als wet accepteerde.

De tranen sprongen haar opnieuw in de ogen. Zo lang ze zich kon herinneren, was John het middelpunt van haar universum geweest. Ze had hem nodig om haar lief te hebben en voor haar te zorgen, zoals hij altijd had gedaan.

Ze had een grote fout gemaakt. De gebeurtenissen van de afgelopen maanden waren een regelrechte nachtmerrie. Snikkend nam ze zich voor om de baby alsnog te laten weghalen. En dan zou ze naar huis gaan en hem smeken om vergiffenis. Ze zou hem beloven dat ze nooit meer ongehoorzaam zou zijn of dingen van hem zou stelen. Ze zou zeggen dat ze spijt had dat ze naar haar moeder en Clark had geluisterd en dat ze voor altijd weer zijn lieve kleine meisje wilde zijn. Dan zou alles weer goed komen. John zou haar in zijn armen nemen en...

Nee. Dat zou hij nooit doen. Ze wist dat hij woedend op haar was. Had ze nu nog niets geleerd van die laatste nacht, toen hij had ontdekt dat ze zwanger was?

Hij was een aantal weken op zakenreis geweest. Ze had ernaar uitgekeken hem haar grote nieuws te vertellen. Ze had getrild van opwinding, in de overtuiging dat hij net zo blij zou zijn als zij. In plaats daarvan was hij veranderd in een kille, ijzige, wrede man die ze amper herkende.

Zoals gewoonlijk, was ze al vroeg naar zijn appartement gegaan om in zijn bed op hem te wachten. Ze had geen sexy nachtponnetje of uitdagende lingerie aangetrokken om haar minnaar te behagen, maar een braaf, gebloemd ponnetje met een hooggesloten nek en kant langs de hals, zoom en mouwen. Het was het soort nachtgoed dat een klein meisje zou dragen. Daarin had John haar het liefst gezien. Verder had hij gewild dat ze zich opkrulde in bed alsof ze een klein kind was dat al uren lief lag te slapen...

Met vlinders van opwinding in haar buik was ze die avond in bed gekropen.

Ze kon haast niet wachten tot John thuiskwam. Haar hart ging als een razende tekeer, en in gedachten repeteerde ze voortdurend wat ze tegen hem zou zeggen. Hoe zou hij reageren? Zou hij meteen dolgelukkig plannen gaan maken voor een toekomst met hun drietjes?

Ze was twaalf weken zwanger. Ofschoon ze met opzet met de pil was gestopt, kon ze het zelf soms nog nauwelijks geloven.

Eindelijk was ze een echte, volwassen vrouw.

In een poging een beetje tot rust te komen, sloot ze haar ogen. Ze was gestopt met de pil zonder het tegen John te zeggen, omdat ze het beu was om altijd maar weer zijn kleine meisje te zijn. Ze wilde een vrouw zijn, met alles wat daarbij hoorde. Daarom was ze er ook heilig van overtuigd dat ze er goed aan had gedaan om zonder voorbehoedmiddel te vrijen.

John zou vast wel blij zijn. Tot dan toe had hij haar altijd haar zin gegeven.

Met haar hand op haar platte buik fantaseerde ze over de toekomst. Ze wilde een volwassen relatie met John, net als al die stellen op de televisie. Ze wilde met hem vrijen zoals verliefde mensen vrijen in boeken en in films. Kortom, ze wilde voor vol worden aangezien.

Wat ze nu precies miste in haar relatie met John, kon ze niet onder woorden brengen. Het lag niet alleen aan het feit dat ze niet bij elkaar woonden. Het lag ook niet aan hun grote leeftijdsverschil of aan het feit dat ze nog nooit een andere man had gehad. Het was ook niet zo dat ze niet van hem hield, want ze was stapelgek op hem.

Terwijl ze op haar zij rolde, voelde ze de zachte flanellen stof van haar nachtjapon langs haar benen kriebelen. Tranen prikten achter haar ogen. Ze keek vaak verlangend naar de mooie lingerie die de meeste andere vrouwen voor hun partner droegen. Ook had ze vaak hongerig gekeken naar de verliefde blikken en liefkozende gebaartjes die andere mensen met elkaar wisselden.

John was heel anders. Hoewel hij haar met liefde, respect en tederheid behandelde, wilde ze soms meer. Ze verlangde vaak naar passie en lust. Soms verlangde ze zelfs naar een doodnormale ruzie.

Ze hoorde John thuiskomen. Meteen sloot ze haar ogen om te doen alsof ze sliep.

Dat was een vast onderdeel van hun spelletje, dat ze nu al jarenlang met elkaar speelden. Alleen was het destijds geen spelletje geweest, maar de naakte realiteit.

De deur van de slaapkamer ging open, waardoor er een streep licht over het bed viel. Een paar tellen later kwam John op het bed zitten.

Het duurde heel lang voor hij iets zei. Ze wist dat hij al die tijd alleen maar naar haar keek. Zoals altijd, moest ze vechten tegen het verlangen haar ogen te openen en te kijken of ze kon zien wat hij dacht.

'Julianna,' zei hij zacht. 'Ik ben het, liefje.'

'John?' fluisterde ze met gespeelde slaperigheid. 'Ben je weer terug?'

'Ja, schat. Ik ben er weer.'

'Ik heb je gemist,' mompelde ze met een slaapdronken lachje. 'Kom je me nog even instoppen?'

'Ja.' Hij nam haar gezicht tussen zijn handen om haar diep in de ogen te kunnen kijken. 'Ik hou van je, Julianna. Ik hou al van je vanaf de dag waarop ik je voor het eerst zag. Wist je dat?'

Hoewel ze dit zinnetje al jaren hoorde, voelde ze elke keer weer een beetje paniek opborrelen bij die hartstochtelijke liefdesverklaring, alsof ze intuïtief wist dat ze iets verkeerds deden.

Hij boog zich dichter naar haar toe om haar een kus op haar slaap te geven. 'Ik heb iets voor je meegebracht,' fluisterde hij.

'Echt waar?'

'Ja zeker.'

Met kinderlijk enthousiasme schoot ze overeind in bed, omdat ze wist dat hij dat van haar verwachtte. 'Wat dan?'

Hij legde zijn handen op haar schouders. 'Ben je lief geweest toen ik weg was?'

Ze knikte. In haar hoofd vermengde haar beleving van het heden zich met haar herinneringen. Met een mengeling van angst en opwinding in haar blik keek ze hem aan.

'Ben je nu ook nog mijn lieve kleine meisje?'

Weer knikte ze. Heel haar lichaam begon te trillen.

'Ik kan niet uit je buurt blijven, Julianna.' Zachtjes streelde hij over haar haren. 'Ik heb het geprobeerd, maar het lukt me niet meer. Je bent van mij. Je bent altijd al van mij geweest. Begrijp je dat?'

'W-wat bedoel je?'

'Over een poosje begrijp je het wel.' Zijn mondhoeken krulden zich tot een glimlachje. 'Dat beloof ik je.' Voorzichtig trok hij de dekens van haar af. 'Je bent mooi,' fluisterde hij. 'Mooi en lief.'

'John?' vroeg ze, met opzet haar stem een beetje angstig en kinderlijk makend.

'Stil maar, schatje. Laat John maar eens zien hoeveel je van hem houdt.' Zachtjes duwde hij haar achterover op het matras. 'Laat hem maar eens zien hoe lief je bent.'

Doodstil bleef ze liggen, omdat hij dat van haar verlangde.

Ondertussen streken zijn handen verlangend over haar lichaam. Hij kleedde zich niet uit.

Ze wist dat het niet tot volledige gemeenschap zou komen, want dat stond slechts zelden op zijn verlanglijstje. In plaats daarvan concentreerde hij zich op haar jonge lichaam. Met zijn handen en zijn mond deed hij zijn uiterste best om haar tot een hoogtepunt te brengen.

Pas nadat ze haar rug had gekromd, het bijna verlegen had uitgeschreeuwd en een hoogtepunt had bereikt, drukte hij zijn lichaam tegen het hare. Hij ademde zwaar en transpireerde, alsof hij net een halve marathon had gelopen. Heel zijn lichaam beefde van opwinding en de sterke kracht van zijn nog onbevredigde behoeften.

'Mijn lieve Julianna,' zei hij. 'Wat zou ik moeten zonder jou?'

Ze gaf hem een kus en dacht aan haar baby en aan Johns blije gezicht wanneer ze hem het nieuws zou vertellen. 'Ik hou van je, John,' zei ze. 'Ik hou van je.'

'Laat me eens zien hoeveel.' Hij pakte haar hand om die op zijn erectie te leggen.

Ze wreef en streelde tot ook hij een orgasme kreeg.

***

Haar herinnering werd plotseling verstoord door luid gelach in het appartement naast het hare. Ze knipperde met haar ogen en merkte dat ze moest plassen. Ze moest zelfs zo nodig, dat ze hoopte dat ze het toilet nog zou halen.

Op haar blote voeten liep ze naar de badkamer. Dwars door de vale, oude spiegel boven de wastafel liep een barst, waardoor haar gezicht in twee niet geheel aansluitende helften leek te zijn verdeeld.

Het vermoeide, bleke gezicht dat haar aanstaarde, leek niet eens meer op het hare. Wat hadden de serveersters ook weer gezegd? Ze hadden medelijden met haar. Ze hadden gezegd dat zij en haar bastaard het in deze stad niet zouden redden.

Boos wendde ze haar gezicht af van de spiegel. Waarom deed ze zichzelf dit eigenlijk aan? Ze wilde de baby niet eens meer. Ze wilde niet een van die oververmoeide moeders worden die in Buster's voortdurend neuzen van vervelende kinderen afveegden. Dáárvoor was ze toch niet zwanger geworden? Ze besefte echter heel goed dat haar toekomst er ook weleens zo zou kunnen uitzien.

Geschokt bracht ze haar hand naar haar mond. Waarom had ze niet gedaan wat John zei en de baby laten weghalen? Zelfs haar moeder was er niet van overtuigd geweest dat ze er goed aan deed om de baby te houden. Sylvia had terecht opgemerkt dat het Julianna al moeilijk genoeg zou vallen om John in haar eentje een stap voor te blijven. Haar vlucht zou alleen maar lastiger worden wanneer ze straks een baby had. Ze had haar dochter zelfs aangeboden mee te gaan naar een abortuskliniek.

Julianna had echter niets van een abortus willen horen. Het enige waaraan ze had kunnen denken, was haar status als volwassen vrouw en moeder.

Snikkend liet ze zich op de vloer zakken. Nu ze zo lang op de vlucht was, ging ze steeds beter beseffen dat haar toekomst er niet bepaald rooskleurig uitzag. Sterker nog, de gedachte aan de toekomst was bijna net zo angstaanjagend geworden als het verleden. Voor de zoveelste keer dwaalden haar gedachten af naar de laatste nacht met John...

~~◆~~

Ze hadden samen op bed liggen praten. Hij had haar gevraagd wat ze tijdens zijn afwezigheid allemaal had gedaan. Julianna had hem verteld over haar schilderles en haar jazzballetlessen, maar eigenlijk wilde ze natuurlijk alleen maar praten over haar zwangerschap.

Hij luisterde zeer aandachtig naar haar verhalen, zo aandachtig dat het wel leek of hij aanvoelde dat ze iets voor hem verborgen hield. Zijn ogen boorden zich daarbij zo indringend in de hare, dat ze er bijna zenuwachtig van werd. Hij kende haar te goed, beter dan wie dan ook.

Zeg het nou maar gewoon, dreunde het door haar hoofd. Zeg nou maar dat je een paar maanden geleden gestopt bent met de pil, dat je niet meer ongesteld bent geweest en dat de test positief was. Vertel hem maar dat je er dolblij mee bent.

Intuïtief voelde ze echter dat ze nog beter even kon wachten.

'Heb jij een goede reis gehad?' vroeg ze.

'Ja zeker. Mijn missie is geslaagd.'

'Waar ben je naartoe geweest?'

Hij gaf geen antwoord. Een van zijn vaste regels was dat ze hem geen bijzonderheden mocht vragen over zijn werk. Ze wist dat hij voor de CIA werkte, maar dat was ook alles.

Lange tijd was dat ook meer dan genoeg geweest, maar de laatste tijd was ze steeds nieuwsgieriger geworden. Sterker nog, het was haar dwars gaan zitten dat hij zo geheimzinnig over zijn werk deed. Haar eigen leven verveelde haar. Ze kreeg steeds meer het gevoel dat hij haar buitensloot.

Daarom was ze al een paar keer stiekem op onderzoek uitgegaan, hoewel ze wist dat hij kwaad zou worden als hij erachter kwam.

De eerste keer had ze een beetje nerveus zijn reistas en jaszakken doorzocht terwijl hij onder de douche had gestaan. Die keer had ze niets bijzonders gevonden, maar sindsdien was ze geregeld dingen tegengekomen waarvan ze niets begreep. Eén keer had ze een open envelop in zijn zak gevonden met een naam en een adres erop die niet van hem waren. De brief in de envelop had bestaan uit een enkele, onbegrijpelijke zin. Een andere keer had ze in zijn tas een vliegticket naar Colombia gevonden, ofschoon hij had beweerd dat hij nog nooit in Zuid-Amerika was geweest. De naam van de passagier op het ticket was ene Mr. Wendell White.

Door het succes van haar zoektochten was ze steeds brutaler geworden. Tijdens een van Johns volgende reizen was ze naar zijn appartement gegaan om het te doorzoeken. Ze had gekeken in alle laden, onder alle meubels en zelfs achter alle schilderijen aan de muur. Toen ze daar niets had gevonden, was ze ook nog eens aan de inhoud van zijn vrieskist begonnen.

Daar was ze op iets interessants gestuit. Tussen twee pakjes bevroren vlees had ze een zwartleren notitieboekje gevonden, gewikkeld in vetvrij papier. In het boekje had ze een rijtje data aangetroffen, gevolgd door notities in het een of andere geheimschrift.

Pas op dat moment had ze begrepen waarom John nooit over zijn werk praatte, waarom hij geen collega's leek te hebben, waarom hij over de hele wereld vloog en nooit ergens bereikbaar was.

John was een spion.

Geschrokken had ze het boekje snel weer in de vriezer teruggelegd.

'Ik moet morgenochtend weer weg,' zei hij.

Ze richtte zich half op. 'Maar je bent er net!'

'Ik moet nog iets afhandelen. Sorry.'

'Hoelang blijf je weg?'

'Ik weet het niet. Een week of twee. Misschien wel een maand. Het hangt er een beetje van af of mijn werk opschiet.'

'Kun je me dan ten minste vertellen waar je naartoe gaat?'

'Nee, dat gaat niet. Dat weet je best.'

Dat wist ze inderdaad, maar dat maakte het nog niet gemakkelijker. Pruilend draaide ze hem de rug toe.

'Stel je niet zo aan,' klonk zijn stem bestraffend. 'Je weet wel beter dan je zo te gedragen.'

Boos keek ze over haar schouder. 'Ik verveel me dood wanneer je weg bent. Er is gewoon niets te doen! En ik ben eenzaam zonder jou.'

'Misschien kan ik je hiermee opvrolijken.'

Uit de zak van zijn jasje, dat naast het bed over een stoel hing, haalde hij een klein, blauw fluwelen doosje.

'Is dat voor mij?' vroeg ze verrast.

Hij lachte. 'Voor wie anders? Maak maar gauw open.'

Opgetogen pakte ze het doosje van hem aan. Zodra ze het dekseltje had geopend, viel haar mond open van verbazing. Op het blauwe fluweel lagen twee prachtige diamanten oorknoppen.

Met grote ogen keek ze naar hem op. 'John, wat een prachtige oorbellen!'

'Ze zijn nog niet half zo mooi als mijn meisje,' zei hij, het doosje uit haar hand nemend. 'Zal ik ze even voor je indoen?'

Ze hield haar haren omhoog, waarna hij de knopjes door de gaatjes in haar oren prikte. Zodra hij de achterkantjes had bevestigd, holde ze naar de badkamer om het resultaat te bekijken. De knoppen glinsterden als vlammend ijs in haar oren.

John kwam vlak achter haar staan. 'Zelfs deze knoppen zijn nog niet mooi genoeg voor jou,' merkte hij op. 'Ze missen het vuur en de warmte die jij uitstraalt.'

'O, John!' Stralend draaide ze zich naar hem om om hem te kussen. 'Ik vind ze prachtig. Dank je wel!'

'Malle meid.' Lachend streek hij haar haren uit haar gezicht. 'Je weet toch wel dat je ze verdient?'

'Je verwent me.'

'Jij bent geboren om te worden verwend.' Hij glimlachte. 'Om door mij te worden verwend. Zal ik je lekker wassen?'

Ze legde haar hoofd tegen zijn borst. 'Dat lijkt me heerlijk.'

Hij zette de kraan aan van het ouderwetse bad op pootjes. Hij vond het heerlijk om haar in bad te doen alsof ze een klein kind was. Dan waste hij haar, zeepte haar haren in en droogde haar af met een grote, rulle handdoek. Daarna poederde hij haar huid en föhnde haar haren.

Deze waspartij begon zoals honderden andere waspartijen. John deed wat zeep op een washandje en begon haar zachtjes schoon te wrijven. Ter hoogte van haar buik hield hij met gefronste wenkbrauwen zijn hand stil.

'Je wordt dik,' zei hij afkeurend.

Bedremmeld beet ze op haar lip. John wilde graag dat ze een mager, meisjesachtig figuurtje hield. Wat zou hij zeggen wanneer hij hoorde dat ze de komende zes maanden alleen maar dikker zou worden?

'Het geeft niet,' zei hij op sussende toon, haar stilzwijgen interpreterend als een teken dat ze zich zijn kritiek aantrok. 'Ik maak wel een dieet en een oefenschema voor je. Dan zijn die extra pondjes er zo af.'

Vervolgens maakte hij het washandje nat en streek ermee over haar rug en schouders. Toen zijn hand ter hoogte van haar borsten kwam, hield hij plotseling stil.

Over haar schouder keek ze naar hem om. 'John, ik moet je iets vertellen,' fluisterde ze.

Hij keek haar aan, waarna hij zijn blik liet afdwalen naar haar borsten. Voorzichtig legde hij zijn hand onder een van de rondingen, alsof hij de borst wilde wegen.

Een vuurrode blos steeg naar haar wangen. Hij weet het, flitste het door haar heen. Hij ziet en voelt de veranderingen in mijn lichaam.

Nerveus flapte ze alles er ineens uit. Ze vertelde hem dat ze was gestopt met de pil, dat ze niet ongesteld was geworden en een afspraak had gemaakt met een dokter. 'Ik ben in verwachting,' besloot ze haar verhaal met een stralende lach. 'We krijgen straks een echt gezinnetje, John.'

Met een onpeilbare blik staarde hij haar secondelang aan.

Ze kon zien dat een spier in zijn kaak zich spande. 'John?' vroeg ze zacht, toen de stilte haar te benauwd werd. Waarom zei hij nu niets? Dit ging helemaal niet zoals ze had gepland. Was hij boos? Of had hij alleen maar tijd nodig om aan het idee te wennen dat hij vader werd?

'Dus jij wilt dit kind?' vroeg hij uiteindelijk. 'Had je dit allemaal van tevoren gepland?'

'Ja.' Smekend om begrip keek ze naar hem op. 'Ik hoop dat je niet boos bent, maar ik wilde graag dat we een écht stel zouden vormen. I-ik hou ontzettend veel van je, maar ik wilde graag zijn zoals andere vrouwen.'

'Zoals andere vrouwen?' herhaalde hij. 'Je weet niet eens wat dat inhoudt.'

'Wel waar. Ik wil graag een kind, John.'

'Geen sprake van,' zei hij, het washandje in het bad gooiend. 'Die baby wordt niet geboren, dus zet al die plannen maar uit je hoofd.'

Zijn woorden waren als een klap in haar gezicht. 'Wat is dan het probleem?' wilde ze weten, een hand op zijn arm leggend. 'Je houdt toch van me? Je hoeft echt niet met me te trouwen, als je dat niet wilt. Ik wil gewoon –'

Ruw schudde hij haar hand van zich af. 'Je wilt gewoon je figuur kwijtraken en de slaaf van een kind worden. Lijkt het je nou echt leuker om een deurmat te zijn dan een prinses?'

'Natuurlijk niet.' De tranen rolden nu over haar wangen. 'Zo hoeft het helemaal niet te gaan. Mijn moeder is toch ook geen deurmat?'

'Jouw moeder is nog veel erger,' snauwde hij. 'Is dat jouw voorbeeld?'

Geschokt staarde ze hem aan. Hoe kon hij zoiets akeligs over Sylvia zeggen? Ze waren vrienden. Ze hadden zelfs een relatie gehad.

'Ik ben niet van plan je te delen, Julianna,' zei hij kil. 'Niet met een andere man, niet met een carrière, niet met een vriendin, en ook niet met een kind. Heb je dat goed begrepen?'

'Maar dat is niet eerlijk!' protesteerde ze. Terwijl ze de woorden uitsprak, drong het tot haar door dat ze klonk als een verongelijkt kind.

Hij lachte vreugdeloos. 'Wie zegt dat het leven eerlijk is?'

'Ik wil deze baby houden, John.'

'Dat is dan jammer voor je. Kom nu maar uit bad, dan gaan we zo dadelijk bespreken hoe we dit probleem het beste kunnen oplossen.'

'Bespreken?' echode ze verontwaardigd. 'Doe nou niet alsof je van plan bent naar mijn kant van de zaak te luisteren. Ik krijg de indruk dat ik hier helemaal niets te vertellen heb!'

'Dat heb je dan goed gezien. Kom maar naar de keuken zodra je je hebt aangekleed.'

Opeens kon ze er niet meer tegen. 'Hou op met dat gecommandeer! Je doet net of ik twee jaar ben in plaats van bijna twintig. Ik ben het beu, John. Ik ben geen kind meer. Ik heb geen zin meer om altijd je lieve gehoorzame kleine meisje te zijn.'

Woedend draaide hij zich om. 'Hou je mond, Julianna, voordat je spijt krijgt van wat je zegt,' siste hij.

Uitdagend hief ze haar kin naar hem op, blind voor de waarschuwende blik in zijn ogen. 'Kijk nu eens goed naar me,' zei ze, haar armen wijd uitspreidend. 'Waarom kun je me nu niet zien als een volwassen vrouw? Waarom behandel je me niet zoals je andere volwassen vrouwen behandelt? Ik wil...'

Ze maakte haar zin niet af, omdat ze Johns gezicht van het ene moment op het andere zag veranderen in een ijskoud, angstaanjagend, haast onmenselijk masker. 'John, nee,' fluisterde ze, toen hij met bedrieglijke kalmte op haar af kwam. 'Wees nu niet boos. Ik probeerde alleen maar –'

Hij greep haar bij de keel en duwde haar zo hard tegen de koude tegelmuur achter het bad, dat ze sterretjes zag. 'Zo, dus jij wilt zijn zoals andere vrouwen? Ik verwen je, leg je in de watten en behandel je als een prinses. Is dat nog niet genoeg voor je?'

Ze stikte bijna in zijn ijzeren greep. Zo had ze hem nog nooit meegemaakt. Hij verhief zijn stem niet eens, maar toch had ze nog nooit iemand zo dreigend horen praten. Waar was de John van wie ze hield?

De blik in zijn ogen was koud als een gletsjer. 'Wil je dat ik je behandel als andere vrouwen? Zoals je moeder, de sloerie?' Ruw sleurde hij haar uit het bad. 'Oké, jij je zin.'

'John, nee.' Doodsbenauwd probeerde ze overeind te krabbelen.

Hij duwde haar echter hard op de tegelvloer neer. 'Ik dacht dat jij iets bijzonders was, maar kennelijk was mijn speciale behandeling nog niet goed genoeg voor je,' siste hij, zijn gulp openritsend. Met zijn handen duwde hij haar benen uit elkaar, waarna hij zich op haar liet vallen. 'Is dit beter, Julianna?' Met kracht drong hij bij haar binnen.

Hoewel ze het uitgilde van de pijn, ging hij ruw door.

Na een paar minuten trok hij zich terug. De nachtmerrie was echter nog niet voorbij, want hij draaide haar op haar buik en trok haar omhoog tot ze half op haar knieën zat. Toen ze weg wilde kruipen, trok hij haar met geweld aan haar heupen terug en drong opnieuw bij haar binnen.

'Vind je dit lekker, Julianna?' fluisterde hij in haar oor. Hij lachte wreed. 'Kreun dan maar voor me, prinses, als je liever zo wilt worden behandeld dan als mijn speciale kleine meisje.' Zijn vingers knepen hard in haar gevoelige borsten. 'Kom op, Julianna. Kreun voor me.'

Snikkend en vervuld van schaamte deed ze wat hij haar opdroeg. Ze voelde zich zo ellendig, dat ze bijna wenste dat ze dit niet zou overleven.

Zijn nagels drukten in haar borsten. Met een triomfantelijk geluid bereikte hij uiteindelijk zijn hoogtepunt.

Zodra zijn greep op haar heupen verslapte, liet ze zich op de grond vallen. Snakkend naar adem, sloeg ze haar armen om haar buik, die aanvoelde alsof John haar met scheermesjes had gesneden.

'Ben je nu tevreden?' vroeg hij op sarcastische toon, zijn broek dicht ritsend. 'Nu ben je precies als je moeder.'

Haar maag draaide zich om. Hoewel ze probeerde te vechten tegen de misselijkheid, moest ze hevig overgeven.

'Gadverdamme.' Vol afschuw gooide John haar een handdoek toe. 'Morgen ga je naar een abortuskliniek. Heb je dat goed begrepen?'

Ze knikte.

'Tot nu toe heb ik je volledig vertrouwd. Was dat een inschattingsfout?'

Met gesloten ogen schudde ze haar hoofd.

'Goed zo. Als je me nog eens uitdaagt of ongehoorzaam bent, zal ik je streng moeten straffen. Is dat duidelijk?'

'Ja,' fluisterde ze nauwelijks hoorbaar.

Zonder nog iets te zeggen, verdween hij uit de badkamer.

⌒⌒⌒

De herinnering was nog zo angstaanjagend, dat ze op de vloer van haar badkamer in New Orleans weer in snikken uitbarstte.

John was een beroepsmoordenaar van de CIA. Een monster dat mensen afmaakte zonder met zijn ogen te knipperen. Hij had de mensen op Clarks foto's afgemaakt, en hij zou ook niet aarzelen haar te vermoorden als hij haar vond.

Dus moest ze ervoor zorgen dat ze hem altijd een stap voor bleef, zelfs als dat betekende dat ze de rest van haar leven moest blijven vluchten.

4

In de gouden gids van New Orleans vond Julianna een rijtje adressen van gynaecologen. Ze moest echter wel vijf praktijken bellen voordat ze een arts had gevonden die onverzekerde patiënten wilde helpen. De receptioniste legde haar uit dat ze haar rekening gewoon na het consult kon voldoen.

Julianna schrok toen ze hoorde dat een consult haar in elk geval honderdvijfendertig dollar zou kosten. Als ze verder moest worden onderzocht, zou dat bedrag nog hoger worden. Toch maakte ze een afspraak, omdat ze er niet aan moest denken om aangewezen te zijn op de gratis kliniek voor arme mensen. Eén blik op de groezelige, volgepakte wachtkamer daar had haar al doen besluiten dat een bezoek aan een gewone gynaecoloog elke prijs waard was.

Dokter Samuels praktijk was gezellig en comfortabel ingericht. In tegenstelling tot de gratis kliniek rook het er fris en schoon. In de wachtkamer zaten een paar keurig uitziende vrouwen in diverse stadia van een zwangerschap.

Ofschoon iedereen zijn best had gedaan haar op haar gemak te stellen, had ze het zweet in haar handen staan en bonkte haar hart wild in haar borstkas, omdat ze totaal niet wist wat ze van het consult moest verwachten. Zou dokter Samuel aardig zijn? Wat zou hij vinden van haar verzoek?

In de behandelkamer probeerde ze zich met gesloten ogen te

concentreren op haar ademhaling. Na deze dag hoefde ze niet meer naar de dokter, want dan zou alles voorbij zijn. Ze schudde haar hoofd. Hoe had ze toch al die maanden zo dom kunnen zijn? De zwangerschap was een grote vergissing geweest.

De deur van de behandelkamer ging open. Een jonge, aantrekkelijke man in een witte jas kwam binnen, gevolgd door de assistente die Julianna's gewicht en bloeddruk had gemeten en haar een potje had gegeven voor een urinemonster.

De dokter stak glimlachend zijn hand naar Julianna uit. 'Hallo, ik ben dokter Samuel.'

Ze keek naar zijn vriendelijke gezicht en zijn moderne metalen brilletje. Hij zag eruit als een aardige, bekwame man. 'Ik ben Julianna Starr,' zei ze.

'Aangenaam.' Hij pakte het formulier dat ze in de wachtkamer had ingevuld en keek naar de resultaten van haar onderzoekjes. 'Je bloeddruk en gewicht zijn keurig in orde,' merkte hij op. 'De uitslag van het urineonderzoek zullen we zo wel hebben.' Hij sloeg de bladzijde om. 'Gebruik je drugs of alcohol?'

'Nee, dokter.'

'En je rookt ook niet. Prima.' Hij glimlachte. 'Volgens mijn berekening ben je nu vijfentwintig weken en drie dagen zwanger. Dat betekent dat je half mei uitgerekend bent. Klopt dat?'

'Ja, ik denk het wel.'

'Ga maar even op de behandeltafel liggen, dan zullen we even kijken naar je buik.'

Hij bevoelde haar buik en mat de afstand tussen haar schaambeen en navel. Daarna zocht hij met de taster van een echograaf naar de hartslag van de baby. Het snelle geklop klonk luid en duidelijk door het vertrek.

'Dat zou weleens een meisje kunnen zijn,' grapte hij. 'De hartslag van meisjes is vaak wat sneller.' Hij borg de taster op en hielp haar overeind.

'Was dat alles?' vroeg ze verbaasd.

De dokter en de verpleegster lachten.

'Wat wil je dan nog meer?' vroeg hij. 'De meeste patiënten willen hier altijd het liefst zo snel mogelijk weer weg.'

'I-ik dacht gewoon d-dat u nog meer moest onderzoeken.'

Hij keek weer op haar papieren. 'Je bent jong en gezond,' verklaarde hij. 'Ik begreep van mijn receptioniste dat je niet verzekerd bent, dus ik wil het onderzoek niet onnodig duur maken door ook nog een echo te maken.' Onderzoekend keek hij haar aan. 'Of zijn er soms nog problemen die je nog niet hebt vermeld? Bloedingen, pijn of zoiets dergelijks?'

Zenuwachtig likte ze over haar lippen. 'Nee, dat niet.'

'Goed, loop dan maar even mee naar mijn werkkamer. Dan bespreken we daar hoe we nu verdergaan.'

Ze knikte, blij dat ze haar verhaal niet hoefde doen waar de assistente bij was. De vrouw had namelijk zoiets moederlijks over zich, dat Julianna zich een beetje geneerde voor haar verzoek.

Een paar minuten later zat ze tegenover dokter Samuel in diens spreekkamer.

'Je woont nog maar kort in New Orleans, hè?' vroeg hij.

'Dat klopt.'

'We hebben je medische dossier nodig. Op je formulier heb je de naam van je vorige gynaecoloog nog niet ingevuld.'

'Ik ben nooit eerder bij een gynaecoloog geweest,' bekende ze, kijkend naar haar handen. 'De laatste keer dat ik bij een dokter ben geweest, was om mijn zwangerschap te laten bevestigen.'

'Betekent dat dat je ook geen extra vitaminen slikt?'

'Nee.'

'Goed, dan zal ik je nu een paar soorten voorschrijven.' Hij pakte een blaadje van een blok receptpapiertjes.

'Ik wil een abortus.'

Verrast hief hij zijn hoofd op. 'Pardon?'

'Ik wil de baby niet. Het was een vreselijke vergissing,' bekende ze. 'Ik had nooit zwanger moeten worden.'

Even bleef het stil. Toen schraapte hij zijn keel. 'Wat vindt de vader ervan?'

'Hij... Hij maakt geen deel meer uit van mijn leven,' vertelde ze. 'Bovendien heeft hij me al meteen duidelijk gemaakt dat hij niet op een kind zat te wachten.'

Dokter Samuel vouwde zijn handen voor zich op het bureau. 'Dan heb je een probleempje, jongedame,' zei hij. 'Op de eerste plaats ben ik geen voorstander van abortus. Ik ben gynaecoloog geworden om kinderen op de wereld te helpen, niet om ze weg te halen.'

'Kunt u me dan niet doorverwijzen naar iemand die –'

Hij liet haar niet uitpraten. 'Op de tweede plaats is abortus geen optie meer voor jou. Je bent te laat.'

Haar hart sloeg een slag over. 'Wat bedoelt u?'

'Je bent al te lang zwanger,' verduidelijkte hij. 'Hier in de Verenigde Staten is een abortus toegestaan tot vierentwintig weken na de laatste menstruatie. Die datum is inmiddels tien dagen verstreken.'

Tien dagen. Wat was nou tien dagen? Ze schudde haar hoofd, alsof ze hem nauwelijks begreep. Met tranen in haar ogen keek ze hem aan. Weigerde hij haar nu echt door te verwijzen omdat ze anderhalve week eerder had moeten komen?

'U begrijpt het niet,' bracht ze met moeite uit. 'I-ik heb helemaal niemand. Ik kan niet voor een kind zorgen. Ik zou niet weten hoe!' Haar stem werd steeds luider. 'Deze zwangerschap was een vergissing! Ik wil deze baby niet.'

'Het spijt me, maar ik kan echt niets voor je doen,' zei hij terwijl hij opstond van zijn stoel.

In paniek pakte ze zijn hand. 'Kunt u er niet voor zorgen dat iemand me toch wil helpen?' smeekte ze. 'Ik bedoel, u kunt toch wel liegen over de datum? Ik heb begrepen dat de ingreep op zich niet zoveel voorstelt. Ze zuigen de vrucht toch gewoon weg met een soort stofzuigertje?'

Met een afkeurende blik trok hij zijn hand uit de hare. 'Als je denkt dat ik bereid ben over die datum te liegen, heb je het mis. Ik ben arts, Julianna. Ik hou niet van oneerlijke praktijken. Daarnaast...'

Hij wierp een blik op zijn horloge. 'Ik wil je even iets laten zien.' Uit zijn boekenkast haalde hij een dik boek, waarin hij een foto opzocht van een baby in de baarmoeder. 'Zie je dit? Dit is een foetus na twee maanden zwangerschap.'

Ze keek naar de foto. De vrucht zag eruit zoals alle plaatjes van ongeboren kinderen die ze ooit had gezien: een klein, onooglijk ruimtewezentje met een veel te groot hoofd en een doorschijnend huidje met felrode adertjes. Er was nauwelijks iets menselijks aan de foto te ontdekken.

Dokter Samuel sloeg nog een paar pagina's om. 'Zo ziet jouw baby er nu uit,' zei hij, wijzend op een volgende foto.

Ze schrok. In het boek stond een echte baby. Dit was geen ondefinieerbaar wezen van een andere planeet, maar een echt klein mensje, compleet met al zijn vingertjes en teentjes. Hij had een echt gezichtje en zoog op zijn duim.

Geschokt legde ze haar hand op haar buik. 'Weet u het zeker?' vroeg ze met een brok in haar keel. 'Ik bedoel, dit is –'

'Ik weet het heel zeker. Zo ziet jouw baby er op dit moment uit.' Opnieuw schraapte hij zijn keel. 'Baby's van vijfentwintig weken herkennen hun moeders stem vanuit de baarmoeder en reageren op licht en geluid. Je bent zelfs zo ver, dat je baby nu al een piepklein kansje zou hebben als je vandaag zou bevallen.'

'Daar had ik geen idee van.' Verbijsterd staarde ze weer naar de foto. 'Ik dacht... Ik was ervan overtuigd...' De tranen rolden haar over de wangen. 'O, dokter Samuel, wat moet ik nu doen? Wat moet ik nu toch in vredesnaam doen?'

Zijn gezicht kreeg een wat zachtere uitdrukking. 'Je zegt dat je niet voor de baby kunt en wilt zorgen,' zei hij, haar een papieren zakdoekje aanreikend. 'Weet je dat wel heel zeker? Vaak is het zo dat wanneer je de baby eenmaal in je armen hebt –'

'Nee,' zei ze beslist. 'Ik weet het echt heel zeker. Ik wil deze baby niet.'

'In dat geval zou je de baby natuurlijk ook kunnen afstaan voor adoptie.'

'Adoptie?' herhaalde ze schaapachtig. 'D-daar heb ik helemaal niet aan gedacht. Ik heb me alleen maar beziggehouden met...'

Met de angst voor John. Met overleven.

Hij ging weer achter zijn bureau zitten. 'Er zijn in dit land duizenden onvruchtbare echtparen die dolgraag een gezonde baby willen adopteren,' vertelde hij. 'Het zijn aardige, degelijke mensen, die jouw kind een goed nest en een warme familie kunnen geven.'

Hij leunde een stukje naar haar toe. 'Je bent al zes maanden zwanger, Julianna. Over veertien weken wordt je baby al geboren. Je zegt zelf dat je er niet over peinst om het kind te houden, en abortus is op dit moment uitgesloten. Adoptie is voor jou misschien wel de ideale oplossing.'

Ze probeerde zijn woorden op zich te laten inwerken. 'M-maar waar kan ik al die mensen dan vinden?' vroeg ze. 'Hoe kom ik met zulke echtparen in contact?'

'Er zijn hier in de regio diverse goede adoptiebureaus en advocaten die zich hebben gespecialiseerd in adoptiezaken,' vertelde hij. 'Ik werk samen met een van de beste bureaus, Citywide Charities.'

Langzaam schudde ze haar hoofd. 'Ik weet het niet, dokter,' mompelde ze.

'Het is een prachtige, liefdevolle oplossing, Julianna,' was dokter Samuels mening. 'Je kind krijgt een prima leven bij ouders die heel veel van hem of haar zullen houden.' Hij glimlachte. 'Ik kan het weten, want mijn vrouw en ik hebben onze drie kinderen ook via Citywide Charities geadopteerd.'

Van zijn bureau pakte hij een ingelijste foto, die hij aan haar liet zien. 'Dit zijn mijn dochter en mijn zoons.'

Ze keek naar de leuke, stralende kinderen op het kiekje.

'Ze zijn het zonnetje in ons leven, werkelijk waar,' vertelde hij.

Haar ogen liepen weer vol tranen. 'Ik weet gewoon niet wat ik moet doen,' fluisterde ze. 'Ik dacht eigenlijk dat u... Dat ik na vandaag...' Haar stem stierf weg.

'Denk er maar even rustig over na,' zei hij op sussende toon. 'Neem er maar de tijd voor.' Hij stond op en gaf haar een kaartje. 'Dit is het nummer van Citywide Charities. Als je nog vragen hebt, kun je daar terecht. Vraag maar naar Ellen, zij helpt je wel verder.'

Ook zij stond op. 'Dank u wel. Ik beloof u dat ik erover zal nadenken.'

'Prima. Dan zie ik je graag over drie weken terug,' zei hij. Aan haar gezicht zag hij echter dat ze niet van plan was om nog eens een afspraak te maken. 'Je hebt medische zorg nodig, Julianna, of je nu verzekerd bent of niet,' legde hij ernstig uit. 'Je kunt niet het risico nemen dat er iets met jou of de baby gebeurt.'

Schuldbewust beet ze op haar onderlip. 'Ik weet het,' mompelde ze. 'Het kost alleen zoveel geld om bij u langs te komen.'

'Als je voor adoptie zou kiezen, zou Citywide je tegemoet kunnen komen in de kosten voor levensonderhoud en medische zorg.'

Haar humeur klaarde meteen op. 'Echt waar? Krijg ik dan geld toe?'

Hij glimlachte. 'Ze bekijken wat een redelijke toelage zou zijn, dus ik weet niet hoeveel geld ze jou zouden kunnen bieden,' antwoordde hij. 'Ik kan je echter wel beloven dat je je over medische kosten geen zorgen meer hoeft te maken. Als je wilt, kun je de rest van je zwangerschap afspraken blijven maken bij mij.' Hij liep met haar naar de deur. 'Laat je het allemaal even rustig op je inwerken?'

Ze beloofde hem dat ze overal goed over zou nadenken. Daarna betaalde ze haar rekening en verliet ze met tollend hoofd zijn praktijk. Het kostte haar geen moeite om haar belofte aan hem te houden, want hij had haar genoeg stof tot nadenken gegeven.

5

～✦～

Houston, Texas, januari 1999

Luke Dallas zat in een hoekje van een donkere, rokerige bar te
wachten. Over het dronken gewauwel van de aanwezige cowboys
heen zong Tammy Wynette op klaaglijke toon over ware liefde en
een ontrouwe man. Uit de andere hoek van de bar klonken hees
gelach van een paar zwaar opgemaakte vrouwen en het geluid
van tegen elkaar stotende biljartballen.

Luke glimlachte. De man met wie hij een afspraak had, had
deze bar uitgekozen. Luke vond het wel een aangename plek.
Het had een zekere stijl, een doorsnee Texaanse sfeer. In gedachten zag hij zijn personage Alex Lawson al bij de biljarttafel staan.
In Lukes verhaal zou Alex de mannelijke aanwezigen tegen zich
in het harnas jagen door hen te verslaan met biljarten en de harten van hun vrouwen te stelen. Waarschijnlijk zou er daarna een
vechtpartij volgen, maar dat deerde Alex nooit.

Om die reden had Luke een zwak voor Alex Lawson, de hoofd-
persoon die hij had gecreëerd voor zijn eerste roman Running
Dead. Alex had lef. Hij was arrogant, intelligenter dan goed voor
hem was en getraumatiseerd door een afschuwelijke jeugd. Hij
was een man in een mannenwereld, op wie alle vrouwen dol waren.

Lukes uitgever was zo enthousiast geweest over Alex Lawson
en diens aartsvijand Trevor Mann, dat ze hem had gevraagd het
einde van Running Dead te veranderen en beide personages te

gebruiken in een volgende roman. Inmiddels was Luke drie succesvolle romans en een lucratief filmcontract verder. Hij was een van de best verkopende auteurs in de Verenigde Staten. Al zijn vroegere werk werd opnieuw uitgebracht, en elke week kreeg hij wel een nieuw fantastisch aanbod van een uitgeverij. Niet slecht voor een schrijver die jarenlang in de avonduren barkeeper was geweest om in leven te kunnen blijven.

Terwijl hij een slokje van zijn lauwe bier nam, liet hij zijn gedachten afdwalen naar zijn nieuwe boek. Voor zijn huidige project had hij een nieuw personage bedacht. Dat was ook de reden waarom hij in deze afgelegen plattelandsbar zat te wachten op iemand van wie hij niet eens wist of hij wel zou verschijnen.

Het nieuwe personage was een antiheld, een voormalige CIA-moordenaar die voor zichzelf was begonnen. Om meer informatie te krijgen over het onderwerp, had Luke contact opgenomen met Tom Morris, een kopstuk van de CIA die onder de indruk was van Lukes bestsellers en zijn connecties met Hollywood.

Aanvankelijk had Tom Morris ontkend dat er überhaupt moordenaars in dienst waren van de overheid. Luke had hem echter in zijn gezicht uitgelachen, want er waren genoeg documenten die bewezen dat de CIA al talloze keren aanslagen had gepleegd op politieke tegenstanders van de Verenigde Staten.

Om al die aanslagen, waaronder de mislukte pogingen om Castro uit te schakelen, ging het Luke echter niet. Nee, zijn interesse ging uit naar de geruchten die de ronde deden, verhalen waarvoor geen bewijs was en waarover de CIA liever geen mededelingen deed. Dingen waar zelfs de president niets vanaf wist, gewoon omdat dat beter voor hem was. Speculaties over oefenscholen als The Farm en over goedgetrainde moordmachines die de veiligheid en stabiliteit van de Verenigde Staten waarborgden door geruisloos maatschappijgevaarlijke elementen uit de weg te ruimen. Luke was in de loop der jaren cynisch genoeg geworden om in de geruchten te gaan geloven.

Uiteindelijk had Tom Morris toegegeven dat de CIA in het verleden inderdaad moordenaars had opgeleid, maar hij vertelde erbij dat The Farm niet meer bestond. Hij had benadrukt dat regeringsmoordenaars behoorden tot een ander politiek klimaat, een klimaat van koude oorlog en conservatieve, defensieve regeringen.

Hoewel Luke wist dat dat onzin was, had hij zijn mond gehouden. Het leuke van het schrijven van fictie was dat hij niets hoefde te bewijzen. Hij hoefde mensen er alleen maar van te overtuigen dat iets waar zou kúnnen zijn.

Morris had voor Luke een afspraak geregeld met een CIA-agent die bekendstond onder de codenaam Condor. Hij had er echter bij gezegd dat hij niet kon garanderen dat Condor ook daadwerkelijk zou komen opdagen. Volgens hem waren dit soort CIA-agenten eenlingen die leefden volgens hun eigen codes en regeltjes.

Luke nam nog een slokje van zijn bier. Condor. Een roofvogel. Een majestueuze, krachtige jager. Een diersoort die op het punt stond uit te sterven.

Deze man zou Luke een schat aan informatie kunnen geven. Hij zou hem een kijkje kunnen gunnen in het brein van mensen die beroepsmatig en voor hun vaderland andere mensen vermoordden. Hij zou hem kunnen vertellen over The Farm, waar hij was opgeleid tot doelmatige vecht- en moordmachine.

Tenminste, als hij zou komen en als hij bereid was te praten.

Luke keek op zijn horloge. Condor was laat. Zou hij komen? Hij hoopte van wel, want waar moest hij anders zijn informatie vandaan halen? Beroepsmoordenaars waren met een lampje te zoeken, en bereidwillige praters al helemaal.

'Joehoe, Kate! Ik zit hier!'

Automatisch draaide Lukes hoofd in de richting van de stem. Hij moest meteen denken aan zijn eigen Kate, de vrouw van wie hij had gehouden. De vrouw van wie hij had gedacht dat ze ook van hem hield. Destijds had hij gehoopt dat ze genoeg om hem gaf om een toekomst aan te durven met een man die op dat moment niets anders bezat dan zijn dromen en het geloof in zijn eigen talenten.

Wanneer hij aan Kate dacht, dacht hij automatisch ook aan Richard en aan hun vriendschap, die was ontaard in een verbitterde strijd om Kates liefde. Na jaren van plezier en hechte kameraadschap waren ze uit elkaar gegaan als vreemden die geheimen voor elkaar hadden en het verschil in hun sociale status als struikelblok zagen.

Kate had uiteindelijk gekozen voor de man die alles kon kopen wat haar hartje begeerde, de man die zonder enige moeite al haar dromen kon realiseren. Tenminste, dat had Richard tijdens hun laatste ontmoeting gezegd, toen Luke op een koude winterochtend op de universiteit op Kate had staan wachten. Luke was van plan geweest Kate te vertellen wat ze voor hem betekende en haar te vragen zijn leven met hem te delen.

Richard had hem gewoon uitgelachen. 'Ze heeft de beste van ons tweeën gekozen, Luke,' had hij gezegd.

Luke liet zijn bierglas tussen zijn handpalmen rollen. Kate had gekozen voor de man met geld, goede connecties en de indrukwekkende stamboom. De man die alles had wat ze zelf nooit had gehad. Ze had geen zin gehad in een leven met een arme student die ervan droomde een beroemd schrijver te worden.

Een grimmig glimlachje speelde om zijn lippen. Inmiddels was zijn droom uitgekomen. Zou Kate nog wel eens denken aan haar tijd met hem? Wat zou ze vinden van zijn succes? Zou ze wel eens spijt hebben gehad van haar keuze?

Waarschijnlijk niet. Vier weken daarvoor had hij een uitnodiging gehad voor het jaarlijkse oudejaarsfeest van de Ryans, vergezeld van een vrolijke, gezellige brief van Kate.

Zowel de uitnodiging als de brief was als zout in een open wonde geweest, zelfs nu Luke waarschijnlijk vier keer zo rijk was als Richard Ryan en aan Kate en de rest van de wereld had laten zien dat hij er goed aan had gedaan om in zichzelf en zijn droom te blijven geloven.

Het ergste vond hij dat Kate zo gelukkig leek. Dat zou betekenen dat ze destijds de juiste keuze had gemaakt en dat hij gewoon een naïeve, verliefde dwaas was geweest.

Zoals elk jaar had hij de uitnodiging afgeslagen, maar had hij de Ryans wel een dikke envelop gestuurd vol lovende kritieken, data wanneer hij boeken signeerde en promotiemateriaal van zijn laatste bestseller. Het was het enige contact dat hij nog met hen had.

Hij deed het alleen maar omdat hij er een pervers genoegen in schepte om de Ryans elke keer weer te confronteren met het feit dat hij beroemd was geworden. Hij kende zijn vroegere vriend Richard goed genoeg om te weten dat deze tandenknarsend naar Lukes fenomenale succes zou kijken. Wat Richard betrof, was er maar één persoon die in de schijnwerpers mocht staan, en dat was Richard Patrick Ryan zelf.

Luke schudde zijn hoofd. Kate en Richard waren onderdeel van zijn verleden. Hij was al lang over zijn woede en teleurstelling heen. De Ryans en hun geluk konden hem niet meer raken.

'Luke Dallas?'

Luke draaide zich om. Achter hem stond een man die hem vragend aankeek. Hij had zijn handen in de zakken van zijn ribfluwelen jasje gestoken.

'Ja, dat ben ik.'

'Tom Morris heeft me gestuurd,' zei de man.

Condor! Uitnodigend gebaarde Luke naar de stoel tegenover hem. 'Ga zitten.'

Terwijl de man ging zitten, namen zijn donkere ogen Luke grondig op.

Van dat moment maakte Luke gebruik om op zijn beurt Condor beter te kunnen bekijken.

De man leek totaal niet op de fictieve moordenaar die hij in zijn hoofd had. Condor had een vriendelijk, open gezicht, zonder enige duidelijke, opvallende kenmerken. Met zijn korte bruine haar, bruine ogen, gemiddelde lengte en vierkante kaak had hij ook best voor een van de andere barbezoekers kunnen doorgaan.

Luke hield zijn hoofd een beetje schuin. De man leek zelfs ontwapenend gewoontjes. Hij had iets nonchalants over zich, waardoor hij de indruk wekte nauwelijks op zijn omgeving te letten. Op het moment dat hij Condor in de ogen keek, wist hij echter heel zeker dat hij met een bijzonder intelligente man te maken had die geen enkel detail over het hoofd zag.

'Ik ben een fan van je boeken,' zei de man. 'Bij Last Dance zat ik echt op het puntje van mijn stoel.'

'Dank je wel.'

'Zullen we een stukje gaan lopen?'

Nadat Luke voor zijn biertje had betaald, liepen de twee mannen naar buiten. Het was koud, en de bar bevond zich in een slechte buurt. Luke keek om zich heen, maar hij was niet bang. Gezien het gezelschap waarin hij zich bevond, maakte hij zich geen zorgen over een eventuele beroving.

Hij dook dieper weg in zijn pilotenjack. 'Ben je gewapend?' vroeg hij.

Condors mondhoeken krulden zich tot een glimlachje. 'Zou je personage een wapen bij zich hebben?'

'Ja.'

'Wat voor een?'

'Een tweedehands semi-automatisch vuurwapen. Een .22.'

'Een man kan zich op vele manieren wapenen,' verklaarde Condor. Hij keek even opzij. 'Een vuurwapen is niet altijd de beste keus. Het hangt een beetje van de situatie af.'

'Of van de klus.'

'Ik ben vanavond niet aan het werk.'

Luke keek omlaag naar de grond. 'Heeft Tom Morris verteld dat ik graag informatie van je wilde? Dat ik je wilde interviewen over je werk?'

'Ik heb begrepen dat je nieuwe personage iemand is zoals ik.'

'Dat klopt.' Rustig wandelden ze de straat achter de bar in.

'Is hij een held of een schurk?'

'Eigenlijk allebei. Een antiheld. Dit wordt het eerste boek van een nieuwe serie, net zoiets als de serie over Alex Lawson.'

'Dus ik word aan het eind van het boek niet om zeep geholpen?'

Luke schoot in de lach. 'Nee, en met een beetje mazzel krijg je het meisje ook nog,' antwoordde hij.

Condor glimlachte. 'Dat staat me wel aan,' zei hij. 'Wat verwacht je eigenlijk precies van dat interview?'

'Ik wil een kijkje nemen in je hoofd,' vertelde Luke. 'Ik wil te weten komen wat jou en je collega's beweegt, waarom jullie dit werk eigenlijk doen. Ik wil weten hoe jullie over bepaalde zaken denken en hoe jullie zelf tegen je beroep aankijken. Ik wil een grondige rondgang in een wereld waarvan de meeste mensen totaal niets weten. Ik wil weten hoe je een nieuwe klus plant, hoe je te werk gaat, hoe je dagelijkse leven eruitziet en hoe je je voelt wanneer je met succes een missie hebt afgerond.'

'Dan wil je heel veel,' mompelde Condor, omhoogkijkend naar de zwarte hemel.

'Dat klopt...' Luke keek van opzij naar hem. '...maar ik neem genoegen met alles wat je aan me kwijt wilt. Niemand zal ooit te weten komen dat jij mijn bron bent geweest. Mijn uitgeverij is bereid te drukken dat alles wat ik opschrijf het product van mijn levendige fantasie is geweest.'

Condor stond stil. Ze waren het hele blok rond gelopen en inmiddels weer vlak bij de deur van het café beland.

'Ik zal erover nadenken,' beloofde hij. 'Ik neem binnenkort wel contact met je op.'

'Wanneer?'

'Dat weet je zodra je van me hoort.'

Met die woorden verdween hij in de donkere nacht.

6

⌖

Yosemite National Park, Californië, januari 1999

John zat op een overhangend stuk steen, dertig meter boven de Merced River in Yosemite National Park. Hij haalde diep adem om zijn longen vol te pompen met de frisse, weldadige berglucht om hem heen.

Hij genoot van het woeste, krachtige karakter van het landschap in het park. De rivier, de sequoia's, de torenhoge dennen en de blauwe lucht waren een lust voor het oog en straalden onverwoestbare levenskracht uit. Ze waren gemaakt door een macht die sterker was dan wat de mens ooit zou kunnen produceren.

Langzaam boog hij zich naar voren om een handvol kleine steentjes op te rapen. De gladde, kleine kiezels, die een subtiel kleurenpalet vormden, werden geleidelijk aan warm in zijn hand. Hij dacht na over de mensheid en kwam tot de conclusie dat mensen altijd dingen wilden vernietigen. Door de geschiedenis heen hadden veel lieden opgeschept over wat de mens allemaal had uitgevonden, maar de waarheid was dat menselijke beschavingen waren gebaseerd op oorlog, vernietiging en moord. Dat waren de enige drie vaardigheden die de mens tot in de puntjes had leren beheersen.

Kernenergie? Hij schudde zijn hoofd. Wat een lachertje. Er zat meer kracht in deze stenen dan in de totale landsvoorraad kernwapens. Als de mensheid zichzelf zou opblazen, zou deze indrukwekkende wildernis nog altijd bestaan. De natuur zou altijd een vorm vinden om te overleven.

Even later pakte hij zijn verrekijker om naar beneden te turen. Hij stelde de lenzen scherp op een eenzame figuur die beneden bij de rivier aan het vliegvissen was. Op zijn gemak keek hij toe terwijl de man de hengel heen en weer zwaaide en de vislijn hoog door de lucht liet vliegen. Daarna vloog de lijn met een prachtige, wijde boog in het water. Het was gewoon een plezier om naar de visser te kijken.

John glimlachte stilletjes. De man was Clark Russell, zijn voormalige collega bij de CIA. Het was niet meegevallen om Russell te pakken te krijgen zonder andere mensen erbij. Gelukkig had Russell, net zoals de meeste andere mensen, een bruikbare achilleshiel. Er was een plek waar hij zich zo prettig voelde, dat hij vergat voorzichtig te zijn. Sommige mensen waren te vangen met vrouwen of gokken, maar Russell vergat alles en iedereen om zich heen wanneer hij aan het vissen was.

John had nooit begrepen waarom andere mensen vissen zo leuk vonden. Wat was er nu voor lol aan om beesten te vangen met scherpe haken door hun bek en die vervolgens uit het water te hijsen? Hij begreep dat de mensen konden genieten van de rust, de eenzaamheid en het gesprek met de natuur. Hij begreep zelfs dat iemand het leuk vond om behendigheid te krijgen in het werpen van de hengel. Het vissen op zich kwam hem echter onnodig bot en wreed voor. Het was een barbaarse, zinloze bezigheid, al net zo onnozel als jagen.

Zelf was hij natuurlijk ook een jager, maar dan op mensen in plaats van op dieren. In zijn ogen was dat een groot verschil. Zijn beroep zorgde ervoor dat de cirkel op aarde rond bleef, dat de bestaande orde niet werd verstoord. Dat er af en toe een mens uit de weg moest worden geruimd, was dus niet meer dan normaal. Dieren leefden echter volgens hun instinct, niet volgens zelfbedachte regels. Wanneer zij een prooi doodden, deden ze dat om te kunnen overleven. Mensen doodden voor de lol. Ze jaagden op beesten omdat ze dat stoer vonden, omdat ze er financieel beter van wilden worden, of omdat ze zo arrogant waren om te denken dat ze superieur aan de dieren waren.

Van alle levende wezens op aarde had alleen de mens het vermogen om slechte dingen te doen, om bewust iemand geestelijk of lichamelijk pijn te doen. Theologen noemden dat vermogen 'zonde', John noemde het 'de duistere kant van onze ziel'.

De sequoia's en enorme dennen zwaaiden kreunend met hun logge lijven heen en weer in de wind. Met gesloten ogen liet John de muziek van hun bewegingen tot zich doordringen.

Hij geloofde dat alle mensen een ziel hadden, maar hij geloofde niet in een hiernamaals. Hij geloofde in de kracht van de schepping, maar niet in God. Hij was ervan overtuigd dat er zoiets bestond als aangeboren slechtheid, maar hij geloofde niet in de duivel.

Toen hij zijn ogen weer opende, had Clark net een vis gevangen. Het arme dier probeerde zich wanhopig te ontworstelen aan de lijn door wild aan het haakje te trekken. Zijn zilveren schubben zorgden voor een felle, heldere straal licht in de koele winterzon.

Fel en helder licht... Net zoals het licht van zijn Julianna.

Johns handen balden zich tot vuisten. Julianna's ziel kende geen duistere kanten. Ze was puur en volmaakt onschuldig, alsof ze helder wit licht uitstraalde.

In gedachten zag hij haar weer voor zich zoals ze de eerste keer voor hem had gestaan. Ze had met gebogen hoofd naast haar moeder gestaan, met kleine schuifspeldjes in haar lange haren. Op haar truitje had een geborduurd teddybeertje gestaan. Op het moment dat ze stiekem haar hoofd had opgetild om hem te kunnen aankijken, was hij getroffen door haar schoonheid en haar onweerstaanbare onschuld. Het was alsof hij even recht in de zon had kunnen kijken.

Meteen had hij zich aangetrokken gevoeld tot haar puurheid. Haar kinderlijke onschuld was als balsem geweest voor zijn ziel. Met haar vijf jaar had ze een plaats beroerd diep in zijn binnenste, waarvan hij het bestaan jarenlang was vergeten. Ze had gevoelens wakker gemaakt waarvan hij had gedacht dat hij ze niet meer had. Ze had hem gelukkig gemaakt op een manier die vergelijkbaar was met het effect dat de majestueuze, ongerepte natuur op plaatsen als deze op hem had.

In zijn ogen was ze een engel geweest die speciaal voor hem naar de aarde was gezonden. Vanaf dat ogenblik had hij van niemand anders meer gehouden dan van haar.

Hij had zijn best gedaan haar te beschermen tegen de verderfelijke invloed van anderen, tegen de waanzin van een wereld die zichzelf niet meer in de hand had. Al die jaren had hij getracht haar af te schermen van zaken die haar zouden verpesten op de manier zoals een worm een gave appel ruïneert. Hij had haar in de watten gelegd, verwend en haar heldere licht gekoesterd om haar kennis te laten maken met een volmaakte wereld die hij nooit had gekend. Hij had haar alles gegeven om haar leven mooier te maken dan het zijne.

Ooit had hij ook dat speciale licht bezeten. Bij hem was het echter niet gevoed, maar gesmoord, waardoor de duistere kant van zijn karakter de overhand had gekregen. Dat had hij tegen elke prijs bij Julianna willen voorkomen.

Haar moeder was er uiteindelijk echter toch in geslaagd Julianna's ziel te corrumperen. Zij had Julianna van hem vervreemd en haar laten kennismaken met dingen waarvan ze voorheen geen weet had gehad. Wanneer hij aan Sylvia dacht, voelde hij de ijzige woede weer in zijn hart opborrelen.

Sylvia en Clark Russell. Mensen die alles kapotmaakten.

Nogmaals hield hij de verrekijker voor zijn ogen, ditmaal om de omgeving af te speuren naar andere mensen. Want hij wilde er zeker van zijn dat hij en Clark zo dadelijk alleen zouden zijn.

Het was nog niet te laat voor Julianna; dat wist hij zeker. Hij hoefde er alleen maar voor te zorgen dat hij haar vond.

Maar eerst moest Clark Russell boeten voor zijn wandaad.

Uiteindelijk stond hij op om naar de rivier te gaan. Het kostte hem geen enkele moeite om een geschikte weg te vinden tussen de stenen en de struiken. Tijdens zijn tocht maakte hij praktisch geen geluid. Zijn ademhaling werd wat zwaarder, maar niet veel. De extra zuurstof in zijn bloed bereidde hem juist extra goed voor op zijn taak, net als de adrenaline die hij door zijn lichaam voelde suizen.

Iemand doden was niet persoonlijk. Tenminste, dat was de bedoeling. Een goede moordenaar benaderde zijn prooi vakkundig en deed zijn werk zo snel en zakelijk mogelijk. John was daar erg goed in. In zijn werk had hem dat de codenaam Ice opgeleverd.

Dit was echter geen gewone klus. Hij vernauwde zijn ogen tot spleetjes terwijl hij de afstand tussen hem en Russell steeds kleiner maakte. Ditmaal haatte hij de prooi. Clark had de regels geschonden en de zaak persoonlijk gemaakt. Een pistoolschot in zijn achterhoofd was daarom niet goed genoeg, evenmin als het wurgkoord of een steek van een stiletto.

Nee, hij wilde dat Clark Russell heel goed wist wat er met hem gebeurde. Hij moest weten wie hem ombracht en waarom. Hij wilde Clark Russell aankijken tot het leven uit diens ogen wegvloeide.

Door het gekabbel van het water hoorde Russell hem niet naderen.

Door middel van een snelle, welgemikte klap met de zijkant van zijn hand schakelde John zijn tegenstander uit. Russell viel op zijn knieën en vervolgens op zijn zij. Daarop schopte John de man met zijn hiel in de maag en de nieren. Russell belandde op zijn rug, vanwaar hij hulpeloos omhoogkeek. Hoewel hij bij bewustzijn was, kon hij zich geen centimeter meer verroeren.

'Hallo, Clark.' John moest lachen toen hij de angst in Russells ogen zag verschijnen. Zijn ex-collega wist dat zijn laatste uur geslagen had. 'Je bent te ver gegaan, kerel. Je hebt je neus in mijn zaken gestoken. Er zit dus niets anders op dan je te straffen.'

Ten slotte gaf hij Russell een enorme trap op diens strottenhoofd. Dit was de fatale trap. Daarna hoefde hij alleen nog maar Russells lijk met zijn voet de rivier in te schuiven.

Zonder enige emotie bleef hij staan kijken tot het stoffelijk overschot met de stroming was weggedreven.

7

Julianna hield zich aan de belofte die ze aan dokter Samuel had gedaan. Sterker nog, ze kon aan niets anders meer denken, want ze was tot de conclusie gekomen dat ze eigenlijk nog maar weinig keus had nu de gynaecoloog haar had verteld dat het te laat was voor een abortus.

Even had ze nog met de gedachte gespeeld om naar een abortuskliniek te gaan en te liegen over de datum van haar laatste menstruatie. Per slot van rekening was tien dagen te laat niet zo heel veel. Op de parkeerplaats van de kliniek was ze echter van gedachten veranderd, omdat er demonstranten voor de deur stonden met foto's van geaborteerde foetussen in hun hand. De aanblik van de foto's had haar misselijk gemaakt. Daarnaast was ze ook erg bang om een abortus te ondergaan, want ze had maar al te vaak gehoord van ingrepen die niet goed waren afgelopen.

Nee, er zat niets anders op dan deze baby gewoon geboren te laten worden. Dat betekende echter nog niet dat ze het kind hoefde te houden.

Daarom maakte ze een afspraak bij Citywide Charities. Nu zat ze daar in de wachtkamer, in gedachten repeterend wat ze zou zeggen tegen de maatschappelijk werkster met wie ze aan de telefoon had gesproken. Ze was niet van plan de vrouw de complete waarheid te vertellen, want ze kon natuurlijk niets zeggen over

John, over haar beslissing om met de pil te stoppen of over haar moeder.

Nee, haar verhaal moest het soort relaas worden dat de vrouw al tientallen malen eerder had gehoord. Ze was per ongeluk zwanger geworden; ze wist niet wie de vader was; ze wist niet wie ze om hulp kon vragen en was er nog niet aan toe om moeder te worden. Punt.

'Hallo. Jij bent vast Julianna Starr.'

Julianna keek op. De vrouw die op haar af kwam, was van middelbare leeftijd en had een aardig gezicht. Met haar mollige, moederlijke uitstraling stelde ze Julianna onmiddellijk op haar gemak.

'Ik ben Ellen Ewing, directrice van Citywide Charities.'

'Hallo.' Julianna stond op van haar stoel.

'Loop maar mee naar mijn kantoor,' zei Ellen vriendelijk. 'Daar kunnen we rustig praten.' Ze wendde zich tot haar receptioniste. 'Madeline, liever geen telefoontjes tijdens dit gesprek.'

Tijdens het wandelingetje naar haar kantoor babbelde Ellen over koetjes en kalfjes. In haar werkkamer gebaarde ze dat Julianna in een van de gemakkelijke stoelen bij haar bureau mocht gaan zitten.

'Wil je misschien iets drinken?' vroeg ze.

'Hebt u sinaasappelsap?'

'Ja zeker.' Ellen drukte een knop in op de intercom. 'Madeline, wil je ons een glas sinaasappelsap en een cola light brengen?' Ze lachte verontschuldigend naar Julianna. 'Ik ben verslaafd aan cola. Ik drink de hele dag blikjes cola light, al zou je dat niet zeggen als je naar mijn figuur kijkt. Soms denk ik weleens dat ik net zo goed de variant met suiker kan drinken.'

Even later kwam Madeline binnen met hun drankjes. Terwijl Ellen opstond om ze aan te pakken, keek Julianna het smaakvolle kantoor rond, dat in zachte, vrouwelijke pasteltinten was ingericht. Op de rechterkant van Ellens bureau lag een grote stapel bruine dossiers en op de linkerkant een stapel boeken. Naast de bureaulamp stond een kristallen vaas met een uitbundige bos bloemen.

Achter het bureau hingen over de hele muur foto's van kinderen, in leeftijd variërend van baby tot kleuter.

Glimlachend reikte Ellen Julianna haar vruchtensap aan. 'Dat zijn mijn kinderen,' vertelde ze.

'Uw kinderen?'

'Ja, zo noem ik ze.' Ellen nam plaats achter haar bureau. 'Dat zijn alle kinderen die via Citywide zijn geadopteerd.'

'Allemaal?' Verrast liet ze haar blik nogmaals over de muur dwalen. 'Wat veel!'

Lachend keek Ellen over haar schouder naar de foto's. 'Al die kinderen hebben een plaatsje in mijn hart, alsof ze ook een klein beetje van mij zijn,' zei ze. 'Wij zijn bijzonder trots op ons begeleidings – en adoptieprogramma, Julianna. Het is heel fijn om een steentje te kunnen bijdragen aan het vormen van gelukkige gezinnen.'

Ze trok haar blikje cola open. 'Dat zeg ik niet om je onder druk te zetten, want we beschouwen het ook als onze taak om aanstaande moeders te helpen. Samen met jou willen we er graag achter komen of je je kind ook werkelijk wilt afstaan. Als je daarna besluit de baby te houden, zijn we niet boos of teleurgesteld. Het is ook geen reden om onze handen van je af te trekken. Integendeel, als je je baby wilt houden, zullen we proberen je op andere manieren bij te staan. Het enige wat we van jou verlangen, is dat je altijd eerlijk zegt wat je wilt en wat je van plan bent.'

'Klinkt goed.' Julianna zette haar sinaasappelsap neer. 'Maar u hoeft zich geen zorgen te maken over een verandering in mijn plannen, want ik weet heel zeker dat ik de baby niet wil houden.'

'Weet je dat echt heel zeker? Wil je de baby graag afstaan voor adoptie?'

'Ik weet het honderd procent zeker.'

Er verscheen een fronsje op Ellens voorhoofd, dat na een paar tellen weer verdween. 'Vertel me eens wat meer over jezelf,' verzocht ze.

Kalm dreunde Julianna alle dingen op die ze in gedachten had gerepeteerd.

'Hoe zit het met de vader van de baby?' wilde Ellen weten. 'Wat vindt hij ervan dat je over een paar maanden een kind verwacht?'

'Ik weet niet wie de vader is,' antwoordde Julianna.

Ellen zweeg even. 'Echt niet?' vroeg ze. 'In de staat Louisiana moet de vader namelijk toestemming geven voor de adoptie. Zelfs als de baby al geplaatst is bij een gezin, kan de vader, mits hij de familieband kan bewijzen, het kind komen claimen. Je kunt je waarschijnlijk wel voorstellen hoe afschuwelijk en pijnlijk dat voor alle partijen is.'

Julianna slikte moeizaam.

Waag het niet om nogmaals ongehoorzaam te zijn, Julianna. Anders sta ik niet voor de gevolgen in...

'Meestal is het geen enkel probleem om toestemming van de vader te krijgen,' vervolgde Ellen. 'In onze ervaring hebben veel mannen helemaal geen zin in de verantwoordelijkheid en zijn ze allang blij dat ze het kind niet financieel hoeven onderhouden. Als je het onprettig vindt om met de vader van je kind te praten, kunnen wij hem ook voor je benaderen. Dan zorgen wij wel dat het verder allemaal in orde komt.'

Julianna staarde haar aan. 'Zoals ik u al zei, heb ik werkelijk geen idee wie de vader is,' zei ze.

Ellens ogen vernauwden zich tot spleetjes. 'Denk even goed na, Julianna. Dit is echt heel belangrijk.'

Gedecideerd schudde ze haar hoofd. 'Ik heb geen flauw idee. Ik heb een heleboel vriendjes gehad.' Met gespeelde wroeging liet ze haar hoofd hangen. 'Ik ben echt niet trots op mijn gedrag.'

'Je hoeft je niet te schamen, Julianna,' zei Ellen op sussende toon. 'Zulke dingen komen vaker voor dan je denkt. Het heeft ook geen zin om stil te staan bij het verleden. We moeten nu vooruitkijken, om te beslissen wat het beste is voor jou en het kind.'

In het kort vertelde Ellen hoe Citywide in elkaar zat. Ze vertelde dat de organisatie werd gefinancierd met subsidies, donaties en geldinzamelingsacties. Bemiddeling bij adoptie en hulp aan aanstaande moeders waren slechts twee van hun vele diensten. Ze legde uit wat Citywide voor Julianna kon betekenen wanneer de baby eenmaal geboren was en op welke manier Julianna ouders kon uitzoeken voor haar kind.

'We hebben jaarlijks maar een stuk of tien echtparen in ons bestand,' vertelde ze. 'Je hoeft je geen zorgen te maken over hun achtergrond, want we keren hen allemaal binnenstebuiten. Het zijn stuk voor stuk prima stellen die dolgraag een kind willen. Ze zijn allemaal onvruchtbaar en hebben jarenlang geprobeerd zelf een baby te krijgen. Voordat deze mensen bij ons komen, hebben ze een lang en pijnlijk traject achter de rug.'

Ze nam een slokje van haar cola. 'Hun leeftijden variëren tussen de dertig en de veertig. Een paar echtparen zitten goed in de slappe was; één echtpaar heeft een bescheiden inkomen, en de rest zit er zo'n beetje tussenin. Alle stellen wonen in deze regio. We hebben verschillende geloofsovertuigingen. We hebben vrouwen die graag thuisblijven voor de kinderen en vrouwen die naast hun gezin een drukke baan hebben. Sommige echtparen hebben al eerder een kind geadopteerd.'

Ze keek Julianna aan. 'We willen de aanstaande moeders een ruime keuze geven. Als jij ons vertelt wat jij belangrijk vindt, aan welke eisen de ouders van je baby moeten voldoen, zoeken wij het perfecte gezin voor je.'

Het perfecte gezin, dacht Julianna met een steek van pijn in haar hart. Het gezin waarvan ze zelf als kind had gedroomd. Het gezin dat ze zo graag met John had willen hebben. Toen ze opkeek, zag ze een warme, meelevende blik in Ellens ogen. Meteen moest ze denken aan wat haar collega's in Busters zaak tegen haar hadden gezegd. 'Je bent een zielenpoot. We hebben allemaal medelijden met je...'

Had deze vrouw soms ook medelijden met haar?

Trots stak ze haar kin in de lucht. Niemand hoefde medelijden met haar te hebben. Of het nu duidelijk was of niet, Julianna Starr had alles mee. Alles! Heel de wereld lag nog altijd voor haar open.

'Hoe moet ik de ouders voor mijn baby uitkiezen?' wilde ze weten. 'Het wordt toch geen interview, of zoiets dergelijks? Of erger nog, iemand kiezen uit zo'n rijtje dat je altijd in politieseries ziet?'

Ellens mondhoeken trilden. 'Je mag met het echtpaar van je keuze kennismaken, maar dat komt pas veel later,' vertelde ze. 'De echtparen in ons bestand moeten uitgebreide vragenlijsten invullen. We willen alles weten over hun voorkeuren en dingen waaraan ze een hekel hebben. We willen hun mening over liefde, relaties, het huwelijk en het opvoeden van kinderen. Ze moeten ons zoveel mogelijk vertellen over hun achtergrond, hun families en over hun eigen jeugd. We vragen hun zelfs een fotoalbum samen te stellen van henzelf en hun familie.'

Ze zette haar cola neer. 'Uit al die informatie stellen we een dossier over ieder echtpaar samen. In elk dossier zitten foto's en verhaaltjes die de echtparen over zichzelf hebben geschreven. Ook bevatten ze onze synopsis, een soort samenvatting waarin we alle belangrijke feiten over dat bewuste echtpaar nog eens netjes op een rijtje hebben gezet. Op de pagina's die wij je meegeven, staan echter geen achternamen of adressen, want die doen er niet toe totdat je een keuze hebt gemaakt. Zodra wij denken dat je er klaar voor bent, geven we je een stapel gescreende dossiers van de echtparen die volgens ons aan het plaatje beantwoorden dat jij in je hoofd hebt. Je mag die dossiers mee naar huis nemen om ze in alle rust door te nemen en over alles na te denken. Je hoeft niet bang te zijn dat wij je achter je broek zullen zitten om snel een beslissing te nemen. We weten hoe belangrijk dit voor je is, en bovenal willen we dat je achteraf blij bent met de familie die je voor je kind hebt uitgekozen.'

Julianna liet die woorden even op zich inwerken. Hoe langer ze erover nadacht, hoe meer de aanpak van Citywide haar aansprak. 'Wat moet ik doen als geen van de echtparen die u voor me uitzoekt me aanspreekt?'

'In dat geval mag je ook alle andere dossiers bekijken, om te zien of je wel iets ziet in de andere stellen in ons bestand.'

Daarna legde Ellen uit dat Julianna kon kiezen tussen een open of een gesloten adoptie.

Julianna wist niet wat ze hoorde. Ze had nooit verwacht dat zij degene was die mocht bepalen hoeveel contact er moest komen tussen haar en de adoptiefouders van haar kind. Ze had gedacht dat Citywide of de ouders dat zouden bepalen, maar Ellen legde haar uit dat er van alles mogelijk was. Als zij wilde dat het contact beperkt bleef tot een enkel bezoekje voor de geboorte, dan was dat prima. Als ze na de geboorte haar kind nog wilde bezoeken, dan mocht dat ook. Ze kon zelfs kiezen voor een volkomen gesloten adoptie, waarbij er zelfs geen schriftelijk contact was tussen haar en de adoptiefouders. De biologische moeder had in alle gevallen het laatste woord.

Natuurlijk was het wenselijk dat de adoptiefouders zich ook prettig voelden bij de voorkeur van de moeder, maar Ellen verzekerde haar dat er stellen in het bestand zaten die de moeder alle mogelijkheden wilden geven haar kind nog te zien.

'Denk thuis maar eens rustig na over alles wat ik je heb verteld,' besloot ze haar verhaal. 'Ik weet dat je nu veel informatie tegelijk op je bord krijgt.'

'Ik hoef er niet over na te denken,' zei Julianna. 'Ik ben klaar om afstand van mijn kind te doen.'

'Het is een grote stap, Julianna. De emotionele gevolgen...'

Julianna keek haar aan zonder zelfs maar met haar ogen te knipperen. 'Er valt niets na te denken, Ms. Ewing. Ik had nooit zwanger moeten worden. Ik heb er totaal geen behoefte aan om moeder te worden, en het is nu eenmaal te laat om het kind nog te laten weghalen.'

'Ik begrijp het.'

'Gelukkig maar.' Ze haalde diep adem. Ze had het gevoel dat ze de situatie nu stevig in de hand had. 'Dan wil ik u nog iets vragen. Dokter Samuel zei dat u misschien alle medische kosten voor uw rekening kon nemen. Klopt dat?'

'Ja zeker. We staan erop dat je de allerbeste medische zorg krijgt, ook als je niet verzekerd bent,' antwoordde Ellen. 'Of je de baby nu afstaat voor adoptie of niet, wij garanderen je goede zorg als je eenmaal in ons programma zit. Als je dokter Samuel aardig vindt, mag je voor je zwangerschapscontroles bij hem blijven. Hij is een van onze vaste gynaecologen.'

'Graag,' zei ze. Aarzelend schraapte ze haar keel. 'Hij zei dat u me ook tegemoet zou kunnen komen in de kosten van mijn levensonderhoud.' Ze zocht in de ogen van de andere vrouw naar een teken dat die haar een hebberige opportuniste vond, maar elke vorm van kritiek of afkeuring bleef uit. In plaats daarvan gaf Ellen haar antwoord alsof ze de vraag al honderd keer eerder had gehoord.

'We kunnen je inderdaad een kleine toelage geven, maar de regels daarvoor zijn niet zo duidelijk omschreven als bij de medische zorg,' legde ze uit. 'Vertel me maar eens wat meer over je leefomstandigheden, dan zal ik kijken wat ik voor je kan doen.'

'Ik heb geen familie,' vertelde Julianna. 'Ik werk momenteel als serveerster in een broodjeszaak, maar dat wordt onderhand erg vermoeiend. Mijn baas heeft me al gewaarschuwd dat ik eruit vlieg als mijn werk onder mijn zwangerschap gaat lijden.'

Ellen knikte. 'Als dat zo is, kunnen we je wel helpen,' zei ze. 'Daar zijn we tenslotte voor, nietwaar? We willen alleen maar het beste voor jou en je baby.'

Het was alsof er een molensteen van Julianna's hart viel. 'Mooi zo,' zei ze opgewekt. 'Hoe gaan we nu verder?'

8

Washington, D.C., januari 1999

Alleen de allerdapperste mensen hadden zich die dag op het terras van het café gewaagd. Boven het bijna verlaten groepje gietijzeren tafels scheen een kil winterzonnetje door de koude, vochtige lucht.

Condor liep naar het tafeltje waar Tom Morris achter een kop cappuccino zat. Met zijn ronde, vrolijke gezicht en kalende hoofd deed Morris Condor altijd denken aan zijn maffe oom Fred. Hij wist echter dat de schijn bedroog: onder dat aardige, alledaagse uiterlijk verborg Morris een messcherp verstand. Niet voor niets was hij verantwoordelijk voor allerlei clandestiene en paramilitaire operaties van de CIA. Tom Morris was een van de sluwste en meest gevreesde mannen in Washington.

'Goedemorgen, Tom.'

Tom keek op, waardoor Condor zichzelf tweemaal gereflecteerd zag in zijn zonnebril. 'Ga zitten,' zei hij, gebarend naar de stoel tegenover hem.

Condor nam plaats.

Tom kwam meteen ter zake. 'John Powers begint lastig te worden,' zei hij.

'Wat is er dan aan de hand?'

'Hij is een ongeleid projectiel. De organisatie begint gevaar te lopen,' antwoordde Tom, terwijl hij wat zoetstof in zijn cappuccino schepte. 'We moeten zorgen dat we hem in de hand houden.'

'Zorg dan dat hij genoeg te doen heeft,' opperde Condor.

'Dat is gemakkelijker gezegd dan gedaan.'

Condor lachte schamper. 'De man is een goedgetrainde jager, Tom. Je kunt toch niet van hem verwachten dat hij zich opeens gaat gedragen als een schoothondje?'

'De tijden zijn veranderd. Dat weet je best.' Met een rimpel op zijn voorhoofd staarde Tom in de verte. 'We maken ons echt zorgen om het gedrag van Powers.'

'Hij werkt al een hele tijd voor zichzelf. Waarom maken jullie je dan nu opeens zo druk?'

'Kijk zelf maar.' Tom haalde een grote bruine envelop uit zijn koffertje.

Zwijgend haalde Condor twee kleurenfoto's van twintig bij dertig centimeter uit de envelop. Het waren foto's van een man en een vrouw, die overduidelijk allebei dood waren. Ze lagen op een bed dat besmeurd was met hun bloed.

'Senator Jacobson en zijn minnares,' zei Tom.

Ernstig bestudeerde Condor de foto's. 'Professionele klus?'

'Het heeft er alle schijn van.'

'Powers?'

'Het zou kunnen.'

'Door wie is hij gestuurd?'

'Geen idee. Misschien wel door niemand.'

Die opmerking wekte Condors interesse. 'Wat bedoel je?'

Tom nam een slok van zijn cappuccino en zette de grote kop neer. 'Er is een connectie,' verduidelijkte hij. 'De vrouw is ook ooit de minnares van Powers geweest.'

'Dat zou ook toeval kunnen zijn,' merkte Condor op, de foto's weer in de envelop schuivend.

'Dat klopt, maar er is meer,' zei Tom. 'Russell is dood. Een klap tegen het achterhoofd en vervolgens een trap in de nieren en op het strottenhoofd. Dat moet wel het werk van een professional zijn.'

'Waarom denk je dat Powers daarachter zit?'

'De vrouw heeft ook een verhouding gehad met Russell,' antwoordde Tom.

Er verscheen een diepe, bezorgde rimpel in Condors voorhoofd. 'Denk je dat dit een persoonlijke wraaktocht is?'

'Ja. Maar we moeten het zeker weten voordat we iets kunnen doen,' zei Tom. 'Een senator en een CIA-agent zijn vermoord. Als het om professionele klussen ging, moeten we weten wie erachter zat. Als Powers uit eigen beweging heeft gehandeld, moet hij onschadelijk worden gemaakt.'

'Wat wil je dat ik doe?'

'Zoek uit waar Powers zit en geef me antwoorden op mijn vragen. Leg hem desnoods uit dat hij ons in een moeilijk parket brengt.' Tom keek hem aan. 'Zorg dat hij heel goed begrijpt wat je bedoelt.'

Condor knikte. 'Enig idee waar hij zich bevindt?'

'Nee.'

'Heb je verder nog bijzondere instructies?'

'Nee. Ik laat het volledig aan jou over.'

'Oké.' Condor stond op. 'Tussen twee haakjes, ik heb je vriend Luke Dallas ontmoet.'

'En?'

'Aardige kerel en een goede schrijver.'

'Hij is inderdaad een prima vent.'

'Kunnen we hem vertrouwen?'

'Ik denk het wel.' Tom reikte weer naar zijn cappuccino. 'Ben je van plan met hem te gaan praten?'

'Misschien wel.' Condor gooide de envelop op tafel. 'Je hoort wel van me.'

9

De ochtendzon viel door de ramen van de openslaande deuren naar binnen op de antieke eettafel. Het was een koude, maar prachtige januariochtend, met een perfect wolkeloze blauwe hemel.

Kate zat aan de ontbijttafel met in haar handen een mok dampende, verse koffie. Ze proefde de koffie niet, maar snoof eerst genietend de heerlijke geur op.

De koffie was gemaakt van bonen van de Afrikaanse goudkust. Ze waren donker gebrand en bijzonder geurig. Nog voordat ze een slok had genomen, wist ze dat de smaak complex en uitgesproken zou zijn.

Ze nam een slokje, proefde een paar tellen en nam vervolgens nog een slok. Lekker. De brander had niets te veel gezegd. Deze soort was goed genoeg om op de koffielijst van The Uncommon Bean te zetten.

'Goedemorgen, schoonheid.' Richard kwam de eetkamer binnen, onderwijl zijn stropdas knopend. Hij liep op haar af om haar een kus op haar mond te geven.

Glimlachend trok ze zijn stropdas recht. 'Zo, nu zie je er weer netjes uit.'

'Ik heb een hekel aan dassen,' zei hij. 'Maar ze moeten nou eenmaal.'

'Arme schat.'

'Ik durf te wedden dat onze goede vriend Luke niet van die wurgstroppen draagt,' merkte hij op. Hij schonk zichzelf een kop koffie in en stopte twee volkoren boterhammen in de broodrooster. 'Ik heb het verkeerde vak gekozen. Ik had iets aanstellerigs moeten worden, zoals schrijver.'

Ze deed net of ze zijn sarcastische opmerking niet hoorde en concentreerde zich op haar koffie. 'Op een koude winterochtend is er niets zo lekker als een kop verse koffie,' zei ze met een tevreden zucht. Vervolgens keek ze weer naar Richard. 'Ik heb een nieuw soort boon uitgeprobeerd. Wat vind je ervan?'

Hij nam een slokje. 'Gaat wel.'

'Meer niet?'

'Oké dan, best lekker. Het smaakt gewoon naar koffie.'

Met gespeelde boosheid priemde ze haar lepeltje in zijn richting. 'Morgen krijg jij weer gewoon oploskoffie,' zei ze.

'Het spijt me, schat,' zei hij lachend. 'Ik heb nu eenmaal geen verstand van koffie. Al die soorten smaken naar mijn mening hetzelfde.' Met zijn koffie en toost kwam hij aan de ontbijttafel zitten.

Ze schoof de sportpagina van de Times Picayune naar hem toe. 'Ik las net op de financiële pagina dat Starbucks Coffee zich wil vestigen in New Orleans,' zei ze. 'Ik hoop maar dat ze aan de andere kant van het meer blijven, want ik heb helemaal geen zin in concurrentie.'

'Hoe gaat het eigenlijk met dat gekkenhuis van je?' vroeg hij, de krant dubbelvouwend.

'Gekkenhuis?'

'Ja, The Uncommon Bean.'

'Richard toch,' protesteerde ze. 'Dat is geen gekkenhuis. We zijn allemaal doodnormale, hardwerkende mensen.'

'Jij bent normaal.' Hij smeerde een lepel suikervrije jam op zijn toost. 'Maar aan de geestelijke gezondheid van je werknemers twijfel ik wel eens.'

Lachend keek ze hem aan. Ze had inderdaad geen doorsnee personeel. 'Wat geeft dat?' vroeg ze. 'We hebben een koffiecafé, geen advocatenkantoor.'

'Dat is inderdaad een groot verschil.'

'Mijn klanten verwachten originaliteit,' vervolgde ze. 'Trouwens, mijn personeelsleden zijn niet gek, maar gewoon hele sterke individuen.'

'Als jij het zegt.'

'Stijve hark,' schold ze, terwijl ze een schaaltje muesli met verse vruchten en een flinke scheut room klaarmaakte. 'Je zou een voorbeeld aan ze kunnen nemen.'

'Dat zouden mijn cliënten leuk vinden,' zei hij spottend. 'Advocaten horen stijve harken te zijn, wist je dat niet? Dat wekt vertrouwen.' Met opgetrokken wenkbrauwen keek hij naar haar muesli. 'Deed je daar nou room op?'

'Ja zeker.' Uitdagend likte ze haar lepel af. 'Ben je soms jaloers?'

'Helemaal niet.'

'Leugenaar.'

Richard moest veel sporten en op zijn eten letten om niet te dik te worden. Zij, daarentegen, kon alles eten zonder ook maar een grammetje aan te komen. Dat irriteerde hem. Hij waarschuwde haar dan ook voortdurend dat haar ongezonde leefgewoontes haar nog eens zouden opbreken. Ze lachte hem altijd uit, want ondanks haar gebrek aan discipline waren haar bloeddruk en haar cholesterolgehalte uitzonderlijk laag.

'Arme Richard. Wil je misschien een klein hapje?'

Verlangend keek hij naar haar ontbijt. 'Nee, dank je. Ik ben tevreden met mijn toost,' loog hij.

'Ja ja.' Ze grinnikte. 'O, voor ik het vergeet, gisteravond heeft Ellen Ewing van Citywide Charities gebeld. Ze was verrast dat we onze vragenlijsten zo snel hadden opgestuurd. Meestal duurt het veel langer voordat aanstaande adoptiefouders alles hebben ingevuld.' Ze streek een lok haar achter haar oor. 'Ik heb haar uitgelegd dat we geen reden zagen om lang te wachten nu we hebben besloten dat we een kind willen.'

'Ik ben blij dat we dit deel achter de rug hebben,' zei hij.

Daarin kon ze hem alleen maar gelijk geven. Citywide had hun het hemd van het lijf gevraagd over elk aspect van hun leven. Ze hadden zelfs vingerafdrukken moeten inleveren en een verklaring moeten afgeven dat ze nooit in aanraking waren geweest met de politie.

Het moeilijkste onderdeel van de vragenlijst was echter het persoonlijke gedeelte geweest. Het was niet meegevallen om hun intiemste gedachten over hun huwelijk, een adoptie en het ouderschap op te schrijven in de wetenschap dat een aanstaande moeder die zou lezen om te beoordelen of ze haar kind aan hen wilde afstaan. Het feit dat dit persoonlijke gedeelte volgens Ellen Ewing de beslissende factor was waarop een moeder voor een bepaald ouderpaar koos, had alles alleen maar moeilijker gemaakt.

Kate had haar hart en ziel in haar antwoorden gelegd, in de hoop dat ze een zwangere vrouw duidelijk kon maken dat ze dolgraag moeder wilde worden en dat ze de baby van die vrouw met alle mogelijke liefde zou omringen.

'We hoeven nu alleen nog maar wat foto's af te geven. Kom jij toevallig deze week nog in de buurt van Citywide?' vroeg ze.

'Misschien vrijdag.'

'Dat duurt me te lang. Dan stuur ik ze wel op.'

'Je hebt echt haast, hè?' vroeg hij plagend.

'Ik wil gewoon al het papierwerk achter de rug hebben.'

'Om vervolgens ontspannen achterover te leunen tot er een baby in onze schoot valt,' vulde hij aan.

'Ontspannen? Dat had je gedacht,' zei ze. 'Ik begin nu juist pas de kriebels in mijn maag te krijgen. Nu is het echt. Nu kunnen we elk moment gebeld worden dat we een kind krijgen.'

'Ho ho, het kan nog een jaar duren, schat,' waarschuwde hij. 'Loop nu niet te hard van stapel.'

Ze zuchtte. 'Je hebt gelijk. We hebben alleen al zo lang gewacht...'

'Ik weet het.' Hij vlocht zijn vingers door de hare. 'Ik weet precies hoe je je voelt.'

'Ik hou van je,' zei ze, dankbaar voor zijn begrip.

'Ik ook van jou.' Hij wierp een blik op zijn horloge. 'We moeten weg. Denk je eraan dat we vanavond uit eten moeten met Sam Petrie en zijn vrouw?'

'Ja zeker. Ik zal zorgen dat ik om zeven uur bij Dakota ben.'

'Trek die rode zijden jurk maar aan. Die staat je erg sexy.'

Ze schoot in de lach. 'Nee maar, meneer de advocaat. En dat voor een doordeweekse dag!'

'Doe het nu maar. Sam Petrie kan me erg behulpzaam zijn bij de race naar mijn nieuwe baan,' zei hij. Bij het zien van haar verontwaardigde blik, streelde hij haar gezicht. 'Ik maak maar een grapje. Trek maar aan wat je wilt. Je bent altijd mooi, wat je ook draagt. Ik bel je straks wel.'

Ze keek hem na. Daarna pakte ze haar spullen en ging ook zij naar haar werk.

10

⟆

Kate vond het elke dag weer fijn om een eigen bedrijf te hebben. Een van de pluspunten was dat ze zelf had kunnen uitkiezen waar ze zich wilde vestigen. The Uncommon Bean lag op drie straten van haar huis, waardoor ze meestal op haar gemak naar haar werk kon wandelen.

Het pand waarin The Bean was gevestigd, was vroeger een gastenverblijf geweest van een van de grote villa's aan het meer. Het was gebouwd in de tijd vóór de airconditioning, toen rijke inwoners van New Orleans de zomerhitte van de stad ontvluchtten door naar Lake Pontchartrain te gaan. Langs de noordelijke kust van het meer lag een hele rij fantastische, grote oude zomerhuizen.

Kate was tot over haar oren verliefd geworden op het vervallen gastenverblijfje. Ondanks Richards bezwaren dat het te duur was om het gebouwtje te verbouwen en dat ze beter in het centrum van New Orleans kon gaan zitten om meer klanten te trekken, had ze de cottage meteen gekocht.

Dat was een gouden greep geweest. Hoewel het koffiecafé niet midden in een winkelcentrum lag, hadden de klanten haar al gauw weten te vinden. Geen enkel cafeetje had dan ook wat The Uncommon Bean kon bieden: een fantastisch uitzicht over Lake Pontchartrain, eeuwenoude eiken in de tuin met zilverreigernesten en de vergane, chique charme van het oude zuiden.

Haar vaste klanten waren ook niet de types die je in winkelcentra tegenkwam. Het waren geen gezinnen met twee kindertjes, een hond en een stationcar zoals je ze zoveel in het nabijgelegen dorpje Mandeville zag. Nee, The Uncommon Bean trok allerlei ongewone bewoners van de noordkust aan. Schilders en schrijvers, studenten en buitenbeentjes, gepensioneerde stadsmensen die goed in de slappe was zaten, vrijdenkers, debaters en eenlingen.

Zelfs haar personeel was bijzonder. Soms zelfs wel een beetje te bijzonder, dacht ze, toen ze bij de voordeur alweer flarden van een verhitte discussie tussen haar assistenten Marilyn en Blake opving. Met een wrang lachje schudde ze haar hoofd. Mensen die Blake en Marilyn niet kenden, zouden denken dat ze slaande ruzie hadden en elkaar niet konden uitstaan.

Geen wonder, want Blake en Marilyn waren in elk opzicht elkaars tegenpool. Marilyn was een hoogblonde, rondborstige schoonheid met een Minnie Mouse-stemmetje en een IQ waarvoor Einstein zich niet zou hoeven schamen. Hoewel ze pas vijfentwintig was, had ze al drie doctoraalbullen op zak. Momenteel was ze bezig aan haar vierde universitaire studie.

Blake had zijn eerste studie nog niet eens afgerond, ofschoon hij al achtentwintig was. Hij was openlijk homofiel, zeer geestig en een flamboyante verschijning tussen de rijke, conservatieve villabewoners van de noordkust.

De heftige discussies tussen Marilyn en Blake waren inmiddels legendarisch geworden bij de vaste klanten. Sommige klanten beweerden zelfs dat ze niet kwamen voor de koffie, maar voor het verbale vuurwerk. Gelukkig werden de twee nooit echt boos op elkaar en vormden ze samen een perfect team.

'Welnee, lieverd,' hoorde ze Blake tegen Marilyn zeggen. 'Wanneer het op afmetingen aankomt, zijn de verschillende rassen helemaal niet gelijk geschapen.'

'Jasses, wat ben jij toch grof,' zei Marilyn afkeurend. 'Bovendien is het onzin wat je zegt. Je herhaalt allerlei onbewezen clichés. Wanneer een beschaving wordt gebouwd op raciale stereotypen, is het geen –'

'Ho eens even,' onderbrak Blake haar, zijn vuisten op zijn heupen zettend. 'Kun jij me dan even uitleggen hoe clichés überhaupt ontstaan?'

'Meestal als vorm van haat en onderdrukking,' riposteerde Marilyn fel, de toonbank schoonvegend met een vaatdoekje. 'Verdorie, je zou juist denken dat jij als homoseksueel niet zou willen meedoen aan dit soort etikettenplakkerij.'

'Als homoseksueel weet ik juist precies waarover ik praat!' beweerde Blake. 'Ik bedoel –'

'Oké, zo is het wel weer genoeg, jongens,' kwam Kate ferm tussenbeide. 'We hebben klanten, dus ik wil dat jullie je netjes gedragen.'

'Ik heb geen bezwaar tegen de discussie, hoor,' zei Peter, een klant die dicht bij de toonbank zat. 'Ik begon het juist net interessant te vinden.'

'Ik ook,' zei Joanie, een schrijfster van damesromans die ook vaak een kopje koffie kwam drinken in The Bean. 'Ze geven me inspiratie voor mijn boeken.'

'Nee, Kate heeft gelijk,' zei Blake opgewekt. 'Voordat we overgaan op een netter onderwerp, wil ik echter nog één ding zeggen: iedereen die zegt dat het er niet toedoet hoe groot een man geschapen is, heeft zelf een kleintje of heeft een relatie met een kleintje.'

Verontwaardigd hield Marilyn haar adem in. Joanie verslikte zich bijna in haar koffie, en Kate kon een lach niet onderdrukken.

'Ik ben het helemaal met je eens, Blake,' verklaarde Peter. 'Daarom verkondig ik ook altijd luidkeels dat het formaat héél belangrijk is.'

Alle aanwezigen schoten in de lach. Even zag het ernaar uit dat het gesprek weer een schunnige wending zou krijgen, totdat er een moeder met twee kleine kinderen binnenkwam. Van het ene moment op het andere werden Blake en Marilyn weer zeer beleefd en professioneel.

Kate vroeg zich af hoe Richard zou reageren als hij dit gesprek had gehoord. Waarschijnlijk zou hij zeggen dat Kate knettergek was dat ze dit gedrag tolereerde. Ze keek naar Marilyn en Blake, die met een opgewekt babbeltje de bestelling van de vrouw noteerden. Ze genoot van de sfeer in The Uncommon Bean, van haar vaste klanten, haar nieuwe klanten en van haar excentrieke personeel.

Hoewel haar hart eigenlijk lag bij het maken van kunstzinnig glaswerk, had ze al vroeg besloten geen professioneel kunstenares te worden. Daarvoor had ze te veel ellende gezien bij haar ouders, die allebei kunstenaars waren geweest en nooit geld genoeg hadden gehad. In de loop der jaren waren ze allebei steeds verbitterder geraakt over het feit dat hun werk nooit enige erkenning had gekregen. Als gevolg daarvan was hun huwelijk uiteindelijk op de klippen gelopen.

Ze waren uit elkaar gegaan in het jaar dat Kate was afgestudeerd. Het jaar daarop was haar moeder omgekomen bij een verkeersongeluk en was haar vader vertrokken naar een soort kunstenaarskolonie in San Francisco. Hoewel Kate hem regelmatig belde, was de geografische afstand tussen hen te groot om een hecht contact te onderhouden.

Nee, bij het zien van haar ouders' geworstel had ze besloten bedrijfskunde te gaan studeren en van haar kunstzinnige talent een hobby te maken. Nu hingen haar gebrandschilderde kunstwerken voor de ramen van The Uncommon Bean in plaats van in een galerie. Ze maakte de kunstwerken omdat ze dat leuk vond, niet om er geld mee te verdienen. Af en toe verkocht ze er wel eens een, maar het was prettig om niet van de verkoop van het glas afhankelijk te zijn.

Kate wist dat ze vreselijk had geboft. Voor hetzelfde geld had ze een baan van negen tot vijf moeten zoeken, op een kantoor of een andere plaats waar ze het niet naar haar zin zou hebben. Niet dat ze het daar niet zou volhouden; ze was een praktische vrouw, dus ze zou alles doen wat in haar vermogen lag om een dak boven haar hoofd te houden.

Luke had dat soort compromissen nooit begrepen.

Gek eigenlijk, dat ze in dat opzicht zo van elkaar verschilden. Ze kwamen allebei uit gezinnen met weinig geld en hadden allebei met een studiebeurs gestudeerd. Desondanks had Luke zijn droom om schrijver te worden nooit willen opgeven. Hij had zozeer geloofd in zijn eigen talenten, dat hij zelfs had geweigerd een baan te zoeken in de reclamebusiness of de journalistiek. Ze vroeg zich af hoe het voelde om zoveel moed en zelfvertrouwen te hebben.

Nadat de vrouw en haar kinderen hun bestelling hadden gekregen, wenkte Kate haar assistenten. 'Ik ga even in mijn kantoor aan de salarisadministratie werken,' kondigde ze aan. 'Tenminste, als jullie het gesprek beschaafd kunnen houden en vandaag betaald willen worden.'

'Ga maar gauw,' zei Blake, druk gebarend met zijn handen. 'Ik ben helemaal blut, dus ik ben blij als je me straks betaalt.'

Met gefronste wenkbrauwen schudde Marilyn haar hoofd. 'Je moet beter op je uitgaven letten, Blake. Wat moet je nu doen als je ineens geld nodig hebt?'

Hij snoof verontwaardigd. 'Moet je horen wie het zegt. De koningin van de studieschulden.'

'Blake, je kunt m'n rug op,' mopperde Marilyn.

'Sorry, schat. Ik val niet op vrouwen.'

Wanhopig hief Kate haar handen ten hemel. 'Jullie zijn onverbeterlijk. Willen jullie er in elk geval voor zorgen dat jullie geen klanten wegjagen?'

Ze zat net een paar minuten achter haar bureau toen Blake op de deur klopte.

'We hebben een probleempje, Kate,' zei hij.

'Wat dan?'

'De bakker is niet geweest. We zijn al bijna door ons gebak heen, en de klanten van vanmiddag moeten nog komen.'

'Heb je gebeld?'

'Ja, maar ik krijg steeds het antwoordapparaat.'

Ze slaakte een geërgerde zucht. 'Hoe vaak is dit nu al gebeurd?' wilde ze weten.

'Vier keer. Wat een klierkop, hè?' Hij speelde met de pressepapier. 'Ik heb een hekel aan mensen die zich niets aantrekken van hun verantwoordelijkheden.'

Onwillekeurig glimlachte ze. Daarom was Blake ook zo'n goede werknemer. 'Laat het maar aan mij over, Blake. Ik bel die man wel en zorg dat we een andere bakker krijgen.'

'Mooi zo.' Waarschuwend hief hij zijn vinger op. 'En laat je niet vermurwen door die snertbakker, denk erom. Het kan me niet schelen of zijn hond dood is of dat zijn vrouw is weggelopen, hij moet zijn afspraken nakomen. Je bent vaak veel te aardig voor zulke lui.'

Dat zegt Richard ook altijd, dacht ze. 'Maak je maar geen zorgen,' zei ze op sussende toon. 'Ik zal die bakker eens een koekje van eigen deeg geven.'

Die belofte toverde een glimlach op zijn gezicht. 'Goed zo. Dat stelt me gerust.'

'Hoe gingen de zaken afgelopen weekend?'

'Heel goed, maar we hadden nog meer verkocht als we voldoende gebak hadden gehad.'

'Hoe ging het met die nieuwe jongen?'

De week ervoor had ze een tiener aangenomen omdat ze soms handen te kort kwamen.

'Beanie? Hij heeft heel hard gewerkt. Ik heb Tess gevraagd hem het een en ander te leren. Gelukkig heeft hij geen enkele fout gemaakt.'

Vragend trok ze haar wenkbrauwen op. 'Moet hij het vak leren van Tess?'

Tess, Kates vierde werknemer, deed ontzettend haar best, maar ze was een beetje chaotisch.

Op dat moment stak Marilyn haar hoofd om de hoek van de deur. 'Kate, telefoon. Ellen Ewing van Citywide Charities.'

'O, bedankt.' Haastig grabbelde Kate naar de telefoon. Vanuit haar ooghoek zag ze Blake en Marilyn veelbetekenende blikken met elkaar wisselen en zich discreet terugtrekken. Haar werknemers wisten dat zij en Richard dolgraag een kind wilden en dat ze inmiddels een adoptiebureau hadden ingeschakeld.

'Hallo, Kate,' groette Ellen. 'Ik heb goed nieuws voor je.'

Haar hart sloeg een slag over.

'We hebben een nieuwe aanstaande moeder in ons programma,' vertelde Ellen. 'Ze heeft gevraagd om een aantal dossiers, en ik heb haar ook dat van jullie meegegeven.' Haastig liet ze erop volgen: 'Voordat je een gat in de lucht springt, moet ik je echter waarschuwen dat dit nog niet betekent dat je een kind hebt. Het betekent alleen dat je op dit moment in de race bent. Je moet nog afwachten welk dossier die biologische moeder uitkiest.'

'O,' zei ze teleurgesteld.

'Ik begrijp dat je het jammer vindt dat ik je nog niet dolgelukkig kan maken, Kate. Het wachten op een kind kan voor je gevoel net zo lang duren als het wachten op de uitslag van een vruchtbaarheidsonderzoek. Het kan ook net zo slopend zijn. Het beste is om rustig te blijven en gewoon af te wachten.'

'Je lijkt Richard wel,' zei ze wrang. 'Die zegt ook dat ik me moet ontspannen en dat onze tijd heus wel komt.'

'Richard is een verstandige man.'

'Dat weet ik.' Tot haar ergernis voelde ze tranen achter haar ogen branden. 'We hebben alleen al zo lang moeten wachten, Ellen. Het valt niet mee om nu rustig te blijven. Begrijp je dat, of klinkt dat raar?'

'Het klinkt helemaal niet raar,' antwoordde Ellen. 'En iemand die zo naar een kind verlangt als jij, moet wel een goede moeder worden.'

'Dank je wel,' bracht ze met moeite uit.

'Probeer nog even geduld te hebben,' zei Ellen. 'Zonder je valse hoop te willen geven, kan ik je zeggen dat deze vrouw geen enkele twijfel heeft over de adoptie en dat ze erg geïnteresseerd was in Richard en jou. Jullie hebben veel kwaliteiten die ze belangrijk vindt. Dat is ook de reden waarom ik je nu bel: ze zou graag wat foto's van jullie willen hebben.'

'Ik had ze willen opsturen, maar ik weet wat beters,' zei Kate. 'Over drie kwartier kan ik bij je zijn. Oké? Ik kom ze nu naar je toe brengen.'

11

❦

Julianna zat met een paar kussens in haar rug op haar bed de dossiers van Citywide te bekijken. Door een waas van tranen keek ze naar de getypte woorden op het bovenste dossier van de stapel.

'Ik hou al van Kate vanaf het moment waarop ik haar voor het eerst zag,' stond er. 'Ze is mijn partner, mijn minnares en mijn beste maatje. Ik kan me het leven zonder haar niet voorstellen.'

Met een bibberige zucht pakte Julianna het dossier om de woorden voor de zoveelste keer te herlezen. Richard Ryans verklaring maakte een diep, wanhopig verlangen in haar wakker. Zij wilde ook zo'n man. Ze wilde dat er iemand met heel zijn hart van haar hield en dat ze voor altijd gelukkig zou zijn.

In een poging de verwarde gedachten in haar hoofd te ordenen, sloot ze haar ogen.

Ze was van plan geweest de dossiers vluchtig door te bladeren en vervolgens een willekeurig exemplaar uit de stapel te trekken. Per slot van rekening wilde ze de baby kwijt en had Ellen haar alleen maar dossiers meegegeven van mensen die goede ouders zouden worden. Wat maakte het Julianna nu uit bij wie haar kind terecht zou komen?

Toen was haar oog echter toevallig op de persoonlijke verklaringen van het bovenste echtpaar op de stapel gevallen. Iets aan hun toon was haar helemaal niet bevallen. Het was alsof ze zich eigenlijk te goed voor haar vonden, alsof ze blij mocht zijn dat iemand zich over haar kind wilde ontfermen. Geïrriteerd had ze dat dossier meteen opzij gegooid. Met zulke mensen wilde ze helemaal niets te maken hebben.

Omdat ze niet het risico wilde lopen dat de andere echtparen ook zo in elkaar zaten, had ze daarna de hele stapel grondig doorgenomen.

Het tweede echtpaar bestond uit een huisvrouw en een accountant. Ze wilden dolgraag een baby en beschreven uitvoerig wat ze voor hem of haar in petto hadden. Ze leken erg aardig, maar ook dodelijk saai, en daarom had ze ook dat dossier opzij gegooid.

Vervolgens was ze gestuit op het dossier van Kate en Richard. Alles aan hen had haar aangesproken: hun karakter, hun overtuigingen, hun levensstijl, hun plannen en hun dromen. Dit echtpaar had het leven en de relatie waarvan zij altijd had gedroomd.

Inmiddels was het maandag geworden. Julianna had het dossier van de Ryans misschien wel honderd keer doorgelezen. Ze was tot de ontdekking gekomen dat Kate en Richard niet alleen het ideale ouderpaar voor haar baby waren, maar dat ze ook de man van haar dromen had gevonden. Richard was de man naar wie ze haar hele leven had verlangd.

Voor de zoveelste keer keek ze naar de zwarte letters. Eigenlijk hoefde ze de woorden niet meer te lezen, want ze kende het dossier inmiddels bijna uit haar hoofd.

'We hebben elkaar ontmoet tijdens onze studie. Ze was zo'n bruisende, intelligente, leuke vrouw, dat ik meteen weg van haar was. Na één blik op haar gezicht zag ik mijn toekomst in haar ogen.'

Wat had John gezien toen ze hem in de ogen had gekeken? Een kind dat behoefte had aan bescherming? Een onschuldig stukje klei dat hij kon kneden naar zijn eigen wensen? Ze slikte een brok in haar keel weg. Wat hadden andere mensen eigenlijk in haar ogen gezien?

Een paar eenzame tranen rolden over haar wangen. Haar moeder had haar altijd behandeld als een van haar dure accessoires, alsof ze een sjaal van Hermès was of een handtas van Gucci. John had eigenlijk ook nooit diep in haar ziel gekeken. Hoewel hij altijd had beweerd dat hij van haar hield, had hij van haar geëist dat ze zich aanpaste aan zijn wensen.

Nu wilde ze meer. Ze wilde wat Kate had...

Boos veegde ze haar tranen weg. Richards woorden dansten voor haar ogen. Hij had dezelfde dromen als zij, dezelfde ideeën. Hoewel ze hem nog nooit had ontmoet, had hij haar geraakt in haar hoofd en haar hart. Het was alsof hij haar kende. Alsof het door het lot was voorbestemd dat ze elkaar ooit zouden ontmoeten.

Richard en Julianna. Zelfs hun namen klonken mooi bij elkaar...

In haar hoofd vielen opeens alle puzzelstukjes op hun plaats. Richard was voorbestemd om haar gelukkig te maken. Dit was de reden waarom ze zwanger was geworden, waarom John haar had verdreven met zijn wreedheid. Alle gebeurtenissen in haar leven hadden tot deze belangrijke drempel geleid.

Richard en Julianna...

Met trillende vingers pakte ze de foto's die Kate bij Citywide had ingeleverd. Zelfs Richards uiterlijk sprak haar aan. Hij was lang, met donker haar, brede schouders en een jongensachtige grijns. Hij zag er sterk en zelfverzekerd uit, echt als een man op wie een vrouw kon bouwen. Een man die zijn ziel en zaligheid gaf aan de vrouw van wie hij hield.

Ja, dit was de man op wie ze had gewacht. De aanblik van zijn foto's was in feite een blik in haar toekomst.

Richard en Julianna...

En Kate. Kate was een probleem.

Ze fronste haar wenkbrauwen. Ze had niets tegen Kate, want Kate was onderdeel van het labyrint dat haar naar Richard had geleid. Als Kate geen kind had gewild, had zíj Richard nooit gevonden.

Peinzend staarde ze naar de kiekjes van Kate en van het echtpaar Ryan samen.

Hoewel Kate geen beeldschone vrouw genoemd kon worden, had ze wél een stijlvolle, aantrekkelijke uitstraling. Onafhankelijk. Volwassen. Ze leek totaal niet op een veel te vroeg wijs geworden meisje als Julianna.

Met haar vingers streek ze over Kates gezicht. Dit was het type vrouw waarop Richard viel. Een sterke vrouw, die zijn maatje en minnares was. Even voelde ze een steek van jaloezie in haar hart.

Meteen zette ze die emotie van zich af. Waarom benijdde ze Kate? Goed, ze was ouder, minder mooi en minder sexy dan zij, maar stijl en klasse konden worden aangeleerd, en ze kon liegen over haar opleiding. Als ze haar best deed, kon ze precies zo worden als Kate. Dan kon ze ook krijgen wat Kate had.

Als ze haar best deed...

Nogmaals keek ze naar de foto's. In gedachten zag ze Kates gezicht vervagen en verdwijnen. In plaats daarvan zag ze haar eigen gezicht verschijnen. Zij was degene om wie Richard een arm had geslagen. Zij was degene naar wie hij zo liefdevol keek. Zij was degene die alles had wat haar hartje begeerde.

In feite was het heel simpel. Het enige wat ze moest doen, was net zo'n vrouw worden als Kate, want dan kon ze het leven leiden dat die nu leidde.

12

Op zaterdagmorgen kwamen er vrijwel alleen maar studenten en ongetrouwde mensen naar The Uncommon Bean. De studenten kwamen samen met vrienden of om in hun eentje een uurtje te studeren, de vrijgezellen om in een ongedwongen sfeer andere alleenstaanden te ontmoeten.

Meestal werd er op de zaterdagochtend een goede omzet gehaald. Ook ditmaal was dat weer het geval: de dubbele cappuccino's en kopjes mokka waren bijna niet aan te slepen. Kate, Blake en Tess kwamen handen te kort.

'De scones zijn op,' zei Blake, terwijl hij de laatste op een bordje legde. 'En als het zo druk blijft, zijn we dadelijk ook door onze croissants en muffins heen.'

'Het lijkt wel of het vandaag extra druk is,' merkte Tess op, haar blonde haar achter haar oren strijkend. 'Is er soms iets te vieren dit weekend?'

'Ik denk dat het door het weer komt,' antwoordde Kate, terwijl ze wat wisselgeld uit de kassa haalde. 'Iedereen wil er even uit als het buiten zulk lekker weer is.'

'Ik niet.' Geeuwend wreef Tess over haar ogen. 'Ik zou het liefst thuis in bed willen uitslapen.'

Kate rolde met haar ogen. Zoals gewoonlijk had Tess weer de hele vrijdagnacht gefeest en gedanst. Ze zag eruit alsof ze pas tegen de ochtend was thuisgekomen.

Tess glimlachte naar een paar nieuwe klanten, nam hun bestelling op en gaf die door aan Blake, die achter de espressomachine stond. Daarna wendde ze zich vertrouwelijk tot Kate. 'Ik heb gisteravond een heel leuke man ontmoet,' bekende ze. 'Ik denk dat ik verliefd op hem ben.'

Daar gaan we weer, dacht Kate. 'O, Tess, dat meen je niet.'

Tess, die op de kunstacademie zat, was een aantrekkelijke, slimme vrouw, maar een ongelooflijke sufferd op het gebied van de liefde. Ze trapte in alle versiertrucs en viel als een baksteen voor iedere leuke knul in een strakke spijkerbroek. Blake, die heus niet bepaald preuts of conservatief was, zei altijd dat Tess evenveel fatsoen had als een straatkat.

Op dat punt was Kate het niet helemaal met hem eens: zij was van mening dat Tess mannen en seks gebruikte om te bewijzen dat ze de moeite waard was. Omdat ze wist dat dat een uiterst gevaarlijke en destructieve manier was om zelfvertrouwen te kweken, probeerde ze Tess altijd met raad en daad bij te staan. Ze wenste dat Tess eens doorhad dat ze helemaal geen mannen nodig had om haar ego een oppepper te geven.

Tess fronste haar wenkbrauwen. 'Waarom reageert iedereen altijd zo wanneer ik zeg dat ik verliefd ben?'

'Omdat je bijna elke dag een nieuwe vlam hebt,' antwoordde Blake, die met zijn rug naar haar toe melk stoomde voor de cappuccino. 'Je lijkt verdorie wel een konijn.'

'Nou, alsof jij zo keurig en monogaam bent,' zei ze verontwaardigd.

'Ik noem het tenminste geen liefde,' pareerde Blake onverstoorbaar.

'Zo kan het wel weer, jongens,' zei Kate. 'Maak alsjeblieft geen ruzie.'

'Deze man is iets bijzonders,' hield Tess vol. 'Hij is ouder dan ik en heeft al heel wat van de wereld gezien.' Smekend keek ze Kate aan. 'Wil jij me geloven?'

'Het maakt niet uit wat ik geloof, Tess,' antwoordde Kate. 'Het gaat erom wat jij zelf gelooft.'

Tess stak haar tong uit naar Blake, die zich grinnikend tot een paar klanten wendde. 'Heb jij nooit liefde op het eerste gezicht meegemaakt?' vroeg ze aan Kate. 'Heb jij nooit meegemaakt dat je iemand ontmoette van wie je meteen wist dat hij bijzonder was?'

Om redenen die Kate zelf niet begreep, moest ze meteen denken aan de eerste keer dat haar oog op Luke was gevallen. Hij had er trots, zelfverzekerd en tegelijkertijd kwetsbaar uitgezien. Ze schudde haar hoofd om het beeld te verdrijven. 'Ik heb me wel eens hevig tot iemand aangetrokken gevoeld, ja,' antwoordde ze. 'Dat betekent toch nog niet dat je meteen verliefd op die persoon hoeft te worden of met hem naar bed hoeft te gaan?' Soms verknalt dat namelijk de vriendschappelijke relatie die je had kunnen hebben, voegde ze er in gedachten aan toe.

'Hoe kan ik nou bepalen op wie ik verliefd word? Dat gaat gewoon vanzelf. En als ik eenmaal verliefd ben, zou ik echt álles willen doen om bij mijn grote liefde te kunnen zijn.'

'Alles?' herhaalde Kate sceptisch. 'Zou je er zelfs voor liegen, of iemand kwetsen van wie je houdt? Zou je er zelfs je zelfrespect voor inleveren?'

Tess' wangen kleurden rood. 'Ik geloof het wel, ja.'

Van dat antwoord schrok Kate. 'Dat meen je niet.'

'Jawel, dat meen ik wel.' Tess haalde haar schouders op. 'Vind je dat zo gek?'

'Als je bereid bent te liegen en te bedriegen om bij iemand te kunnen zijn, vind ik dat niet gezond,' vond Kate.

'Dan ben je nog nooit echt verliefd geweest. Mijn verliefdheid is gewoon sterker dan al mijn andere emoties,' beweerde Tess. 'Ik weet echt zeker dat dit ware liefde is.'

'Hoe kun je dat nu zo zeker weten?' vroeg Kate. 'Je bent het afgelopen jaar wel tien keer verliefd geweest. Geen enkele relatie heeft langer dan een paar weken geduurd. Als het elke keer ware liefde was, zou het toch langer moeten duren?'

'Ik weet wel wat Tess bedoelt,' zei Blake, die zich weer in het gesprek mengde. 'Ik ben zelf ook een paar keer op die manier van iemand bezeten geweest.'

'Echt waar?' vroeg Tess verrast. 'En toen?'

'Laten we het er maar op houden dat ik nooit meer op die manier verliefd wil worden,' antwoordde hij. 'Ik zal even die lege tafels afruimen, Kate.'

Kate keek hem na. Ze wist dat Blake geen gemakkelijk leven had. Al jaren moest hij opboksen tegen discriminatie en intolerantie, zelfs van zijn eigen familieleden. Net als alle andere mensen hunkerde hij naar een vaste, degelijke relatie, maar zijn arme hart werd keer op keer weer gebroken. Naar buiten toe was hij ongelooflijk sarcastisch, maar ze wist dat hij eigenlijk een zachtaardige jongen met een gouden hart was.

'Heeft Richard jou nooit op die manier geraakt, Kate?' wilde Tess weten.

Kate dacht terug aan het begin van haar relatie met Richard. Ze was dolgelukkig en tot over haar oren verliefd geweest. 'O, misschien wel. Misschien was het bij ons in het begin ook wel zo heftig,' gaf ze toe.

Tess' gezicht betrok. 'Alleen in het begin?'

Bij die vraag schoot Kate in de lach. 'Gevoelens veranderen, Tess. In een goede relatie worden ze dieper, maar ook iets minder hevig. Wat jij nu voelt, zijn de vlinders van het avontuur. In een langdurige relatie maken die plaats voor iets duurzamers.'

'Dan heb ik medelijden met je.'

'Dat hoeft niet. Een goed huwelijk is iets heel fijns.'

Maar op het moment dat Kate de zin uitsprak, voelde ze iets knagen aan haar hart, alsof er wel degelijk iets ontbrak aan haar huwelijk. Het gevoel bracht haar van haar stuk.

Toen bracht ze zichzelf in herinnering dat er inderdaad iets ontbrak: een kind. Maar daar werd nu aan gewerkt.

'Je komt er nog wel achter, Tess,' zei ze. 'Het is echt iets heel fijns.'

Het onprettige gevoel bleef echter de hele dag hangen, zelfs toen ze die avond met Richard naar hun favoriete restaurant ging. Waarom hadden Tess' woorden een gevoelige snaar geraakt? Tijdens het eten probeerde ze haar emoties eens rustig te analyseren.

Vanaf hun eerste afspraakje had Richard haar behandeld als een prinses. Hij had haar het gevoel gegeven dat ze Assepoester was, die door de prins achter het fornuis vandaan was gevist.

Hij had haar dingen laten zien waarvan ze alleen maar had

kunnen dromen. Zijn levensstijl was zo anders geweest dan de hare, dat ze van de ene verbazing in de andere was gevallen. Al snel was ze tot over haar oren verliefd op hem geworden. Ze had de indruk gehad dat hij net zo gek op haar was als zij op hem.

De indruk...

Net als alle andere jonge stellen hadden ze periodes meegemaakt waarin het niet zo lekker ging. Richard was jong en verwend geweest – en eraan gewend zijn zin te krijgen. Hij had altijd in het middelpunt van de aandacht gestaan en had hevig met alle vrouwen geflirt. In het begin had hij haar ook gewaarschuwd dat hij geen vaste relatie wilde. Na verloop van tijd was hun relatie ongemerkt toch steeds serieuzer geworden, en op een gegeven moment had ze geëist dat hij een keuze maakte tussen een leven met haar of een vrijgezellenbestaan.

Uiteindelijk had Richard voor haar gekozen. Daarna waren ze nog wel vijf keer uit elkaar geweest omdat hij andere vriendinnetjes had gehad, maar hij was altijd bij haar teruggekomen.

'Kate?' Richard wuifde zijn hand voor haar gezicht heen en weer. 'Heb je nog zin in koffie?'

Beduusd knipperde ze met haar ogen. Ze was zo verdiept geweest in haar gedachten, dat ze de kelner niet eens had zien naderen. 'Graag, ja,' antwoordde ze met een verontschuldigend lachje naar de kelner.

'Slechte dag gehad in The Bean?' vroeg Richard.

'Nee, hoor.'

'Waarom ben je dan zo stil?'

'Sorry. Ben ik echt zulk slecht gezelschap?'

'Dat kun je wel zeggen, ja.' Hij leunde over de tafel naar haar toe. 'Wil je erover praten?'

Ze besloot hem precies te vertellen wat Tess en zij hadden besproken. 'Ze zei dat ze medelijden met me had,' besloot ze haar verhaal. 'Hoewel ik weet dat ik me er niets van moet aantrekken, ben ik er de hele dag al een beetje door van slag.'

Hij trok zijn wenkbrauwen op. 'Je gaat me toch niet vertellen dat je Tess ziet als een autoriteit op het gebied van de liefde?'

'Nee, dat niet...' Ze keek hem aan. 'Ben jij eigenlijk ooit zo krankzinnig verliefd op mij geweest? Zo verliefd, dat je niet kon eten of drinken, dat je dacht dat je doodging zonder mij?'

'Kate toch.' Zijn stem klonk bestraffend. 'Hoe oud is Tess nou helemaal? Twintig? Ze weet niets van de liefde.'

'Dat weet ik, maar dat is nog geen antwoord op mijn vraag. Ben je ooit stapelgek op me geweest?'

'Dat ben ik nog steeds,' zei hij met een ondeugende grijns. 'Als je wilt, zal ik het je vanavond in bed wel bewijzen.'

'Doe nu even serieus.'

'O jee.' De lach verdween van zijn gezicht. 'Ik merk dat je weer een van je buien hebt. Het maakt niet uit wat ik nu zeg, want het is per definitie niet het antwoord dat je graag wilt horen.'

'Dat is onzin,' protesteerde ze.

'Kate, ik kan niet serieus blijven als je me zulke domme vragen stelt. Waarom laat je je toch zo stangen door een meisje van twintig dat lonkt naar alles wat een lange broek aanheeft? Wat weet zij nu in vredesnaam van ons huwelijk?'

'Je hebt gelijk. Sorry,' zei ze blozend.

Hij pakte haar hand om een kus op haar knokkels te drukken. Daarna nam hij de rekening van het schoteltje dat naast zijn bord was neergezet.

'Ben je gelukkig?' wilde ze nog weten. 'Of heb je wel eens het gevoel dat er iets aan ons huwelijk ontbreekt?'

'Natuurlijk ben ik gelukkig.' Hoofdschuddend haalde hij zijn portefeuille uit zijn binnenzak. 'Jij bent alles waarnaar ik maar kan verlangen, Kate.'

'Mooi zo.' Opgelucht haalde ze diep adem. 'Ik zou niet willen dat er iets of iemand tussen ons zou kunnen komen.'

'Dat gebeurt ook niet, schat,' zei hij sussend, zijn creditcard op het schoteltje leggend. 'Dat beloof ik je.'

13

De eerstvolgende maandagmiddag nam Julianna de tram naar Citywide. De enige plaats die nog vrij was, was een stoel waar even daarvoor een dikke, zweterige man had gezeten.

De stoel was nog warm van zijn lichaam, en de lucht rook nog naar bier en zweet. Vol walging ging ze op het randje van de stoel zitten. Wat verlangde ze terug naar de tijd dat ze in haar comfortabele auto van plaats naar plaats was gezoefd!

Nu reisde ze noodgedwongen met het openbaar vervoer en was ze afhankelijk van het reisschema van anderen. Ze zat opgescheept met het gezelschap van mensen die ze niet kende en ook niet wilde kennen. Bij elke halte duwden er mensen tegen haar aan en rook ze luchtjes die ze helemaal niet wilde ruiken.

Ze vond het vreselijk irritant om met de tram te moeten reizen, maar het was nu eenmaal goedkoop. Al na een dag in New Orleans was ze erachter gekomen dat het onbetaalbaar was om haar auto midden in de stad te parkeren. Daarom had ze haar auto in een buitenwijk geparkeerd en nam ze elke dag het openbaar vervoer.

Ze draaide haar hoofd naar het raam, waar een vieze, vettige vlek op zat. Dit hoeft niet eeuwig te duren, hield ze zich voor. Binnenkort heb je alles wat je wilt. Binnenkort voel je je weer helemaal de oude.

Richard en Julianna...

Met gesloten ogen fantaseerde ze over haar toekomst met hem. Het zou perfect zijn. Hij zou haar alles geven waarnaar ze heel haar leven had verlangd.

Ze kon een glimlach niet onderdrukken. De nacht ervoor had ze van hem gedroomd. Hij had in haar oor gefluisterd dat ze de mooiste vrouw op de wereld was, dat ze zijn partner, zijn minnares en zijn beste maatje was. Vervolgens had hij haar gezegd dat hij niet kon leven zonder haar.

In haar droom waren ze ook met elkaar naar bed geweest. Hun zielen waren compleet met elkaar versmolten, waardoor hun samenzijn iets puurs en bovenaards had gehad.

Ook Kate was in haar slaap verschenen. Ze had een baby in haar armen gehad en blij naar Julianna gelachen. Ze had haar zegen gegeven aan de verbintenis tussen haar en Richard...

Dromerig legde ze een hand op haar jas toen ze de baby in haar buik voelde bewegen. De droom was een teken geweest, een teken dat ze er goed aan deed om achter Richard aan te gaan. Ze was voorbestemd om in zijn armen te liggen en hem gelukkig te maken. En Kate was voorbestemd om moeder te worden, de moeder van Julianna's baby.

Julianna had besloten haar kind aan Kate te geven en in ruil daarvoor Kates echtgenoot van haar af te nemen.

De tram stopte voor een lagere school, waar een beeld van de maagd Maria op het plein stond.

Alweer een teken, dacht ze blij. Maria was het symbool van alle goedheid en puurheid. Nu ze haar had gezien, kon ze met een gerust hart doen wat ze van plan was.

Glimlachend legde ze haar beide handen op haar buik. Deze dag zou ze de eerste stap naar haar fantastische toekomst zetten. Deze dag zou ze Ellen namelijk vertellen dat ze Kate en Richard had uitgekozen als ouders voor haar kind.

Tegen de tijd dat ze bij Citywide arriveerde, was de zon achter de gebouwen verdwenen. Huiverend dook ze wat dieper weg in haar jas. Volgens het weerbericht zou het de komende dagen nog killer worden, doordat er een koufront over de regio trok.

Na alle gesprekken die ze had opgevangen bij Buster's was ze tot de conclusie gekomen dat de inwoners van New Orleans geobsedeerd waren door het weer. Ze vermoedde dat dat kwam doordat het weer bijzonder grillig was in dit gebied. Het ene moment regende het pijpenstelen, het volgende was het ijskoud. Op andere momenten was het weer zo heet, dat de mussen van het dak vielen.

Een van haar klanten had opgemerkt dat het heel normaal was dat de mensen in New Orleans zoveel over het weer praatten. Als je in de hel woonde, zo redeneerde hij, was het logisch dat je wilde weten hoe warm het daar was. Ze had hem lachend gelijk gegeven.

Even later duwde ze de deur van het kantoor van Citywide open. Madeline, de receptioniste, zat niet achter haar bureau. Omdat Julianna vermoedde dat de vrouw wel gauw terug zou komen, ging ze op een van de stoelen in de wachtkamer zitten.

Een paar minuten gingen voorbij. In de verte hoorde ze flarden van een telefoongesprek. Omdat ze niets beters te doen had, stond ze op en liep in de richting van het geluid. Net op het moment dat ze op de deur wilde kloppen, hoorde ze Ellen de namen van Kate en Richard noemen.

Gespannen hield ze haar adem in. Háár Kate en Richard? Ze spitste haar oren, maar Ellen legde de telefoon net neer.

Om niet als luistervink te worden ontmaskerd, klopte ze snel op de deur. 'Hallo, Ellen,' zei ze, haar hoofd om de hoek van de deur stekend. 'Madeline was er niet, dus ik ben gewoon doorgelopen. Is dat erg?'

'Natuurlijk niet!' zei Ellen warm. 'Kom binnen, Julianna. Ga zitten.' Terwijl ze op een stoel aan de overkant van haar bureau wees, legde ze een dik dossier terzijde.

Julianna's ogen volgden haar hand. Zouden dat de persoonlijke gegevens van Kate en Richard zijn? Als ze net Kate of Richard aan de telefoon had gehad, was dat niet onwaarschijnlijk. Ze popelde om een blik in het dossier te werpen. Hoe kon ze dat voor elkaar krijgen zonder Ellens argwaan te wekken?

'Dank je. Ik wist niet of je wel tijd voor me zou hebben,' zei ze bedeesd, plaatsnemend op een stoel.

Ellen glimlachte. 'Ik heb altijd tijd voor onze moeders. In dit geval kon je timing zelfs niet beter zijn, want ik wilde je vanavond bellen.'

Verbaasd keek ze Ellen aan. 'Waarover?'

'Ik heb goed nieuws voor je. Je toelage is rond. Je bent nu via ons verzekerd en je krijgt geld om van te leven.'

'Echt waar?' vroeg ze verheugd.

'Ja zeker. Ik heb dokter Samuel al gebeld dat je patiënt bij hem blijft. Ik zal je straks zijn nummer geven; dan kun je hem bellen voor een afspraak. Wat de toelage betreft, je krijgt begin volgende week je eerste cheque. Daarna krijg je er elke maand een totdat je baby is geboren.'

Ze had zin om te juichen. Dat betekende dat ze geen broodjes meer hoefde te serveren. Nu hoefde ze niet meer met pijnlijke voeten naar huis en zouden haar haren en kleren niet meer naar frituurvet ruiken.

Weer een teken!

'Daar ben ik ontzettend blij mee,' zei ze naar waarheid. 'Dit maakt alles veel gemakkelijker voor me.'

'Goed zo.' Ellen vouwde haar handen. 'Vertel eens, wat kan ik vanmiddag voor je doen?'

Ze haalde diep adem. Ze nam aan dat Ellen niet in het lot geloofde. Ze zou nooit begrijpen dat zij en Richard voor elkaar waren voorbestemd. Sterker nog, ze was ervan overtuigd dat Ellen haar uit het bestand zou gooien als ze wist wat er op dit moment in haar hoofd omging.

Ze moest dit heel verstandig en voorzichtig aanpakken. Dus sloeg ze haar ogen neer, in de hoop dat ze daardoor een beetje schuchter zou overkomen. 'I-ik heb het afgelopen weekend een besluit genomen,' vertelde ze. 'Ik heb een ouderpaar voor mijn kindje uitgezocht.'

'Echt waar?' Enthousiast leunde Ellen wat verder over haar bureau.

'Ja, het was niet gemakkelijk,' loog ze. 'Ik vond eigenlijk ieder echtpaar zo aardig, dat ik het jammer vind dat ik ze niet allemaal kan kiezen.'

'Maar één echtpaar sprong eruit,' vulde Ellen glimlachend aan. 'Eén stel leek gewoon perfect voor jouw kind.'

'Ja, dat klopt! Hoe weet je dat?'

'Zo gaat het meestal. Ik noem het een onderdeel van het wondertje van adoptie,' antwoordde Ellen schouderophalend. 'Wie heb je uitgekozen?'

'Ik wil je eerst nog graag iets anders vragen,' zei ze. 'Wil je de begrippen "open" en "gesloten" adoptie nog een keer voor me toelichten?'

'Natuurlijk.' Geduldig legde Ellen nogmaals uit dat ze zelf mocht bepalen hoeveel contact er tussen haar en de adoptiefouders zou zijn. De twee uitersten waren de gesloten adoptie, waarbij de adoptiefouders helemaal niets van de biologische moeder van hun kind te weten kwamen, en de open adoptie, waarbij in overleg zelfs bezoekjes aan de adoptiefouders en het kind konden worden gebracht.

Na afloop van het verhaal zweeg Julianna even, alsof ze de informatie nogmaals op zich wilde laten inwerken.

'Hoe kan ik erachter komen of de adoptiefouders het eens zijn met de regeling die ik wil?' vroeg ze uiteindelijk.

'De meeste ouders stellen zich zeer flexibel op,' antwoordde Ellen. 'Per slot van rekening willen ze maar één ding, en dat is ouders worden.'

'Stel nou dat het echtpaar van mijn keuze heel andere voorkeuren heeft...' Ze beet op haar lip. 'Ik bedoel, het lijkt me vreselijk om me een bepaalde voorstelling van zaken te maken en vervolgens te horen dat zij daar niets voor voelen.'

'Ik kan me die bezorgdheid voorstellen, maar ik kan je verzekeren dat zoiets nog nooit is gebeurd,' probeerde Ellen haar gerust te stellen.

'Toch zit het me niet lekker.' Ze wrong haar handen. 'Stel dat ik je nu vertel wie ik heb gekozen. Mag jij me dan vertellen waar hun voorkeur naar uitgaat?'

Ellen aarzelde even. 'Ik denk niet dat dat kwaad kan,' zei ze uiteindelijk. 'Op wie is je keuze gevallen?'

'Richard en Kate.'

'Richard en Kate,' herhaalde Ellen aangenaam verrast. 'Dat is een heel goede keuze, Julianna. Het is een ontzettend aardig echtpaar, en ze hebben een kind heel veel te bieden.' Ze tikte op het dikke dossier naast haar. 'Toevallig heb ik hun gegevens net hier liggen. Als je een momentje hebt, kijk ik even waarnaar hun voorkeur uitgaat.' Na deze woorden opende ze het dossier om het vluchtig door te lezen.

Julianna's handen jeukten gewoon om het haar uit de vingers te trekken.

'Ze staan open voor elk initiatief van jouw kant,' vertelde Ellen. 'Als je wilt, zijn ze zelfs bereid je het eerste jaar foto's, brieven en een aantal bezoekjes te verlenen.'

'Klinkt goed,' zei ze peinzend. 'Het geeft me in elk geval een aantal mogelijkheden.' Ernstig keek ze Ellen aan. 'Ik heb zelf nog niet besloten of ik een open of een gesloten adoptie wil. Er zitten heel veel kanten aan die ik eerst eens allemaal rustig op een rijtje wil zetten. Ik wil doen wat voor mijn kind het allerbeste is.'

Ellen knikte. 'Dat begrijp ik. Ik weet zeker dat Kate en Richard dat ook zullen begrijpen. En onthoud dat je nu al het allerbeste doet voor je kind. Hij of zij zal een heerlijk leven krijgen bij de familie... Bij Kate en Richard.'

Julianna's blik dwaalde af naar het dossier naast Ellens hand. Daarin stonden Richards achternaam en adres. Ze móést er even ongestoord in kunnen snuffelen...

Opeens kreeg ze een idee.

Ze stond op van haar stoel. 'Hartelijk bedankt voor je tijd, Ellen, en voor je... je...' Trillend bracht ze een hand naar haar hoofd. 'I-ik voel me opeens niet goed,' mompelde ze.

Geschrokken sprong Ellen overeind. 'Wat is er? Denk je dat het te maken heeft met de baby?'

'I-ik denk het niet.' Wankelend knipperde ze met haar ogen. 'Ik ben gewoon een beetje duizelig.'

'Wat vervelend voor je.' Gauw liep de maatschappelijk werkster om haar bureau heen om haar te ondersteunen. 'Zal ik je even naar de bank in de wachtkamer helpen? Dan kun je daar een paar minuutjes gaan liggen.'

'N-nee, nee, dat hoeft niet,' mompelde ze. 'I-ik ga hier wel even zitten. Heb je misschien een glaasje water of wat sinaasappelsap voor me?'

'Natuurlijk.' Bezorgd hielp Ellen haar weer terug naar haar stoel. 'Ik ben zo terug. Roep me maar als je me nodig hebt.'

Zodra Ellen haar kantoor uit was gelopen, sprong Julianna overeind om het dossier te pakken. 'Ryan,' fluisterde ze, zodra ze de gewenste informatie had gevonden. 'Lakeshore Drive 361 in Mandeville.'

Nog een paar keer herhaalde ze het adres zachtjes totdat ze zeker wist dat ze het niet meer zou vergeten. Daarna legde ze het dossier weer zorgvuldig op dezelfde plaats terug.

Ze zat maar net op tijd weer op haar plaats, want een paar tellen later kwam Ellen binnen met een glaasje sinaasappelsap.

'Alsjeblieft, Julianna.' Als een bezorgde moeder liep ze om Julianna heen totdat deze het hele glas had leeggedronken. 'Hoe voel je je nu?'

'Beter.' Met een flauw glimlachje gaf ze haar het glas terug. 'Veel beter. Bedankt voor de moeite.'

'Weet je het zeker?' vroeg Ellen met gefronste wenkbrauwen. 'Ik heb nog wel meer sap, als je wilt. En heb je al iets gegeten? Ik denk dat Madeline wel ergens een trommel koekjes heeft. Zal ik die even voor je gaan halen?'

'Nee, dank je. Dat hoeft echt niet,' verzekerde ze haar.

Ellen opende haar mond om te protesteren.

'Ik heb daarnet op mijn werk een boterham met pindakaas en een glas melk genomen,' loog ze. 'Het komt wel vaker voor dat ik opeens een beetje licht in het hoofd ben.'

'Dat komt waarschijnlijk gewoon door je zwangerschap,' zei Ellen met een bemoedigende glimlach. 'Zeg het toch maar even tegen dokter Samuel wanneer je bij hem bent.'

'Dat zal ik doen.' Ze keek naar de vloer. Het enige waaraan ze op dat moment kon denken, was haar toekomst en haar relatie met Richard. 'Zal ik je eens iets vertellen?' zei ze op vertrouwelijke toon. 'Het lijkt me eigenlijk heel prettig om straks niet meer zwanger te zijn.'

'Je hoeft gelukkig niet zo lang meer.' Moederlijk legde Ellen een arm om haar schouder. 'Probeer het nog even vol te houden. Mag ik Richard en Kate trouwens het goede nieuws vertellen? Ik denk dat ze een gat in de lucht springen wanneer ze horen dat jij hen hebt uitgekozen.'

'Als je het niet erg vindt, wil ik daarmee liever nog even wachten,' zei ze verontschuldigend. 'Ik hoop dat je het begrijpt, maar ik moet de beslissing eerst zelf nog verwerken. Ik wil ook nog nadenken over de vraag hoeveel contact ik met ze wil. Ik heb wat tijd nodig om voor mezelf te besluiten wat ik het beste vind. Vind je dat goed?'

'Natuurlijk vind ik dat goed. Ik ben alleen maar blij dat je zo serieus over alles wilt nadenken,' zei Ellen. 'Geloof me, dat bespaart je heel wat hartzeer en verwarring nadat je kindje geboren is.'

Ze stond op van haar stoel. 'Dank je wel, Ellen. Voor alles,' zei ze, haar jas van de leuning pakkend.

Nu ze wist hoe Richard verder heette, had ze haast om weg te komen. Ze wilde nadenken over haar volgende stap, over de vraag wat ze met deze informatie kon doen.

'Weet je zeker dat je je weer goed genoeg voelt?' vroeg Ellen. 'Als je wilt, kun je nog wel even blijven. Madeline komt zo terug, en zij wil je vast nog wel even in de watten leggen.'

'Nee, ik moet echt gaan,' zei ze vlug. 'Echt, ik ben weer helemaal opgeknapt. Ik wil graag thuis zijn voordat het donker wordt.'

Ellen knikte en begeleidde haar naar de deur. Voordat Julianna naar buiten kon gaan, gaf ze haar een dikke kus. 'Gefeliciteerd met je beslissing, Julianna,' zei ze zacht. 'Ik kan je echt garanderen dat je een heel goede keuze hebt gemaakt.'

'Dat weet ik,' zei ze, in de verte starend. 'Ik heb het perfecte echtpaar uitgezocht. Nu krijgt iedereen wat hij of zij het liefste wil.'

Die opmerking bracht een klein fronsje in Ellens voorhoofd. 'Julianna?' vroeg ze.

'Hm?' Ze dwong zichzelf wakker te worden uit haar dagdroom.

'Waarom heb je eigenlijk voor Kate en Richard gekozen?'

'Pardon?'

'Waarom heb je speciaal voor dit echtpaar gekozen?' herhaalde Ellen. 'Was er iets bijzonders aan hen waardoor je opeens zeker wist dat zij het moesten worden? Ik stel me zo voor dat ze dat graag zouden willen weten.'

Een paar seconden keek Julianna haar zwijgend aan. Daarna

verscheen er een brede, stralende glimlach op haar gezicht. 'Als ze ernaar vragen, zeg dan maar dat ik op slag verliefd op ze ben geworden.'

14

Julianna besloot geen moment te verliezen. De volgende dag ging ze met genoegen naar Buster om hem te vertellen dat hij zijn baan mocht houden. Vervolgens reed ze naar Mandeville.

Ze had geen idee wat ze van de noordkust van het meer moest verwachten, want ze was er nog nooit eerder geweest. Zodra ze Mandeville zag, was ze gecharmeerd van de sfeer. Het leek wel een lief vakantieplaatsje, met al die mooie huizen en bomen. Ze besloot meteen dat ze er zo snel mogelijk zou gaan wonen.

Lakeshore Drive was gemakkelijk te vinden, dus nu hoefde ze alleen nog maar het juiste nummer te zoeken. Toen ze het goede huis had gevonden, viel haar mond bijna open van verbazing. Het was het soort huis dat je alleen nog maar zag in films over het zuiden van de Verenigde Staten. Het was oud, gigantisch groot en waarschijnlijk al generaties lang in het bezit van Richards familie.

Elk detail van het gebouw en de prachtige tuinen nam ze gretig op. De prachtige, grote balkons met de openslaande deuren, de rieten schommelstoelen die op elk balkon stonden, de eeuwenoude eiken met hun met mos begroeide stammen, de schommel die aan een eik dicht bij het ijzeren tuinhek hing... Alles was even mooi.

Een gevoel van geluk stroomde door haar heen. Dit was de plek die het lot voor haar in gedachten had gehad. Hier, in deze gemeenschap, hoorde ze thuis. In dit mooie huis behoorde ze te wonen.

Met een tevreden zucht leunde ze achterover in de stoel van haar auto. In gedachten zag ze zichzelf al in een wijde, zwierige, witte jurk op de schommel zitten, die door Richard werd geduwd. Ze zag zichzelf met vrienden op een van de grote balkons zitten, met in haar hand een schuimende, stijlvolle cocktail.

Ook zag ze zichzelf en Richard in het donker op het bovenste balkon vrijen. De geluiden van het meer en de nachtdieren zouden zich vermengen met de geluiden van hun vrijpartij...

Ongewild kreeg ze een brok in haar keel. Ze hield van hem, met heel haar hart. Hij raakte haar op een manier zoals nog niemand haar ooit had geraakt, zelfs John niet. Vooral John niet.

Ze lachte. Als andere mensen haar gedachten zouden kunnen lezen, zouden ze denken dat ze gek was, een onvolwassen meisje met een puberale verliefdheid. Andere mensen wisten echter niet wat zij voelde. Ze waren er niet bij geweest toen ze Richards woorden honderden malen had herlezen. Ze hadden niet gevoeld dat zijn gedachten zich vermengden met de hare. Ook waren ze niet bij haar geweest tijdens al die nachten waarin ze naar zijn foto had liggen staren in de wetenschap dat hij de ware Jakob voor haar was.

Hun harten zouden een worden. Dat was gewoon zo voorbestemd. Het kon nooit lang meer duren voordat ook hij dat zou voelen. Hij zou als enige begrijpen dat zij hem had herkend met haar hart.

Ze schrok op van het luide getoeter van een auto, gevolgd door een stem die iets riep. Opeens drong het tot haar door dat het er raar moest uitzien, een meisje in een auto die naar het huis van de Ryans staarde.

Aandachtig keek ze om zich heen. Vlak bij het huis lag een parkje met picknicktafels, speeltoestellen voor kinderen en een kleine kiosk. In het park was het druk. Stelletjes liepen hand in hand langs het meer; kinderen speelden op de toestellen; hun moeders praatten met elkaar, en giechelende tieners wisselden nieuwtjes en sigaretten uit.

Omdat ze in het park niet zou opvallen, reed ze naar een parkeerterrein om haar auto weg te zetten. Daarna wandelde ze terug naar het park, waar ze een bankje koos dat haar onbelemmerd uitzicht bood op het huis van de Ryans.

De tijd vloog voorbij. Het werd later en later. Op een gegeven moment verdween de zon zelfs al achter de horizon. Het werd buiten steeds kouder, dus het park werd steeds leger.

Huiverend zette ze de kraag van haar winterjas omhoog. Haar oren en neus tintelden van de kou.

In het huis van de Ryans bleef het donker. Een blik op haar horloge leerde haar dat het inmiddels al bijna zes uur was. Op een enkele jogger na was ze helemaal alleen in het park.

Terwijl ze ging verzitten op de harde bank, voelde ze een lichte paniek opborrelen. Stel dat ze niet thuiskwamen. Stel dat ze uit eten waren, of erger nog, de stad uit... Ze had nu al zo veel moeite gedaan... Ze móést hen zien. Ze móést Richard zien.

Haar maag begon te knorren. Zuchtend vouwde ze haar armen voor haar buik, wensend dat ze iets te eten had meegenomen. Iets warms om te drinken. Ze had haar uitstapje niet goed voorbereid, omdat ze alleen maar had kunnen denken aan het feit dat ze Richard zou zien.

Verlangend keek ze naar haar auto in de verte. Ze zou natuurlijk even naar de dichtstbijzijnde supermarkt kunnen rijden voor een broodje en een beker warme chocolademelk. Dat zou haar hooguit tien, vijftien minuten kosten.

In die tijd kon ze Richard echter net mislopen. Bovendien zou het kunnen opvallen dat ze wegging en weer terugkwam. Dat kon ze niet riskeren. Er zat dus niets anders op dan haar knorrende maag negeren en rustig afwachten of Kate en Richard thuis zouden komen.

Haar gedachten dwaalden af naar haar moeder en John. Zou John naar haar op zoek zijn gegaan? Wat zou hij doen als hij wist dat ze inmiddels verliefd was geworden op een andere man? Zou hij boos zijn? Jaloers? Waarschijnlijk wel.

Als ze niet zo zeker wist dat hij haar nooit zou vinden, zou ze bang zijn geweest voor zijn toorn. Zoals haar moeder en Clark haar hadden geadviseerd, had ze geen contact opgenomen met thuis, geen creditcards gebruikt en veel verschillende woonplaatsen gehad. Ze was pas gestopt op een veilige afstand van Washington D.C. Maar stel nu eens dat hij haar toch zou vinden...

Ze schudde haar hoofd, want daar moest ze niet aan denken. Als John ooit in haar buurt zou komen, zou Richard hem wel wegsturen. Hij was advocaat, dus hij wist vast wel wie hij moest inschakelen om John te waarschuwen. Hij zou ervoor zorgen dat John haar nooit meer lastig zou kunnen vallen.

In het huis van de Ryans ging een licht aan.

Meteen ging ze met bonkend hart rechtop zitten. In de verte zag ze iemand langs het verlichte raam lopen, waarna er in de aangrenzende kamer ook een licht aanging.

Kate, dacht ze. Ze hield haar adem in, omdat ze maar nauwelijks kon geloven dat Kate nog maar een meter of vijftig van haar verwijderd was.

Kate liep van kamer naar kamer, onderwijl overal het licht aanmakend. In Julianna's gedachten bekeek ze de post, controleerde ze haar antwoordapparaat, wierp ze een blik op de klok en vroeg ze zich af hoe laat Richard thuis zou komen.

Beide vrouwen wachtten op Richards thuiskomst, omdat ze allebei van hem hielden...

Die gedachte was een schok voor Julianna. Ze deelden hun liefde voor een man en ze deelden een ongeboren kind. Ze waren met elkaar verbonden door een heel belangrijke, fundamentele kracht. In een aantal opzichten waren ze eigenlijk net een en dezelfde vrouw.

Boven ging een van de grote balkondeuren open, waarna Kate op het balkon verscheen. Julianna strekte haar nek om haar beter te kunnen zien, maar in het schemerdonker was ze nauwelijks meer dan een silhouet.

Julianna hield haar hoofd schuin. Kate was langer en slanker dan ze op haar foto's leek. Julianna sloeg haar armen om haar schouders en wenste dat ze haar eigen superslanke figuurtje weer terughad. Ofschoon ze tot dan toe slechts vier kilo was aangekomen, was haar lichaam onmiskenbaar veranderd. Ze voelde zich moddervet vergeleken met Kate.

Ze legde haar hand op haar baby, die die middag erg actief was. Ineens had ze een grondige hekel aan het kleine wezentje binnen in haar. Ze probeerde die negatieve emoties te verdrijven met de gedachte dat ze Richard niet zou hebben gevonden als ze niet zwanger was geraakt. De baby was het geschenk dat hun drieën met elkaar verbond.

Tegelijkertijd besefte ze dat ze zichzelf niet voor de gek kon houden. Als ze Richard van Kate wilde afpakken, moest haar lichaam weer mooi, slank en sexy zijn. Anders had ze geen enkele kans.

Kate boog zich over de rand van het balkon om naar de straat te kijken.

Julianna kon niet zien wat haar aandacht trok. Wel zag ze dat Kate zich bijzonder elegant bewoog. Op de een of anderen manier bezat ze een heel warme, stijlvolle uitstraling, die Julianna ook al op haar foto's had gezien.

Plotseling kreeg ze tranen in haar ogen. Uit de beschrijvingen had ze begrepen dat Kate een heel aardige, lieve vrouw was. Het zou niet meevallen om zo'n lieverd pijn te doen. Ze was er dan ook helemaal niet trots op dat ze Kates hart zou breken.

Diep ademhalend, dwong ze zichzelf haar schuldgevoel weg te stoppen. Zolang ze onthield dat dit het beste was, zou het allemaal wel goedkomen. Kate zou Richard wel vergeten. Ze zou hem vergeten wanneer ze eenmaal haar baby in haar armen had.

In de verte kwam een auto aanrijden. De auto draaide de oprit van de Ryans op, daarbij Kates gezicht een paar tellen belichtend.

Richard, flitste het door haar heen. Snel bracht ze een hand naar haar hart, dat als een razende tekeerging. Het was een kwelling om tegelijkertijd zo dicht bij hem en zo ver van hem verwijderd te zijn. Ze had zin om naar hem toe te gaan, in zijn armen te kruipen en hem te vragen zachtjes in haar oor te fluisteren.

Wat zou hij doen als ze hem nu benaderde? Zou hij haar herkennen als zielsverwant, zoals zij hem had herkend? Zou hij meteen weten dat ze voor hem was voorbestemd?

Waarschijnlijk niet. Hij was een rationele man, die situaties analytisch beoordeelde. Uit loyaliteit aan Kate zou hij ontkennen dat hij iets voor haar voelde. Tot het moment waarop hij er niet langer omheen kon.

Haar moeder had haar geleerd dat geen enkele man echt monogaam was. Ze had beweerd dat iedere man thuis wel iets te kort kwam, waardoor hij uiteindelijk alles zou kunnen opgeven wat hij bezat.

Het was nu aan Julianna om uit te zoeken waarnaar Richard Ryan verlangde. Ze was ervan overtuigd dat ze het antwoord binnen afzienbare tijd zou vinden.

Richards autodeur sloeg dicht, waarna Kate haar man vrolijk vanaf het balkon begroette. De stem die Julianna vervolgens hoorde, was als een liefkozing in haar oren.

Richard liep om de auto heen en keek even in de richting van het meer.

Dus hij weet dat ik er ben, dacht ze. Hij voelt het draadje tussen ons!

Hij stak echter zijn sleutel in de voordeur om naar binnen te gaan.

Roerloos bleef ze zitten. Ze wist niet hoelang ze daar zo zat, maar haar lichaam werd ijskoud. Hoewel ze haar ledematen nauwelijks meer voelde, werkten haar hersenen op volle kracht. Ze wist wat ze moest doen om hem te veroveren: ze moest veranderen in Kate.

Het was eigenlijk heel eenvoudig. Hij hield ontzettend veel van zijn vrouw. Het was een van de redenen waarom Julianna verliefd op hem was geworden.

Als ze veranderde in een jongere, mooiere Kate, zou hij ook van haar gaan houden. Hij zou zelfs nog gekker op haar worden dan op Kate. Dan zou hij ook zien dat ze bij elkaar hoorden.

Ze nam zich voor de Ryans grondig te bestuderen en daar haar voordeel mee te doen. Daarna zou Richard voor altijd de hare zijn.

Met een voldane glimlach stond ze op, waarna ze met verkleumde benen naar haar auto liep.

15

De zaterdagmorgen erop ging de telefoon bij de familie Ryan.
Richard stond net op het punt te gaan sporten.

'Neem jij hem even, Kate?' riep hij. 'Ik heb mijn sporttas boven
laten liggen en ben al laat.'

'Oké.' Kate droogde haar handen af om de telefoon op te nemen.

'Als het mijn moeder is, zeg dan maar dat ik net weg ben. Ik bel
haar straks wel terug.'

'Goed.' Ze nam de hoorn van de haak.

Hij holde naar boven om zijn tas te pakken. Op de terugweg
stak hij zijn hoofd om de hoek van de keuken, waar Kate de telefoon had opgenomen. 'Ik ben terug om... Kate? Wat is er?'

Ze stond met een krijtwit gezicht bij de telefoon. Hoewel ze
haar mond opende, kwam er geen geluid uit.

'Is er iets ergs gebeurd?' vroeg hij bezorgd. 'Is er iets met een
van onze ouders?'

'N-nee,' hakkelde ze, bibberend de hoorn op de haak leggend.
'Dat was Ellen.' De tranen sprongen haar in de ogen. 'W-we zijn
d-door een aanstaande m-moeder uitgekozen.'

Hij kon zijn oren niet geloven. Zo snel al? Dat kon haast niet.
Hij zocht op Kates gezicht naar een teken dat ze hem voor de gek
hield, maar ze keek bloedserieus.

Lieve help, dacht hij in paniek. Ik ben er nog helemaal niet
klaar voor!

'Weet je het zeker?' vroeg hij. 'Heb je Ellen niet verkeerd begrepen?'

Ze schudde haar hoofd. 'Ze wil ons aankomende week graag spreken over de bijzonderheden.'

Geschokt haalde hij een hand door zijn haar. 'Maar we staan pas twee maanden ingeschreven! Zo snel kan dat toch helemaal niet? Ze hadden gezegd dat het waarschijnlijk een jaar zou duren!'

'Ik weet het.' Ze bracht een hand naar haar mond. 'De baby wordt begin mei verwacht. Dat is... Dat is over nog geen drie maanden.'

O nee, dacht hij. Waar ben ik in vredesnaam aan begonnen?

Snikkend van blijdschap sloeg ze haar armen om hem heen. 'We krijgen een kind, Richard! Het gaat echt gebeuren. We krijgen een kind!'

Hij vroeg zich af waarom hij daar niet blij om was. Nu kan ik geen kant meer op, dacht hij. Ik kan er niet meer onderuit.

'Ben je er blij om?' vroeg ze, alsof ze zijn gedachten had gelezen.

Hij wist dat hij haar hart zou breken als hij haar de waarheid vertelde. 'Ja zeker,' zei hij.

'Je klinkt niet blij.'

'Het is allemaal nog een beetje onwerkelijk.'

'Zeg dat wel. Ik kan het ook nauwelijks bevatten,' zei ze dolgelukkig. 'Mijn grootste wens komt uit!'

Jouw wens, dacht hij, niet de mijne.

'Richard, zeg nu eens wat,' bedelde ze.

'Sorry, schat. Ik was aan het nadenken.'

'Maak je nou maar geen zorgen,' zei ze op sussende toon. 'Je wordt vast een fantastische vader.'

Onwillekeurig moest hij glimlachen. 'Zou je denken?'

'Ik weet het zeker. Je wordt absoluut de allerbeste vader van de hele wereld!'

16

De maandagmorgen daarop gingen Kate en Richard meteen naar Citywide.

Richard keek voortdurend op zijn horloge. Hij had die dag een lunchafspraak met een belangrijke zakenrelatie, een vergadering met zijn partners en een stapel dossiers op zijn bureau waar hij nauwelijks overheen kon kijken. Toch zaten al die verplichtingen hem niet half zo dwars als de reden waarom hij hier nu zat.

Sinds Ellens telefoontje had Kate alleen nog maar over de baby kunnen praten. Ze had nauwelijks geslapen, had al hun familieleden gebeld en was zaterdagmiddag zelfs naar een babyzaak gegaan.

Haar blijdschap baarde hem zorgen. Zijn beroepsmatige instinct vond de hele zaak vreemd en verdacht. Een vrouw die zij niet kenden, had hen uitgekozen om de ouders van haar kind te worden. Een vreemdeling vroeg hun de rest van hun leven voor haar kind te zorgen, terwijl hij en Kate helemaal niets wisten van haar persoonlijkheid, levensstijl of medische geschiedenis. Het was niet slim of verantwoord om zomaar ja te zeggen.

Hij had geprobeerd zijn gevoelens aan Kate uit te leggen, maar ze had al zijn bezwaren weggewimpeld. Zij zag het hele avontuur door een roze bril, zonder zich te realiseren wat de consequenties waren.

Zuchtend veegde hij met een hand over zijn voorhoofd. Hij

had met de adoptie ingestemd om Kate gelukkig te maken, om haar allergrootste wens te realiseren. Misschien had hij zelfs wel ja gezegd uit schuldgevoel. Op het moment dat hij de papieren had ingevuld, had het hem best aardig geleken om een kind te hebben. Nu besefte hij echter dat het allemaal helemaal niet zo eenvoudig was. Nu zag hij de verstrekkende gevolgen en alle bezwaren die aan een adoptie kleefden.

Hij wist zelfs niet eens of hij het kind nog wel wilde, maar hij wist ook dat Kate het hem nooit zou vergeven als hij nu nog terugkrabbelde.

'Goedemorgen.' Ellen kwam met een stapel papieren, een kop koffie en een broodje de spreekkamer binnen hollen. 'Sorry dat ik te laat ben. Een van onze moeders is aan het bevallen.' Ze zette haar ontbijt op tafel, pakte een stoel en ging met een diepe, voldane zucht zitten. 'Hè, heerlijk,' mompelde ze na haar eerste slokje koffie. Met een brede glimlach keek ze vervolgens naar Kate en hem. 'Jullie hebben vast een heel fijn weekend gehad.'

'Ik kon haast niet slapen van opwinding,' vertelde Kate stralend. 'Ik kan het nog nauwelijks geloven.'

'Ik vind het echt heerlijk voor jullie.' Met het broodje in haar hand sloeg Ellen haar map met papieren open. 'Ben jij er ook zo gelukkig mee, Richard? Of moet je nog een beetje van de schrik bekomen?'

'Nou, het gebeurt allemaal wel erg snel, ja,' antwoordde hij.

'Tja, dat is wel eens vaker voorgekomen,' zei Ellen. 'Sommige baby's komen kennelijk zomaar uit de lucht vallen.'

Hij fronste zijn voorhoofd. 'Ik weet niet of ik het wel zo gezond vind dat baby's uit de lucht komen vallen,' merkte hij op.

Ellen begon te lachen, tot ze aan zijn gezicht zag dat hij geen grapje maakte. 'Waarom zeg je dat?' vroeg ze.

'Is er soms iets mis met dit kind?' wilde hij weten.

Ellen rechtte haar rug. 'Niet dat ik weet.'

'Maar je weet het niet zeker. Hebben jullie de moeder wel onderzocht?' Hij negeerde Kate, die geschrokken haar hand naar haar mond bracht.

Ellens wangen werden rood van ergernis. 'Moeder en kind zijn allebei grondig onderzocht,' verklaarde ze. 'Alles ziet er goed uit.

De moeder is jong en gezond, dus we verwachten geen problemen. Dat is nog geen garantie op een gezond kind, maar die garantie zou je ook niet hebben gehad als Kate zwanger was geweest. Het blijft uiteindelijk altijd een gok.'

'Een gok die verstrekkende gevolgen heeft voor ons leven, Ellen,' zei hij ernstig. 'Je verwacht toch niet dat ik daar niet bij stilsta?'

'Natuurlijk niet,' antwoordde ze stijfjes. 'Maar in het leven heb je nooit zekerheden. Ik kan je alleen maar zeggen dat we onze uiterste best doen om alles goed te laten verlopen.'

'Dat begrijpen we ook heel goed,' haastte Kate zich te zeggen, met een geïrriteerde blik opzij naar hem. 'We zijn dolblij dat deze moeder ons heeft uitverkoren. Of niet, Richard?'

'Dolgelukkig,' zei hij, verschuivend op zijn stoel. 'Toch wil ik je nog één ding vragen. Waarom heeft deze aanstaande moeder juist voor ons gekozen? Waarom niet voor een stel dat al langer op een baby wachtte?'

Aarzelend keek Ellen van de een naar de ander. 'Hoor ik nu wat terughoudendheid in je stem, Richard? Als je eraan twijfelt of je wel een kindje wilt –'

'Nee!' riep Kate uit, haar hand op de zijne leggend.

Ellen bleef hem aankijken. 'Weet je het zeker, Richard? Ik ga nooit over tot plaatsing als de biologische moeder twijfels heeft, maar ook niet als een adoptiefouder niet helemaal achter de adoptie staat. Dat zou niet eerlijk zijn tegenover het kind, de moeder en alle andere echtparen op de wachtlijst.'

Kates vingers werden ijskoud. Hij wist hoe belangrijk dit voor haar was en gaf haar een geruststellend kneepje in haar hand. 'Ik ben advocaat,' legde hij uit. 'Het is mijn vak om veel vragen te stellen en achterdochtig te zijn. Ik zou gewoon heel graag willen weten waarom de moeder juist voor ons heeft gekozen.'

'Eigenlijk zou ik dat ook best willen weten,' zei Kate schuchter.

Even weifelde Ellen voordat ze antwoord gaf. 'Ze zei dat ze verliefd op jullie was geworden,' zei ze toen.

'Verliefd op ons?' Lachend keek Kate naar hem opzij.

'Ik zeg toch altijd dat we aardige mensen zijn?' zei hij grinnikend. 'Dit bevestigt het maar weer eens.'

Ellen knikte. 'Het klinkt natuurlijk vreemd uit de mond van iemand die jullie helemaal niet kennen, maar je moet weten dat deze meisjes een heel emotioneel proces doormaken. Ik denk dat ze bedoelt dat ze verliefd is geworden op jullie ideeën en levensstijl. Ze heeft zich een beeld gevormd van het leven dat jullie haar kind kunnen geven, en dat beeld staat haar wel aan.'

Ze vouwde haar handen op de tafel. 'Veel van deze jonge vrouwen zijn erg eenzaam. Ze hebben vaak vervelende dingen meegemaakt,' vervolgde ze. 'Ze zijn in de steek gelaten door de vader van hun kind, of het huis uit geschopt door hun ouders. Het is heel belangrijk voor ze dat ze geloven in de adoptiefouders van hun baby. Deze biologische moeder heeft te kennen gegeven dat ze vertrouwen in jullie heeft.'

'Kunnen we haar ontmoeten?' vroeg Kate ontroerd. 'Ik wil haar graag bedanken.'

'Nee, het spijt me, maar dat gaat helaas niet,' antwoordde Ellen. 'In dit geval heeft de moeder gekozen voor een volledig gesloten adoptie.'

'O, nee...' zei Kate teleurgesteld. 'Ik had zo gehoopt dat we met haar konden kennismaken. Volgens de boeken is dat voor iedereen het beste, ook voor de baby.'

'Dat weet ik, maar uiteindelijk is het haar beslissing,' zei Ellen met spijt in haar stem.

Richard fronste zijn wenkbrauwen. 'Heeft ze ook gezegd waarom ze ons niet wil ontmoeten? Of probeert ze soms iets voor ons te verbergen?' wilde hij weten. 'Is er soms iets wat wij niet mogen weten?'

Ellen kleurde bij het horen van zijn kritische toon. 'We spreken alles heel zorgvuldig met de moeders door, Richard. Ik ben ervan overtuigd dat ze niets verbergt. Ik denk gewoon dat ze het hele proces probeert te verwerken door er niet te veel persoonlijk bij betrokken te raken.'

'Mag je ons wel vertellen hoe ze heet, of hoe oud ze is?' vroeg Kate.

'Op dit moment mag ik zelfs haar voornaam niet vertellen,' antwoordde Ellen. 'Maar ik kan je wel zeggen dat ze een heel mooi meisje van negentien is, dat ongeveer dezelfde bouw heeft als jij.'

Kate keek naar hem en vervolgens weer naar Ellen. 'Zou je alsjeblieft met haar willen praten? Wil je zeggen dat we haar heel graag willen zien?'

'Ik kan het proberen, maar ik denk niet dat het veel uithaalt,' zei Ellen. 'Ze is een zeer doortastende jongedame, die heel goed weet wat ze wil.'

'Een meisje dat altijd haar zin krijgt,' zei hij.

Ellen lachte. 'Precies. En in dit geval heeft ze haar zinnen gezet op jullie.'

17

Om dicht bij Richard en Kate te zijn verhuisde Julianna naar Mandeville. Hoewel ze verderop leuke appartementen tegen een redelijke prijs kon krijgen, koos ze voor een piepklein appartementje in het oude Mandeville, omdat dat maar een paar straten van het huis van de Ryans af lag.

Zelf was ze zeer tevreden met haar beslissing. Nu ze vlak bij de Ryans woonde, kon niemand er iets van zeggen als ze het huis een paar keer per dag passeerde, op een bankje in het park ging zitten of naar dezelfde winkels en restaurants ging als Kate en Richard.

Ze merkte dat het verrassend eenvoudig was om de Ryans te volgen. Ze gingen gewoon hun gang, zich totaal niet bewust van de jonge vrouw die er een dagtaak van had gemaakt om al hun gangen na te gaan.

Al gauw wist Julianna wanneer ze thuis waren, wat ze leuk vonden, met wie ze omgingen en welke hobby's ze hadden. Richard hield van golfen, en Kate las graag thrillers. In restaurants bestelde Richard liever vis dan vlees, en Kate was dol op schaaldieren en desserts. Julianna's lijst met wetenswaardigheden werd iedere dag langer. Elk nieuw gegeven werd in haar hoofd opgeslagen, als een dierbare familieherinnering of een soort mentaal plakboek.

Af en toe wierp ze een blik in dat plakboek om te genieten van alles wat ze te weten was gekomen. Elke dag leerde ze haar nieuwe familie beter kennen en ging ze meer van hen houden.

Na de eerste twee weken richtte ze haar aandacht vooral op Kate. Ze bestudeerde haar gebaren, haar manier van lachen, haar gezichtsuitdrukkingen en haar intonatie. Ze ontdekte welke parfum Kate droeg en welke koffie ze het lekkerst vond.

Wanneer Kate niet op haar werk was, ging Julianna vaak naar The Uncommon Bean. Daar deed ze dan alsof ze zat te lezen terwijl ze met gespitste oren de gesprekken van de personeelsleden afluisterde. Zo ontdekte ze al snel dat alle personeelsleden Kate graag mochten en respecteerden. Ze ontdekte dat Kate heel aardig was, veel energie had en veel gevoel voor humor bezat. Ze was diep onder de indruk van Kates karakter, maar nog meer van haar kunstzinnige talent.

Bij haar eerste bezoek aan The Uncommon Bean had ze met open mond naar Kates mooie glaswerk voor de ramen gekeken. De kunstwerkjes toverden allerlei gekleurde lichtvlekjes op het interieur van het café.

Heel even had Julianna Kate toen benijd. Ze had zelf ook kunstenares willen worden, maar John had haar laten inzien dat ze daarvoor niet genoeg zelfdiscipline en talent had. Kate had wel talent. Eigenlijk had Kate alles.

Dat zou echter niet lang meer duren. De maand februari ging over in maart, maart ging over in april. Dokter Samuel zei dat de bevalling met rasse schreden naderde. Aan het eind van de maand vertelde hij haar dat de baby al was ingedaald en dat ze al wat ontsluiting had.

De baby is er helemaal klaar voor, net als ik, dacht ze. Ze stond voor haar badkamerspiegel in haar beha en slipje. Ze had een hekel aan haar buik, maar die was inmiddels zo dik, dat ze er letterlijk niet meer omheen kon.

Peinzend legde ze haar handen op de strakgespannen, harde buik. Plotseling verscheen er een voldane glimlach op haar gezicht. Kate kon dan misschien mooie dingen maken van glas, maar dit kon ze niet. Ondanks al haar talenten was ze niet in staat een levend wezentje op de wereld te zetten.

Onder haar handen voelde ze de baby schoppen. Voor het eerst irriteerde de beweging haar niet. Lachend probeerde ze zelfs een beetje plagerig wat tegendruk te geven.

Kate was intelligent en stijlvol. Ze woonde in een prachtig huis en had een succesvol bedrijf. Ze had een geweldige man die van haar hield. Toch kon ze niet al haar dromen realiseren; daar had ze Julianna voor nodig. Julianna had wat Kate het allerliefst wilde hebben. Dat gaf een lekker gevoel. Een machtig gevoel. Ze was belangrijker dan Kate!

Het werd tijd om te gaan oefenen.

Met gesloten ogen concentreerde ze zich op Kates beeld. Ze dacht aan Kates glimlach, haar parelende schaterlach en de dromerige uitdrukking die haar gezicht soms kreeg wanneer ze dacht dat er niemand naar haar keek. Minutenlang vulde ze haar hoofd alleen maar met beelden van Kate en alles wat ze over haar uit het hoofd had geleerd.

Toen deed ze haar ogen open om naar haar spiegelbeeld te glimlachen. Wat ze zag, was Kates glimlach. Ze oefende nog een paar keer tot ze het beeld had geperfectioneerd, waarna haar lach er natuurlijk en precies uitzag zoals die van Kate.

'Hallo,' zei ze hardop. 'Welkom in The Uncommon Bean. Wat kan ik voor u betekenen?'

Met gefronste wenkbrauwen keek ze naar haar gezicht. Dat klonk nog niet helemaal goed. Kates stem was zangeriger, iets lichter bij de medeklinkers.

Opnieuw sprak ze het zinnetje uit, en daarna nog een keer. Ze oefende het net zo lang tot ze tevreden was met het resultaat. Daarna voegde ze Kates glimlach toe en streek ze haar haren achter haar oren, zoals Kate dat zo vaak deed. Ze gebaarde met haar handen tot het net leek of ze Kates handen in de spiegel zag.

Urenlang oefende ze, tot ze rugpijn, hoofdpijn en honger kreeg. Ze besloot iets te gaan eten en drinken, maar zelfs daarbij probeerde ze precies zo te gaan zitten en eten als Kate. Ze bette haar lippen met een servetje en bracht haar glas precies zo naar haar mond als Kate.

Na het eten dwong ze zichzelf weer terug te gaan naar haar spiegel, ofschoon haar vermoeide lichaam schreeuwde om rust.

Nadat ze het licht had aangedaan, pakte ze uit het badkamer-kastje een foto van Kate, die ze uit het dossier van de Ryans had gestolen. Vervolgens pakte ze een toilettas die ze de dag ervoor had gekocht, gevuld met make-up in de warme kleuren die Kate altijd gebruikte.

Ze plakte Kates foto op de spiegel om zorgvuldig alle schaduwen en rondingen op haar gezicht te kunnen bestuderen. Ze zag dat Kate haar make-up zeer vakkundig had aangebracht, op een manier die al haar goede punten accentueerde.

Nu was het aan haar om die mooie make-up tot in de puntjes te imiteren. Ze haalde een tube foundation uit de tas en bracht die heel zorgvuldig aan op haar gezicht en hals. Vervolgens gebruik-te ze wat subtiele rouge en gezichtspoeder en bracht een prachti-ge kleur oogschaduw aan. Bij iedere stap keek ze naar Kates foto om het resultaat daarmee te vergelijken. Elke afwijking of imper-fectie werd zo goed mogelijk gecorrigeerd.

Ze begreep best dat ze nooit voor Kates tweelingzus zou kun-nen doorgaan. Hun gezichtsvormen waren niet helemaal gelijk, en ze zagen er natuurlijk niet hetzelfde uit. Het ging er echter om dat ze Kates stijl en uitstraling kon kopiëren.

Eindelijk had ze precies de juiste make-upstijl te pakken. Ze leek op Kate. Vanuit de spiegel keek een kopie van Richards vrouw haar aan.

Ze wilde een gil van vreugde slaken, maar het geluid verander-de in een kreet van pijn toen ze plotseling een felle, scherpe pijn onder in haar buik voelde.

Terwijl ze zich op haar knieën liet zakken, zag ze een steeds groter wordende, heldere poel vloeistof op de grond. Pas na een paar tellen drong het tot haar verbijsterde brein door dat haar vliezen waren gebroken.

De bevalling was begonnen.

18

❦

Na vijftien uur weeën schonk ze het leven aan een dochtertje. Doordat de baby ruim tien dagen voor de uitgerekende datum werd geboren, woog ze slechts vijf pond. Ze maakte haar gebrek aan gewicht echter meer dan goed met haar enorme longcapaciteit.

In de verloskamer had Julianna haar dochter even in de armen gehouden. Daar had ze niet om gevraagd, maar de verpleegster had het krijsende kind met een onnozele glimlach in haar armen gelegd, onderwijl allerlei onzin uitkramend over hoe mooi de baby was. Julianna vond haar kind helemaal niet mooi. Het meisje leek meer op een knalrode, kale kikker, en ze wilde dan ook het liefst zo min mogelijk met haar te maken hebben.

Dus had ze haar gezicht afgewend met het verzoek de baby weg te halen. Ellen, die de hele bevalling bij haar was geweest, had het kind maar al te graag van haar overgenomen.

Onbewogen had Julianna naar de tranen van ontroering geken die bij de maatschappelijk werkster over de wangen waren gelopen. Ze had werkelijk niet begrepen waarover iedereen zo'n drukte maakte.

Dat begreep ze nu trouwens nog steeds niet.

Ellen stak haar hoofd om de deur van Julianna's kamer. 'Hallo,' zei ze vrolijk. 'Hoe gaat het?'

'Moe.'

'Dat kan ook niet anders. Mag ik binnenkomen?'

'Ja hoor.' Ze keek naar het vaasje in Ellens hand, waarin een enkele roze roos stond, omringd door gipskruid. 'Is dat voor mij?'

'Ja.' Ellen zette het vaasje op haar nachtkastje. 'Gefeliciteerd, Julianna. Je hebt het geweldig gedaan.'

Op dat moment rolde een verpleegster een doorzichtig wiegje de kamer binnen. 'Ik dacht dat je het misschien wel fijn vond om wat tijd door te brengen met je dochter,' zei ze opgewekt. Voorzichtig legde ze het kind in Julianna's armen. 'Bel maar wanneer we haar weer moeten komen halen. Nogmaals gefeliciteerd, ze is beeldschoon.'

'Iedereen feliciteert me,' mompelde Julianna zodra de verpleegster was verdwenen.

'Dat is toch logisch? De geboorte van een kind is iets feestelijks.'

'Het zal wel.' Ze keek naar het slapende gezichtje in de zachte roze deken. Hoewel ze zelf niet begreep waarom, kreeg ze opeens een brok in haar keel. 'Ze is mooi, hè?'

'Ja,' antwoordde Ellen zacht. 'Ze is heel mooi.'

Met haar wijsvinger streek ze over het ongelooflijk zachte wangetje. 'Dit heb ik gedaan,' mompelde ze. 'Helemaal in mijn eentje, en ze is perfect. Helemaal perfect.'

Ellen schraapte haar keel. 'Dat is ze zeker,' beaamde ze. 'Ze is een klein wondertje.'

Glimlachend keek ze naar Ellen op. 'Ik begreep het nooit wanneer mensen dat over een baby zeiden,' zei ze. 'Nu weet ik dat het inderdaad een wondertje is.'

Even gleed er een bezorgde blik over Ellens gezicht, maar ze herstelde zich snel. 'Hoe voel je je nu?' vroeg ze. 'Het was geen gemakkelijke bevalling.'

Julianna had het inderdaad erg zwaar gevonden. Maar ondanks de pijn, die af en toe ondraaglijk was geweest, had ze geen pijnstillers willen hebben. Integendeel, ze had de pijn verwelkomd, als iets wat helemaal van haar alleen was.

'Je bent zelfs een keer flauwgevallen,' vertelde Ellen. 'Daar schrokken we allemaal erg van.'

'Dat kan ik me helemaal niet herinneren,' zei ze, nog altijd naar haar dochter kijkend.

'Julianna?' vroeg Ellen aarzelend.

'Ja?'

'Nu heb je je dochter daadwerkelijk in de armen. Dit is het moment waarop sommige vrouwen spijt krijgen van hun beslissing. Ben je nog steeds bereid haar af te staan?'

'Ja zeker. Ik ben niet voorbestemd haar moeder te worden,' antwoordde ze. Ondanks al haar voornemens en plannen kostte het haar moeite om dat te zeggen. 'Ze is van Kate.'

'Weet je dat heel zeker? Als je spijt hebt, moet je het nu zeggen,' zei Ellen ernstig. 'Als je het later doet, is het voor iedereen erg pijnlijk, ook voor de baby.'

Ze weifelde een paar tellen voordat ze antwoord gaf. 'Nee, mijn besluit staat vast,' zei ze. 'Ze is van Kate en Richard.'

Hoe kon ze nu spijt hebben van haar besluit? Op dit moment hield de oude Julianna Starr op te bestaan. Vanaf dit moment zou ze de vrouw worden van wie Richard Ryan zou gaan houden.

'Bel de verpleegster maar om haar te komen halen,' zei ze. 'En bel daarna Richard en Kate maar om ze te vertellen dat ze een dochter hebben.'

19

Met tranen in haar ogen keek Kate naar het mooie kind in haar armen. Het meisje was twee dagen daarvoor geboren, op 29 april.

Richard en zij hadden haar Emma Grace genoemd. Emma was de naam van Richards grootmoeder, en Kate had er Grace, oftewel gratie, aan willen toevoegen omdat ze van mening was dat het meisje bestond dankzij de gratie van een hogere macht.

Genietend liet ze haar ogen over het slapende gezichtje dwalen, dat haast verscholen ging tussen de roze en witte dekentjes. Alles dronk ze in: het kleine wipneusje, het roze mondje, dat eruitzag als een rozenknopje, de dichtgeknepen oogjes, nog een beetje opgezet van de bevalling, het zijdezachte, zwarte haar en het delicate huidje, dat zacht en wit was als een bloemblaadje.

Teder streek ze met haar vinger over Emma's wang. Zodra het meisje de strelende vinger voelde, draaide ze intuïtief haar hoofdje, zoekend naar de tepel van haar moeder.

Trillend van emotie keek Kate naar het kleine mondje. Ze hield nu al van het meisje en wist zeker dat ze alles zou doen om het kind veilig groot te brengen en te beschermen. Tot dit moment had ze nooit echt geweten wat moederliefde betekende. Nu, in een flits, wist ze echter precies hoe het voelde. Het was een overweldigende emotie, krachtiger dan alles wat ze ooit had meegemaakt. Ze besefte dat niemand op de wereld zo belangrijk was als dit kind. Ja, ze zou zelfs bereid zijn haar eigen leven voor het kleine meisje te geven.

Door een waas van tranen keek ze omhoog naar Richard, die zelf ook moeite had zijn emoties te beheersen. Bij het zien van zijn vochtige ogen hield ze meer van hem dan ooit tevoren.

'Wat is ze mooi,' fluisterde ze. 'Ze is gewoon perfect.'

'Jij bent perfect,' zei hij zacht. 'Jullie zien er samen onweerstaanbaar uit.'

Door de brok in haar keel kon ze even geen woord meer uitbrengen. Toen ze haar stem eindelijk had hervonden, was het enige wat ze kon zeggen: 'Dank je wel.'

20

Kate vond haar eerste zes weken als moeder bijzonder verwarrend en vermoeiend. De zorg voor Emma slokte bijna haar hele dag op en vaak ook nog een deel van haar nacht. Naast het feit dat Emma om de paar uur eten moest hebben, huilde ze erg veel. Kate begreep dan vaak niet wat er met haar aan de hand kon zijn.

Wanneer Emma zo huilde, liep ze met haar het huis rond of wiegde ze haar in de grote schommelstoel die Richard had gekocht. Ook zong ze vaak op zachte toon lieve kinderliedjes voor haar dochter. Ondanks al die warmte bleef Emma echter ontroostbaar.

Dat was zo frustrerend voor Kate, dat ze vaak een deuntje met haar meehuilde. Misschien was ze wel helemaal niet in de wieg gelegd om moeder te worden. Misschien kon ze haar kind wel helemaal niet gelukkig maken. Ze werd zo onzeker, dat ze aan alles begon te twijfelen. Misschien was het feit dat zij en Richard geen kinderen hadden gekregen wel een boodschap geweest van moeder Natuur...

Toen, na bijna twee maanden, hield Emma plotseling op met huilen. Ineens maakten haar tranen plaats voor een opgeruimde blik. Ze keek Kate vol vertrouwen in de ogen en schonk haar een stralende, blije, tevreden glimlach.

Dat moment veranderde alles. Vanaf die lach werd Kate pas echt Emma's moeder, en vanaf die lach vergat ze alle ellende van de weken ervoor. Opeens was alles de moeite waard: het slaapgebrek, de vele nachtelijke wandelingen, de kringen onder haar ogen en al haar knagende twijfels. In één kort ogenblik verdween al het verdriet naar de achtergrond.

Terwijl ze naar haar slapende kindje keek, zwol haar hart zo op van liefde, dat het dreigde te barsten. Zachtjes streelde ze met haar hand over Emma's zijdezachte hoofdje. Ze kreeg er maar geen genoeg van om het meisje te bekijken, te strelen en te knuffelen. Niets was belangrijker dan zij. Ze werd gewoon betoverd door al Emma's zuchtjes, geluidjes en lachjes.

Beneden hoorde ze de voordeur opengaan. Ze keek op haar horloge. Was Richard nu al thuis? Was het al zo laat?

Voorzichtig, om Emma niet wakker te maken, kwam ze uit de schommelstoel. Nadat ze het kind in haar wiegje had gelegd, liep ze de trap af om haar man te begroeten.

Hij stond in de keuken de post te bekijken.

'Dag lieverd,' groette ze.

'Hallo.' Hij legde de post weg om haar een kus te geven. 'Hoe ging het vandaag?'

'Uitstekend. En bij jou?'

'Ging wel. Erg druk.'

'Heb je trek?' vroeg ze, voor hen beiden een glas wijn inschenkend.

'Ik rammel. Ik had geen tijd om te lunchen.'

'Hè, wat vervelend voor je,' zei ze met een meelevende glimlach. 'Vind je het erg als ik wat pizza van gisteren opwarm?'

'Heb ik een keuze?'

'Ja hoor.' Ze liep naar de koelkast. 'Je kunt ook een boterham met tonijnsalade krijgen. Alhoewel... Het kan zijn dat ik niet genoeg brood meer in huis heb.'

Hij zei niets.

Met de restanten pizza liep ze naar de oven. 'Emma heeft vandaag hardop gelachen,' vertelde ze enthousiast. 'Je had het moeten zien, Richard. Het was echt geweldig.'

Hij keek niet op van de post.

'Het was geen grinnikje of glimlachje, maar echt een schaterlach vanuit haar tenen,' vervolgde ze terwijl ze de pizza in de oven schoof.

Nog steeds zei hij niets. Hij scheurde een envelop open en keek met gefronst voorhoofd naar de inhoud voordat hij het geheel in de vuilnisbak gooide.

'Wat was dat?' vroeg ze.

Hij ontweek haar blik. 'Een uitnodiging van de universiteit. Ze geven een feestje voor een van de oud-studenten.'

Aan de manier waarop hij het zei, hoorde ze meteen over wie het moest gaan. 'Wie is het feestvarken?' vroeg ze voor de zekerheid.

'De beroemde Luke Dallas, wie anders? Hij geeft een lezing en signeert zijn nieuwste boek. De opgeblazen kwal,' antwoordde hij kribbig.

Ze wist dat Luke allesbehalve een opgeblazen kwal was. 'Waarom doe je nu zo lelijk?' wilde ze weten.

Hij keek haar aan. Zijn blik vertelde haar meteen dat hij een slecht humeur had en ruzie zocht. 'Moet je dat nog vragen?'

'Ja, ik heb echt geen idee wat er met je aan de hand is.'

'Nou, dan zal ik het je vertellen, als je het zo graag weten wilt. Ik baal van opgewarmde pizza.'

'Het spijt me. Ik heb geen tijd gehad om boodschappen te doen.'

'Geen tijd... Dat slaat nergens op, Kate.'

'Wat?'

'Je moet gewoon tijd maken om boodschappen te doen.'

'Dat is gemakkelijker gezegd dan gedaan,' protesteerde ze.

'Oké, dan had je kunnen afspreken in een restaurant.'

'Ik kan Emma toch niet alleen laten?'

'Baby's mogen mee naar een restaurant, hoor.'

'Dat weet ik, maar ze ligt nu net lekker te slapen. Ik wil haar liever niet wakker maken, want dan wordt ze chagrijnig.' Ze lachte. 'Wanneer ik jou in je slaap stoor, word je ook chagrijnig.'

Geïrriteerd klakte hij met zijn tong. 'Weet je waar ik chagrijnig van word? Van voortdurend opgewarmde pizza eten. Van het feit dat mijn vrouw me 's avonds begroet in een paar oude vodden en dan over niets anders kan praten dan de baby.'

Verbijsterd staarde ze hem aan. Opeens werd ze zo kwaad, dat ze zin had om hem te slaan. 'Denk je dat ik het leuk vind om de hele dag in oude kleren rond te lopen?' vroeg ze boos. 'Als je me eens een handje zou helpen, zou ik misschien een keer tijd hebben om boodschappen te gaan doen of me 's ochtends leuk aan te kleden.'

'Dat kind is jouw verantwoordelijkheid. Dat hadden we afgesproken.'

Haar wenkbrauwen vlogen omhoog. 'Míjn verantwoordelijkheid?' herhaalde ze scherp. 'Dus ik mag jou nooit vragen om even op haar te passen terwijl ik me ga douchen of even naar de stad ga? Dus jij bent niet bereid om mij eens een nacht door te laten slapen en een nachtvoeding voor je rekening te nemen?' Haar stem brak van woede en teleurstelling. 'Ze is ook jouw dochter, Richard. Bedoel je nu dat je nooit bereid bent tijd met haar door te brengen of voor haar te zorgen?'

'Mijn dochter? Ik weet niet of ze dat wel is.'

Die opmerking maakte haar hevig overstuur. 'Waarom zeg je dat?'

Hij negeerde haar vraag. 'Waarom maken we niet eens wat tijd voor ons tweetjes, Kate?' vroeg hij, haar handen pakkend. 'Je weet wel, een romantisch dineetje, kaarslicht...'

'En seks.'

'Misschien wel, ja. Hoelang is het geleden dat we met elkaar naar bed zijn geweest? Twee weken? Drie?' Zijn stem werd zachter. 'Ik mis je, Kate. Ik mis wat wij samen hadden.'

De tranen sprongen haar in de ogen. 'Ik ben zo moe, Richard. Je weet niet half hoe vermoeiend het is. Het valt niet mee om je sexy te voelen als...'

Ze maakte haar zin niet af, omdat er een geluidje door de babyfoon kwam. Emma was wakker. Wanneer ze eenmaal wakker was, ging ze niet meer slapen. Ze wist dat haar dochter over een minuut een keel op zou zetten omdat ze eten wilde hebben.

'Hè, verdorie,' mopperde ze, naar de koelkast lopend om er een flesje uit te halen. Ze draaide het dekseltje los om het in de magnetron te verwarmen.

Boven liet Emma luid en duidelijk haar ongenoegen blijken.

'Mooi is dat.' Geërgerd haalde Richard zijn hand door zijn haar. 'Echt geweldig.'

'Wat verwacht je nu van me?' vroeg ze kregelig terwijl ze het flesje uit de magnetron haalde en er een speentje op draaide. 'Wil je soms dat ik haar laat huilen?'

'Nou, dat lijkt me nog niet eens zo'n slecht idee.'

Ze kon haar oren niet geloven. 'Wat ben jij hard.' Met het flesje in haar hand beende ze de keuken uit.

'Kate, wacht.' Hij pakte haar bij de arm. 'Het spijt me. Dat meende ik niet.'

Gekwetst keek ze hem aan. 'O nee?'

'I-ik heb er gewoon moeite mee dat we zo weinig tijd voor elkaar hebben. Ik mis ons oude leventje.'

Toen lieten haar tranen zich niet meer bedwingen. 'Help me dan verdomme eens! Misschien heb ik dan eindelijk weer eens tijd voor ons tweeën.'

'Je kunt toch ook een kindermeisje inhuren? We kunnen het gemakkelijk betalen.'

Vol ongeloof schudde ze haar hoofd. 'Hoe kun je dat nu voorstellen? We hebben toch niet jaren op een kind gewacht om haar in de armen van een vreemde te proppen? Trouwens, ik wil graag dat jij me helpt. Ik wil dat je haar voedt, knuffelt en met haar speelt. Je weet echt niet wat je mist, Richard. Je dochter is een fantastisch meisje.'

'Ik heb geen tijd.'

'Daarnet zei je nog dat we tijd moesten maken voor ons tweetjes. Dat we gewoon uit eten konden gaan,' zei ze verwijtend.

Boven zwol Emma's gehuil aan tot hysterisch gekrijs.

'Ik ga naar boven,' zei ze. 'Emma heeft me nodig.'

'Ik heb je ook nodig.'

Ze draaide zich om. 'Je bent een volwassene, Richard. Jij hoeft niet...'

Plotseling viel het kwartje. Hij was jaloers. Hij had zich niet alleen onttrokken aan alle huishoudelijke klusjes, hij had zijn dochter ook nog nauwelijks vastgehouden. Hij ging nooit naar haar toe wanneer hij thuiskwam en informeerde nooit hoe het met haar was.

Snikkend rende ze naar de babykamer, waar ze Emma uit haar wieg haalde. Zodra het meisje Kates armen voelde, werd ze weer wat rustiger.

'Stil maar, lieverd. Hier is mammie al,' fluisterde Kate, met haar plaatsnemend in de schommelstoel. Ze stopte het speentje in de mond van haar dochter, die er gulzig aan begon te zuigen.

Vanuit haar ooghoek zag ze Richard in de deuropening verschijnen. Hij zag er zo verloren uit, dat het haar pijn deed naar hem te kijken.

'Vertel me nou toch eens wat je denkt, Richard,' smeekte ze. 'Wens je soms... Heb je er spijt van dat we...' Ze kon de woorden niet over haar lippen krijgen.

'Dat we haar hebben geadopteerd?' vulde hij aan.

'Ja.'

Snel wendde hij zijn blik van haar af. 'Ik moet gewoon wennen aan alle veranderingen,' legde hij uit. 'Het is allemaal zo...' Hij haalde diep adem. 'Je hebt alleen nog maar tijd voor die baby. Het is net of ik niet belangrijk meer ben.'

'Dat komt doordat je Emma ontloopt. Als je wat meer tijd en aandacht voor haar had, zou ze ook snel een deel worden van jouw leven.'

'Misschien wel.' Vermoeid wreef hij met zijn handen over zijn gezicht. 'Ik heb het gewoon erg druk met mijn werk en die kandidatuur. Het spijt me, Kate. Je weet dat ik altijd moeite heb met veranderingen.'

Ze glimlachte. Dat was waar.

Nu hij zijn excuses had aangeboden, was ze ervan overtuigd dat alles uiteindelijk wel weer goed zou komen. 'Iedereen heeft moeite met zulke grote veranderingen,' zei ze. 'Ik denk dat moeder Natuur aanstaande ouders daarom meestal negen maanden de tijd geeft om aan het idee van een baby te wennen.'

Glimlachend drukte hij een kus op haar hoofd. 'Bedankt voor het begrip, schat. Ik beloof je dat ik beter mijn best zal doen. Ik zal ook iemand aannemen om op mijn werk een aantal taken van me over te nemen. Oké?' Hij ging op zijn hurken zitten om haar aan te kunnen kijken. 'Wil je me alsjeblieft beloven dat je altijd van me blijft houden? Ook als ik me als een idioot ge-draag?'

Ze lachte door haar tranen heen. 'Dat beloof ik je maar al te graag.'

21

❦

Die avond, lang nadat Kate en Emma waren gaan slapen, zat Richard in de schommelstoel op Emma's kamer naar de wieg te staren. Op het licht van het nachtlampje na was het donker.

Zuchtend dacht hij terug aan het verloop van de avond. Om Kate een plezier te doen, had hij urenlang zijn best gedaan met Emma. Hij had haar vastgehouden, gewiegd, gevoed en verschoond. Of liever gezegd: geprobeerd haar luier te verschonen, want dat was hem uiteindelijk niet gelukt.

Met stralende ogen had Kate naar hem gekeken. Emma leek ook wel blij te zijn geweest met zijn aandacht. Ze had zachte geluidjes gemaakt, met haar armpjes gezwaaid en met haar beentjes geschopt. Tijdens het voeden had ze hem met grote, verwonderde ogen vol vertrouwen aangekeken. Het was een blik geweest waarvan elke volwassene hoorde te smelten.

Zijn hart was niet gesmolten. Wat was er toch met hem aan de hand? Hij stond op om in de wieg te kijken. Zijn dochter en de dochter van Kate.

In plaats van gelukkig te zijn, voelde hij alleen maar woede en ergernis. Hij had het idee dat hij had gefaald, omdat hij zijn hele leven lang altijd zijn zin had gekregen. Hij was eraan gewend geraakt dat het leven ging zoals hij wilde.

Ditmaal was er echter iets misgegaan. Ditmaal had hij de controle over de situatie verloren en zat hij opgescheept met iets wat hij helemaal niet wilde. Dat beviel hem helemaal niet.

Omdat hij zichzelf er niet toe kon brengen nogmaals naar het kind te kijken, liep hij de kamer uit om met een fles whisky naar zijn werkkamer te gaan.

Met een glas in zijn hand liep hij naar het balkon. In het begin had het hem goedgedaan om Kate zo gelukkig te zien, om haar te zien stralen met haar baby in haar armen. Geleidelijk aan was die tevredenheid echter omgeslagen in jaloezie. Ze had alleen nog maar oog voor het kind. Ineens leek Emma wel belangrijker dan hij.

Soms wenste hij dat Emma gewoon zou verdwijnen. Dat hij op een ochtend wakker zou worden en dat de hele adoptie alleen maar een nare droom zou zijn geweest.

Op die egoïstische gedachten was hij niet bepaald trots. Hij wist ook dat hij zijn gevoelens nooit met Kate zou kunnen bespreken. Ze zou hem niet begrijpen, en er zou voor altijd iets tussen hen veranderen.

Kon hij zich maar vader voelen. Kon hij maar naar dat kind kijken zonder te worden herinnerd aan zijn steriliteit en zijn onvermogen Kate een kind te geven!

Na een paar glazen whisky besloot hij dat er niets anders opzat dan er het beste van te maken. Misschien ging hij over een poosje wel meer voor Emma voelen. Misschien werd alles tussen hem en Kate dan ook wel weer als voorheen. Als dat gebeurde, had hij de touwtjes van hun leven eindelijk weer in handen.

Dan zouden Kate en hij weer gelukkig worden.

22

Vanaf het terras tegenover advocatenkantoor Nicholson, Bedico, Chaney & Ryan keek Julianna naar de mensen die de deur uit kwamen. Sommige medewerkers lachten en praatten met elkaar; anderen holden naar hun auto's om snel naar huis te kunnen gaan.

In de tien weken sinds de geboorte van de baby had ze het druk gehad. Ze had geschaafd aan Kates glimlach, schaterlach, manier van lopen en intonatie totdat ze tot haar tweede natuur waren gaan behoren. Verder had ze gewinkeld tot ze een hele stapel kleren en accessoires had gevonden die Kate ook zou kunnen dragen. Ten slotte had ze haar haren laten knippen in de stijl van Kates kapsel en aan fitness gedaan tot ze weer net zo'n mooi figuur had als voor de zwangerschap.

Nu was ze klaar voor de volgende stap, die haar weer een stukje dichter bij haar doel moest brengen.

Richard.

Haar hart bonkte van opwinding. Het was in de maanden daarvoor niet meegevallen om uit zijn buurt te blijven. Het liefst had ze zich in zijn armen gestort, in plaats van beheerst af te wachten tot het juiste moment kwam om hem te benaderen. Ze wist echter heel goed dat ze alleen maar een kans had als ze haar geduld bewaarde.

Ze hield meer van hem dan ze ooit van iemand had gehouden.

Ze verlangde zo hevig naar hem, dat de gedachte aan zijn armen voldoende was om haar knieën week te maken.

In haar dromen waren ze al vaak bij elkaar geweest. Ze had 's nachts met hem gevrijd en al haar fantasieën over hun gezamenlijke toekomst tot werkelijkheid gemaakt. Wanneer ze dan 's ochtends wakker werd, lag ze verstrikt in haar lakens en was haar kussen nat van tranen van verlangen. En van verdriet, omdat de nacht voorbij was en het minstens een dag zou duren voordat Richard in haar slaap opnieuw de hare was.

Haar verstand had het nog elke keer gewonnen van haar emoties. Ze was zo slim geweest om haar volgende stap zorgvuldig te plannen, zodat er niets mis kon gaan wanneer ze hem uiteindelijk voor de eerste keer ontmoette. Het leek haar niet verstandig om hem 'toevallig' in een bar of op een sportclub tegen het lijf te lopen. Zulke plaatsen boden haar niet de gelegenheid zich langzaam zijn leven binnen te wurmen.

Nee, Richard en zij konden elkaar beter op de werkvloer ontmoeten, en dan bij voorkeur bij Nicholson, Bedico, Chaney & Ryan. Om een voet bij hem tussen de deur te krijgen moest ze iemand zien te vinden die haar naar binnen kon loodsen. Iemand die voor haar wilde instaan, die het vertrouwen van Richard genoot en een ontmoeting kon regelen.

Zo iemand had ze al op het oog.

Ze richtte haar aandacht weer op de ingang van het advocatenkantoor. Het was vijf uur, het tijdstip waarop alle secretaresses, assistenten en andere mindere goden naar huis gingen.

Richard en zijn partners gingen nooit om vijf uur naar huis. Soms gingen ze vroeg in de middag weg, maar meestal pas tegen de avond. Het was een teken van hun status binnen de firma.

Al snel had ze door gekregen hoe de hiërarchie op het kantoor in elkaar zat. Dat was niet zo moeilijk geweest. Vaak hadden mensen niet eens door hoeveel ze met hun gedrag en lichaamstaal aan de wereld duidelijk maakten. Zonder een woord te zeggen, konden ze een buitenstaander vertellen wat hun status binnen een bedrijf was, hoe ze over zichzelf dachten, of ze goed konden opschieten met hun collega's of dat ze nogal op zichzelf waren. Het was zelfs meteen duidelijk of ze een kalm of agressief karakter hadden.

De partners liepen altijd stevig door, alsof ze erge haast hadden. Hun rechte ruggen en opgeheven hoofden vertelden iedereen die het maar wilde zien dat ze erg belangrijk waren. Ze droegen dure, onberispelijk gesneden maatpakken en gouden horloges om hun pols.

Ze had vastgesteld dat de partners altijd weggingen met een van de andere partners of met een van de overwerkte assistenten, die altijd als een gek instructies opschreven in hun notitieboekjes terwijl ze de grote passen van hun werkgevers probeerden bij te houden.

Terwijl ze een slokje van haar frisdrank nam, speurde ze naar de jonge vrouw die ze op het oog had. Eindelijk kreeg ze haar in de gaten.

De vrouw haastte zich de trappen af, alsof ze haar collega's graag wilde inhalen uit angst dat ze anders niet zou worden uitgenodigd mee te gaan naar een bar. Ze slaagde erin bij een groepje aan te haken, maar niemand leek haar aanwezigheid op te merken.

Julianna kreeg bijna medelijden met haar. Wat een zielenpiet, dacht ze. Ze schreeuwde om aandacht, terwijl niemand het in de gaten had.

Rustig nam ze nog een slokje, onderwijl de vrouw bestuderend.

Ze was maar een paar jaar ouder dan zij. Ze had recht, schouderlang bruin haar en een klein, metalen brilletje. De aktetas in haar hand was volgens Julianna een teken dat ze belangrijker wilde lijken dan ze was. In een poging er ouder en succesvoller uit te zien droeg ze ook nog eens lelijke mantelpakjes, die haar slecht zaten.

Julianna vond dat de mantelpakjes precies het tegenovergestelde effect hadden: de vrouw zag eruit als een klein meisje dat iets uit de kast van haar moeder had gepikt.

Een hopeloos geval, dacht ze. Een saaie tuttebel die wanhopige pogingen doet er volwassen uit te zien en door de groep te worden geaccepteerd. Iemand die niet begrijpt dat ze altijd de impopulaire secretaresse zal blijven die ze is. Maar voor Julianna's plannen was ze perfect...

Ze hield haar nu al dagenlang in de gaten. Elke avond ging de vrouw in haar eentje weg, teleurgesteld dat haar collega's haar links lieten liggen. Wanneer ze doorhad dat haar pogingen weer geen succes hadden, liet ze haar hoofd hangen en ging naar huis.

Ze legde het geld voor haar frisdrank op de tafel, waarna ze opstond om de vrouw te volgen. Haast had ze niet; ze wist waar de vrouw woonde en dat ze bijna elke avond in haar eentje naar café Bottom Of The Cup ging.

Ze was van plan haar daar die avond aan te spreken, met de bedoeling haar beste vriendin te worden.

23

Bottom Of The Cup was zo'n plaats waar vrijgezellen elkaar probeerden te versieren. Het was het soort bar waar mensen naartoe gingen om iemand op te pikken. Het café was gespecialiseerd in koffie in plaats van alcohol; er werd folkmuziek gedraaid in plaats van disco, en er werd niet gerookt.

Het was ook een plaats waar de minst populaire mensen in hun eentje een kop koffie konden bestellen zonder vreselijk op te vallen of wanhopig over te komen.

De jonge vrouw van Richards kantoor had nog geen succes gehad bij de andere sekse sinds Julianna haar was gaan volgen. De enige man die haar had aangesproken, had haar gevraagd of ze de suiker op haar tafeltje even kon doorgeven.

Julianna glimlachte. De jonge vrouw zou zich straks een stuk minder ongelukkig voelen.

Ze liep naar haar tafeltje toe. 'Hallo,' groette ze. 'Goed boek is dat, hè?'

Met gefronste wenkbrauwen haalde de vrouw haar neus uit haar boek. 'Heb je het tegen mij?' vroeg ze verbaasd.

'Natuurlijk heb ik het tegen jou, mallerd.' Julianna hield haar exemplaar van Dead Drop omhoog, dat ze een uur daarvoor had gekocht om een aanknopingspunt te hebben. 'Ik ben ook bezig in Luke Dallas' laatste boek. Wat vind jij ervan?'

De vrouw bloosde. 'Ik vind het een heel goed boek,' antwoordde ze. 'Maar meestal lees ik geen thrillers. Ik hou meer van wat steviger kost.'

Ofschoon Julianna geen flauw idee had wat ze bedoelde, knikte ze. 'Ik ook. Vind je het goed als ik bij je kom zitten?'

'Ja, natuurlijk.'

Julianna zette haar kopje neer en legde haar boek ernaast. Daarna ging ze tegenover de vrouw zitten. 'Ik ben Julianna,' zei ze, haar hand uitstekend.

'Ik heet Sandy Derricks. Aangenaam.'

Ze strooide wat suiker in haar kopje. Daarna keek ze met gespeelde verbazing naar het kopje van Sandy. 'Kijk nou eens, we houden zelfs van dezelfde koffie! Dat is ook toevallig!' Ze leunde over de tafel naar voren. 'We zouden voor zussen kunnen doorgaan,' fluisterde ze. 'Vertel eens, zus, van welke boeken hou je nog meer?'

Hoewel Sandy erg verlegen was, leek ze blij met Julianna's aandacht. Met rode konen dreunde ze een lijst van titels en auteurs op, die Julianna geen van alle bekend voorkwamen.

Ze probeerde geïnteresseerd te luisteren en te knikken. Onderwijl dacht ze koortsachtig na over de vraag hoe ze het gesprek in de richting van Nicholson, Bedico, Chaney & Ryan kon sturen.

Even later zag ze haar kans schoon. 'Ik ben blij dat ik bij je mocht komen zitten,' zei ze. 'Ik woon hier nog maar net, dus ik ken nog niemand. Ik heb zelfs nog geen baan gevonden.'

'O. Ik woon al mijn hele leven in New Orleans,' vertelde Sandy. 'Ik ben naar deze buurt verhuisd omdat ik hier een baan kon krijgen.'

'Dat is boffen.' Ze bracht het kopje met de veel te zoete koffie naar haar lippen. 'Waar werk je?'

'Op een advocatenkantoor, Nicholson, Bedico, Chaney & Ryan,' vertelde Sandy niet zonder trots. 'Ik ben de secretaresse van Chas Bedico. Hij is een van de partners.'

'Wow, wat ben jij een geluksvogel!' zei ze, grote ogen opzettend. 'Ik zou een moord doen voor zo'n baan!' Ze slaakte een overdreven diepe zucht van frustratie. 'Ik hoop dat ik binnenkort ook iets leuks kan vinden.'

Daarna praatten ze nog een poosje over koetjes en kalfjes totdat

Julianna een blik op haar horloge wierp. 'Is het al zo laat? Ik moet weg,' zei ze, opstaand van haar stoel. 'Zullen we morgen hier weer afspreken?'

'Wil je dat echt?' vroeg Sandy.

Ze keek zo ongelovig, dat Julianna bijna in de lach schoot. 'Ja, natuurlijk. Waarom niet?' zei ze. 'Zullen we afspreken om acht uur? Dan kunnen we het weer hebben over het boek van Luke Dallas.'

24

Kate zat in haar werkkamer in The Uncommon Bean. Hoewel ze nog steeds ouderschapsverlof had, was ze even aangewipt om wat administratie bij te werken.

Op haar bureau lag de uitnodiging van de universiteit om Luke Dallas' lezing bij te wonen. Zonder het tegen Richard te zeggen, had ze die uit de prullenbak gevist.

Eigenlijk wist ze zelf niet waarom ze het er met Richard niet meer over had gehad. Misschien wel omdat hij het niet zou begrijpen. Ze vermoedde dat hij onredelijk jaloers zou worden. Het zou haar niets verbazen als hij zou zeggen dat Luke helemaal niets meer voor hem betekende en dat hij wilde dat Kate elk contact met hem verbrak.

Ze wilde het contact echter helemaal niet verbreken, want ze miste Luke en zijn vriendschap en zou het heel fijn vinden als alles weer kon worden als voorheen. Ze wilde hem dolgraag een keer zeggen dat het haar speet dat alles destijds zo vervelend was gelopen.

Aarzelend stak ze haar hand uit naar de telefoon. Zou ze hem nog een keer bellen? Ze had al drie keer een boodschap op zijn antwoordapparaat achtergelaten, maar hij had niet teruggebeld.

Wellicht was dat stilzwijgen wel zijn antwoord. Misschien wilde hij helemaal niets meer met haar te maken hebben.

Je moet hem uit je hoofd zetten, Kate, dacht ze. Vergeet Luke en ga door met je leven.

Ze stond op en liep naar Emma, die in de kinderwagen lag te slapen. Terwijl ze naar het meisje keek, voelde ze zich weer de gelukkigste vrouw op aarde. Het was heerlijk dat ze niet hoefde te kiezen tussen het moederschap en haar carrière. In haar situatie kon ze genieten van allebei. Ze kon werken en toch Emma's vorderingen blijven volgen.

Richard niet.

Sinds hun ruzie om de pizza had hij 's avonds vaak overgewerkt. Wanneer hij thuis was, deed hij echter zijn best om een band met Emma te krijgen.

Haar blik dwaalde weer naar de uitnodiging. Stel dat Luke in Richards schoenen had gestaan. Zou het hem dan ook zoveel moeite hebben gekost om te wennen aan het vaderschap? Ze wist dat hij nooit was getrouwd. Zou hij wel eens trouwplannen hebben gehad? Verlangde hij wel eens naar een gezin?

Waarschijnlijk niet. Nu hij zelfs in Hollywood een succes begon te worden, had hij misschien helemaal geen behoefte aan een vrouw en kinderen. De kans was groot dat hij zijn handen vol had aan al die leuke jonge actrices.

'Kate? Mag ik je even storen?' vroeg Marilyn vanuit de deuropening.

'Natuurlijk. Is er iets?'

'Nee hoor. Het is gewoon even rustig in de zaak. Dat geeft mij tijd om je even te vertellen dat we je hebben gemist,' zei Marilyn.

'Kom binnen,' zei ze lachend. 'Ik schoot toch niet op met mijn werk.'

'Dat zie ik. Je zag eruit alsof je met je gedachten mijlenver weg was.'

'Dat was ook zo,' bekende ze. 'Ben jij wel eens een heel goede vriend kwijtgeraakt, Marilyn?'

'Eén keer. Mijn vriendin van de middelbare school. Omdat ik haar miste, heb ik haar een keer gebeld voor een lunchafspraak. Dat was geen succes, want we hadden niets meer met elkaar gemeen. Het enige waarover we konden praten, was het verleden. Waarom vraag je dat?'

Ze hield de uitnodiging omhoog. 'Mijn beste studievriend is in de stad,' vertelde ze. 'Eigenlijk zou ik hem heel graag willen opzoeken.'

'Wat, ken jij Luke Dallas?' vroeg Marilyn verrast. 'Ik vind hem ontzettend sexy.'

'Hij was heel goed bevriend met Richard en mij. Maar vlak voordat we afstudeerden, hebben we ruzie gehad. Sindsdien ben ik hem kwijt,' vertelde ze met spijt in haar stem. 'Als het aan mij lag, legden we het weer bij, want ik mis hem vreselijk. Ik durf echter niet goed naar hem toe te gaan, want ik weet niet of hij mij wil zien. Hoewel ik al drie boodschappen heb ingesproken op zijn antwoordapparaat, belt hij me niet terug.'

Marilyn haalde haar schouders op. 'Als ik jou was, zou ik niet wachten tot hij je belt. Je hebt toch een uitnodiging gekregen? Ga gewoon naar die lezing toe en zeg hem dat je hem wilt spreken.'

Ze beet op haar lip. 'Stel dat hij me afwijst. Dat lijkt me erg vernederend.'

'Dan heb je in elk geval je best gedaan. Dan ligt het niet aan jou dat de breuk niet te lijmen valt,' luidde Marilyns nuchtere oordeel. 'Ga nou maar gewoon naar die bijeenkomst, Kate. Wat heb je in vredesnaam te verliezen?'

25

⸎

Marilyn heeft gelijk, dacht ze. Ik heb helemaal niets te verliezen.
Daarom kleedde ze zichzelf en Emma de eerstvolgende zaterdagmorgen extra mooi aan om naar de lezing te gaan. Ze hoefde niet eens iets aan Richard uit te leggen, want die was gaan golfen.

Veertig minuten na haar vertrek was ze weer thuis. 'Waarom moest je dat nu juist vandaag doen, stoute boef?' vroeg ze aan haar dochter, die een vrolijk gilletje liet horen. 'Wil je soms dat ik te laat kom bij die lezing?'

Emma kon alleen maar lachen. Hoofdschuddend droeg Kate haar haastig mee naar haar slaapkamer.

Speciaal voor Luke had ze een beeldschoon zandkleurig linnen pakje met een zijden blouse aangetrokken. Onderweg in de auto had Emma echter haar hele ontbijt uitgespuugd.

Omdat het wel vaker voorkwam dat Emma wat terug spuugde, had Kate schone kleren voor haar meegenomen. Nadat ze het kind op een parkeerplaats had verschoond, had Emma echter besloten dat één keer niet genoeg was. Met een boog had ze een tweede lading melk op Kates blouse gedeponeerd. Kate wilde natuurlijk niet naar Luke met babyvoeding op haar blouse. Daarom had er niets anders opgezeten dan naar huis te gaan en iets anders aan te trekken.

Voorzichtig legde ze Emma op haar bed neer. Meteen begon het meisje tevreden met haar beentjes te trappelen en te kirren.

'Nou, leuk ben jij,' zei Kate met gespeelde boosheid. 'Nu kom ik te laat op die lezing.'

Emma begon te lachen.

Ongewild moest Kate ook lachen. 'Nou ja, niets aan te doen. Misschien scheelt het in de wachttijd bij het signeren.'

Ze liep naar de grote spiegeldeuren van haar kleerkast. Terwijl ze een deur openschoof, zag ze achter zich de reflectie van haar bed.

Op de kussens was duidelijk de afdruk van een hoofd te zien.

Met een frons tussen haar wenkbrauwen draaide ze zich om. Hoe kon dat nu? Ze had het bed opgemaakt voordat ze van huis was gegaan. Ze had de kussens opgeschud en het dekbed keurig dichtgeslagen.

Het dekbed was platgedrukt, alsof er iemand op had gelegen. Er was iemand in haar huis geweest. Iemand had op haar bed gelegen en zijn gezicht in hun kussens gedrukt...

Huiverend keek ze rond, maar verder zag ze niets ongewoons. Stelde ze zich aan? Haalde ze zich dingen in het hoofd die helemaal niet konden? Dat moest wel. Waarom zou iemand inbreken zonder iets weg te nemen? En hoe waren ze zo snel weer verdwenen? Ze was nog geen drie kwartier weggeweest.

Ze liep naar het bed toe om het dekbed glad te trekken. Terwijl ze zich vooroverboog, zag ze een stukje glanzende roze stof onder het bed vandaan steken. Het was een van haar satijnen kleerhangers, waaraan ze altijd haar mooiste lingerie ophing. Hoe kwam die nou daar?

Terwijl ze met de kleerhanger naar de kast liep, kreeg ze opeens een afschuwelijke gedachte. Langzaam draaide ze zich om naar het bed. De ruimte tussen het bed en de grond was groot genoeg om een volwassen man te kunnen herbergen...

Hoewel haar intuïtie haar vertelde dat ze zo snel mogelijk met Emma het huis uit moest hollen, liep ze met bonzend hart naar het bed. Zelfs Emma was stil, alsof ze begreep dat er iets ernstigs aan de hand was.

Precies op het moment dat ze wilde bukken om onder het bed te kijken, ging de telefoon.

Gillend van schrik sprong ze overeind. Emma, die schrok van

haar moeders gil, begon natuurlijk meteen heel hard te huilen.

Terwijl ze haar dochter oppakte om haar te troosten, ging het antwoordapparaat aan. Het was Richards moeder, die wilde weten hoe het met hen ging.

Kate haalde diep adem. Het stemgeluid van haar schoonmoeder was voldoende om haar weer met beide benen op de grond te zetten. Ze stelde zich aan. Natuurlijk kon er niemand in hun huis zijn geweest. Waarschijnlijk was ze die ochtend gewoon vergeten het bed goed op te maken.

Nadat ze Emma weer op het bed had gelegd, ging ze op haar knieën zitten om onder het bed te kijken. Daar vond ze alleen maar een paar sokken van Richard.

Wat had ze dan verwacht? Een moordenaar? Een verkrachter? Ze woonden nota bene in Mandeville. Waarom maakte ze zich zo druk?

Ze concludeerde dat ze gewoon zenuwachtig was van het vooruitzicht dat ze Luke weer zou zien. Als ze niet opschoot, zou al haar gestres trouwens voor niets zijn geweest, want dan was Luke al lang weg.

Haastig trok ze de eerste de beste blouse uit haar kast. Na een laatste blik op het bed tilde ze Emma op en trok de kamerdeur achter zich dicht.

26

Luke en zijn uitgever werden in de boekhandel op het universiteitsterrein naar een tafel midden in de winkel geleid. Aan weerszijden van de tafel stonden grote stapels met Lukes laatste boek, Dead Drop.

Zijn mond viel bijna open van schrik. Nog nooit had hij zo veel exemplaren van zijn eigen werk bij elkaar gezien.

'Ik hoop dat we er genoeg hebben besteld,' zei de manager van de boekhandel een beetje zenuwachtig. 'Sommige mensen staan al urenlang buiten te wachten. Die nemen vast geen genoegen met een tegoedbon.'

Luke keek naar de grote menigte mensen die voor de glazen deuren stond. Kwamen al die mensen werkelijk voor hem? Het leek wel een rij die op kaartjes voor een popconcert stond te wachten!

'Geweldige opkomst,' zei Helena, zijn uitgever. 'Daar raak ik nou echt helemaal opgewonden van.'

Hij schoot in de lach. Het was echt iets voor de vrijgevochten Helena om zo'n opmerking te maken.

'Weet je wat dit betekent?' vroeg ze, hem in zijn arm knijpend terwijl ze naar de grote groep fans bleef kijken. 'Je hebt het definitief gemaakt, Mr. Dallas. Normaal gesproken komen zulke menigtes alleen maar af op signeersessies van Clancy, King of grote filmsterren. Dit is lekkerder dan seks, echt waar.'

Hij schudde zijn hoofd. Zelf kon hij het nauwelijks geloven. Een paar jaar daarvoor was hij nog blij geweest als hij twee boeken op een middag mocht signeren. Hij wist nog precies hoe teleurgesteld hij was wanneer er dan weer eens een klant op hem af kwam met de vraag of hij wist of de nieuwste Clancy of Grisham al was binnengekomen.

'Je kunt net zo cool zijn als je wilt, Mr. Macho,' fluisterde Helena terwijl ze samen met hem plaatsnam achter de tafel. 'Ik durf te wedden dat je dit net zo lekker vindt als ik. Je piest bijna in je broek van genoegen.'

Met opgetrokken wenkbrauwen keek hij opzij. 'Pardon? Zelfs voor jouw doen is dat een nogal grove opmerking.'

Lachend leunde ze naar hem toe. 'Ik kom uit New York, dus hou je kritiek maar voor je.'

Hij glimlachte. Grof of niet, Helena had gelijk. Het was heerlijk om te weten dat je boeken met veel plezier werden gelezen. Zelfs een vette cheque was niet zo bevredigend als een jubelende brief van een fan – al konden die cheques natuurlijk ook geen kwaad.

Nadat de manager de deuren had opengedaan, was Luke anderhalf uur alleen maar bezig met zijn handtekening zetten. Helena reikte hem de boeken al opengeslagen aan.

De fans waren bijzonder aardig, dus hij vond het jammer dat hij geen tijd had om met hen te praten. Toen het einde van de rij eindelijk in zicht kwam, had hij kramp in zijn vingers van het schrijven.

Hij keek op van zijn werk om te zien hoeveel mensen er nog stonden. Plotseling, in een flits, zag hij haar: het mooiste gezicht dat hij ooit had gezien. Hij herkende haar meteen tussen al zijn lezers, hoewel hij haar al minstens tien jaar niet meer had gesproken. Ongewild hield hij zijn adem in. Hij voelde zijn hartslag versnellen.

Kate is hier, dreunde het door zijn hoofd.

Helena leunde naar hem toe. 'Ik doe een moord voor een sigaret,' fluisterde ze. 'Vind je het erg als ik even naar buiten loop?'

Verwoed knipperde hij met zijn ogen om wakker te worden uit zijn trance. Het duurde een paar tellen voordat het tot hem doordrong dat Helena iets had gezegd. Voor zijn tafel stond een vrouw, die hem verwachtingsvol een boek aanreikte. Hij glimlachte naar haar, vroeg haar naam en signeerde haar boek, waarna hij vriendelijk knikte naar de volgende lezer in de rij.

'Wat zei je?' vroeg hij aan Helena.

'Vind je het erg als ik buiten een sigaret ga roken?'

'Nee, natuurlijk niet.' Zijn blik dwaalde weer naar Kate.

Ze heeft een baby bij zich, flitste het door hem heen. Ze heeft een kind van Richard! Ondanks al die jaren voelde hij een steek van pijn en jaloezie in zijn hart.

Waarom was ze in 's hemelsnaam hiernaartoe gekomen? Begreep ze dan niet dat hij haar niet wilde zien? Uit het feit dat hij haar niet had teruggebeld, had ze toch kunnen opmaken dat hij geen prijs stelde op haar gezelschap?

Leugenaar, fluisterde een stem in zijn achterhoofd. Je wilt haar juist maar al te graag zien.

Hij dwong zichzelf zich te concentreren op zijn taak, het symbool van zijn succes. Terwijl hij nog een aantal boeken voorzag van zijn handtekening, hield hij zich voor dat Kate gewoon een van zijn vele lezers was. Zo moest hij haar ook behandelen. Wanneer ze aan de beurt was, zou hij haar boek signeren en haar wegsturen.

Ze was sneller aan de beurt dan hij dacht. Met een nerveuze, hoopvolle blik keek ze hem in de ogen. 'Dag, Luke.'

Hij deed net of de hoop in haar blik hem niet had geraakt. 'Kate.' Hij nam het exemplaar van Dead Drop aan dat de manager hem aanreikte. 'Wat wil je dat ik in je boek zet?'

De aarzelende glimlach verdween van haar gezicht bij het horen van zijn zakelijke toon. 'Voor Kate en Richard, wier vriendschap ooit erg belangrijk voor me was.'

Het was echt iets voor haar om direct te zeggen waar het op stond. Haar openheid en nuchterheid waren kwaliteiten die hij altijd had bewonderd. Op dat moment irriteerde haar antwoord hem echter. Desondanks schreef hij op wat ze had gevraagd.

'Kan ik je straks even spreken?' vroeg ze, de baby op haar andere arm tillend.

'Dit is niet bepaald een geschikte plaats.'

'Dat weet ik. Kun je straks misschien naar La Madeline op de hoek van St. Charles en Carrollton Avenue komen?' Ze keek even om naar de steeds ongeduldiger wordende mensen achter haar. 'Alsjeblieft, Luke.'

Stuur haar weg, fluisterde het stemmetje. Zeg nee en stuur haar weg.

Hij zuchtte diep. 'Ik heb hier zeker nog een uur werk.'

'Ik wacht wel op je.'

'Ik kan je niets beloven.'

Ze knikte en liep weg.

Peinzend keek hij haar na, denkend aan de tijd waarin hij had gedacht dat hij niet zonder haar kon leven.

Uiteindelijk ging hij natuurlijk toch naar La Madeline. Hij maakte zichzelf wijs dat hij ging om een hoofdstuk af te sluiten en haar voor eens en altijd uit zijn hoofd te zetten. Na deze dag zou Kate Ryan slechts een onderdeel van zijn verleden zijn.

Toen hij haar zag zitten in de croissanterie, vertelde zijn hart hem echter heel iets anders. Het was net of hij weer de student was die smoorverliefd op haar was geworden...

Het irriteerde hem dat ze hem nog raakte. Daarom stak hij trots zijn neus in de lucht voordat hij naar het tafeltje liep waar ze haar baby de fles gaf.

Ze hoorde hem naderen. 'Ik dacht dat je niet meer zou komen,' zei ze.

'Dat was ik ook niet van plan,' zei hij, plaatsnemend tegenover haar.

'Toch zit je nu hier.' Voorzichtig haalde ze het speentje uit de mond van haar kind, waarna ze de baby tegen haar schouder hield om haar te laten boeren. 'Waarom besloot je toch te komen?'

'Uit een soort ziekelijke nieuwsgierigheid.'

'Grappenmaker.'

'Zie je mij lachen?'

Even verstijfde ze. 'Zo ken ik je weer. Altijd recht voor zijn raap,' zei ze nadat ze zich had hersteld.

'Ik wil iets drinken.' Hij stond op van zijn stoel. 'Kan ik ook iets voor jou bestellen?'

'Nog een kop koffie, graag.'

Hij liep weg en keerde een minuutje later terug met een glas cola en een kop koffie.

Inmiddels had ze haar kind laten boeren en haar weer in haar kinderzitje gelegd.

'Je hebt een prachtige baby,' zei hij. 'Gefeliciteerd.'

Haar mondhoeken gingen omhoog. 'Dank je wel. Ze heet Emma.'

Het moederschap past bij haar, dacht hij. Dat vertelde hij haar ook, al kostte het hem moeite de woorden over zijn lippen te krijgen. 'Richard zal wel een trotse vader zijn.' Zo trots, dat alle pauwen erbij verbleken, voegde hij er in gedachten aan toe.

Kate aarzelde net iets te lang. 'Ja, dat is hij zeker.'

'Je schreef helemaal niets over een zwangerschap in de brief die je me met Kerstmis stuurde.'

'Ik was ook niet zwanger. Emma is geadopteerd.'

De woorden bleven tussen hen in hangen, smekend om verdere uitleg. Hij besloot echter niets meer over het onderwerp te vragen.

'Waarom heb je me vandaag opgezocht, Kate?' vroeg hij, haar recht in de ogen kijkend. 'Wat wil je van me?'

'Ik wilde je zien. Dat is toch niet zo vreemd? Vroeger was je mijn beste vriend.'

'Dat is meer dan tien jaar geleden,' zei hij effen. 'We maken geen deel meer uit van elkaars wereld.'

'Dat weet ik. Ik...' Blozend stopte ze Emma's dekentje in voordat ze de moed had om hem weer aan te kijken. 'Ik mis je, Luke. Ik vind het vreselijk dat we elkaar niet meer zien. Ik mis onze vriendschap.'

Haar woorden troffen hem als een trap in zijn maag. 'Hou op, Kate.'

'Ik meen het.' Beverig haalde ze adem. 'Ik wilde alles met je uitpraten, je uitleggen wat er destijds nou precies is gebeurd.'

'Ik weet precies wat er gebeurd is, Kate. Ik was erbij.' Hij had moeite om niet woedend tegen haar uit te vallen. 'Of ben je dat soms vergeten?'

Ze slikte met moeite, maar wendde haar blik niet af. 'Ik ben helemaal niets vergeten, Luke,' antwoordde ze zacht. 'Geen enkel detail.'

Hij haatte het dat haar woorden hem zo'n pijn deden, háátte het dat er een vonkje hoop opvlamde in zijn hart. Waarom reageerde zijn hart na al die tijd nog steeds op haar?

'Wat wil je daarmee zeggen?' vroeg hij koeltjes. 'Heb je niet meer genoeg aan Richard? Wil je eens met een ander naar bed?' Onrustig verschoof hij op zijn stoel. 'Had je soms zin om de klok een stukje terug te draaien?'

Bij het horen van zijn bijtende woorden, kreeg ze tranen in haar ogen. 'Je weet wel beter, Luke,' mompelde ze.

'O ja?'

'Het spijt me. Het spijt me verschrikkelijk dat ik je heb gekwetst,' bracht ze uit. 'Het spijt me dat ik destijds een eind heb gemaakt aan onze vriendschap.'

'Mij ook, maar daar hebben we nu niets meer aan.' Hij stond op.

'Luke, wacht! Alsjeblieft.' Ze greep hem bij de hand. 'Die ene nacht met jou was niet bedoeld om je een loer te draaien. Ik was er echt kapot van dat Richard me weer in de steek had gelaten. Ik had me voorgenomen nooit meer te zwichten voor zijn mooie praatjes. Ik wilde hem niet meer terug, Luke, dáárom kwam ik bij jou.'

'Je hebt me gebruikt om Richard jaloers te maken. Om het hem betaald te zetten dat hij je weer had bedrogen.' Ruw schudde hij haar hand van zich af. 'Nou, dat is je uiteindelijk gelukt. Ik hoop dat je gelukkig bent met het leven dat je voor jezelf hebt gepland.'

'Luke, zo is het allemaal niet gegaan,' zei ze wanhopig. 'Luister nu alsjeblieft even naar me.'

Emma begon een beetje te mopperen in haar zitje.

Met een norse knik liet hij zich weer op zijn stoel zakken. 'Oké, heel even dan. Maar ik heb niet de hele middag de tijd.'

'De volgende morgen kwam Richard naar me toe,' vertelde ze. 'Vol berouw, zoals gewoonlijk na een van zijn avontuurtjes. Ik zei dat ik genoeg van hem had, maar hij smeekte me hem nog een kans te geven. Hij heeft het me echt letterlijk gesmeekt, Luke. Hij zei dat hij van me hield, dat hij met me wilde trouwen en dat hij voor altijd bij me wilde zijn.'

'En jij geloofde dat?' vroeg hij. 'Smolt je meteen voor zijn smeekbede?'

'Ik hield van hem,' antwoordde ze. 'Ik droomde al jaren van een huwelijk met hem. Hoe kon ik nou nee tegen hem zeggen?'

'Door je te herinneren dat je de nacht ervoor bij mij was geweest,' snauwde hij. 'Door te denken aan alle beloften die je mij had gedaan.'

'Beloften? Ik heb je niets beloofd.'

'Kletskoek, Kate. Je was met me naar bed geweest. Voor een meisje als jij was dat een heel grote stap. We hebben het samen nog over Richard gehad. Over het verleden en onze gezamenlijke toekomst.'

'Het spijt me, Luke,' fluisterde ze. 'Als ik die nacht ongedaan kon maken, zou ik het doen. Ik had beter moeten nadenken. In plaats daarvan heb ik jou, onze vriendschap en Richard beschadigd.'

Hij onderdrukte een kreet van woede. 'Richard? Laat me niet lachen. Richard wist waar jij die nacht was, Kate. Hij wist wat er tussen ons gaande was. Heb je het nooit vreemd gevonden dat hij je juist die ochtend daarop ten huwelijk vroeg?'

Ongelovig knipperde ze met haar ogen. 'Suggereer je nu dat hij me ten huwelijk heeft gevraagd om jou een hak te zetten? Om je het gras voor de voeten weg te maaien?'

'Ja zeker. Richard heeft nooit tegen zijn verlies gekund. Hij wil altijd winnen, het maakt niet uit hoe. En het allerlaatste wat hij wilde, was van mij verliezen.'

'Nee.' Alle kleur trok weg uit haar gezicht. 'Dat is niet waar. Hij heeft me gevraagd omdat hij van me hield. Hij...' Haar stem stierf weg.

Hij glimlachte. 'Hij wilde je niet verliezen. Dat wilde je toch zeggen?'

'Ja, maar niet op de manier die jij bedoelt.'

'Kate, denk nou eens terug. Hoe vaak wilde hij me niet te lijf gaan wanneer ik hem versloeg met tennis of poker? Weet je niet meer hoe graag hij hogere cijfers wilde hebben? Hij wilde niet verliezen van een arme beursstudent. Toen ik zei dat ik schrijver wilde worden, lachte hij me uit.' Hij leunde met zijn ellebogen op de tafel. 'Maar je weet hoe het spreekwoord gaat: wie het laatst lacht, lacht het best.'

Tranen glansden in haar ogen. 'Zo is het niet gegaan,' fluisterde ze. 'Dat kan niet.'

'Kate, lieg niet tegen me.'

'Zo is het niet gegaan. Richard en ik hebben een goed huwelijk. Hij is niet met me getrouwd om jou te pesten.'

'Als je het zelf maar gelooft, meisje.'

Ditmaal was zij het die opstond om boos weg te lopen. Ditmaal was hij het die haar aan haar arm tegenhield.

'Hoe zat het met jou, Kate?' wilde hij weten. 'Ben je met hem getrouwd omdat je van hem hield? Of had je beslissing iets te maken met de luxueuze, zekere toekomst die hij je kon bieden?'

'Laat me los,' snauwde ze.

'Niet voordat je me antwoord geeft.'

'Waarom kwets je me zo?'

'Omdat jij alles wilde uitpraten, liefje. Jij wilde het verleden boven tafel halen.' Bij het zien van haar verdrietige blik wenste hij even dat hij zijn scherpe woorden kon terugnemen, tot hij zich herinnerde wat ze hem allemaal had aangedaan. Hij liet haar hand los. 'Zo zie je maar: soms is het beter om het verleden te laten rusten.'

'Zeg dat wel,' fluisterde ze. 'Ik zal je niet meer lastigvallen.' Geëmotioneerd raapte ze al haar spullen bijeen. 'Vroeger was je niet zo wreed, Luke. Ik vind het jammer dat je bent veranderd.'

'Waarom? Je weet toch wel dat aardige mensen het niet ver schoppen in de wereld?'

'Ik heb altijd gedacht dat je het ver zou schoppen, ook toen je nog aardig was.' Met opgeheven hoofd pakte ze het kinderzitje, waarna ze tussen de tafeltjes door zijn leven uit liep.

Hij onderdrukte de neiging om achter haar aan te hollen. Kate Ryan behoorde nu definitief tot zijn verleden.

27

⚜

Vermoeid en verdrietig kwam Kate die middag thuis. Gelukkig was Richard nog steeds aan het golfen. Ze had niet geweten wat ze had moeten zeggen over haar humeur en haar ontmoeting met Luke.

Met een diepe zucht liet ze haar sleutels op het haltafeltje vallen. Ze had Richard in de waan gelaten dat ze die dag naar The Uncommon Bean zou gaan, in de wetenschap dat hij boos en jaloers zou reageren als ze hem vertelde wat ze werkelijk van plan was.

Langzaam schudde ze haar hoofd. Ze was er zo zeker van geweest dat ze er goed aan deed om naar de lezing te gaan. Ze had die avond opgetogen aan Richard willen vertellen dat ze de vriendschap met Luke in ere had hersteld.

Nu wenste ze dat ze hem van haar plannen had verteld. Ze was een dwaas geweest, een optimistische, naïeve sufferd. Sommige dingen konden nu eenmaal niet worden teruggedraaid, hoe graag je dat ook zou willen.

Mopperend probeerde Emma zich wat comfortabeler tegen haar schouder te nestelen. Het was voor hen allebei een lange, vermoeiende dag geweest.

Ze bracht Emma naar kamer, waar ze haar voorzichtig in haar wiegje legde. Zodra Emma de dekentjes voelde, viel ze in slaap.

Peinzend keek Kate naar het ontspannen, vredige snoetje. Het kon niet waar zijn dat Richard haar ten huwelijk had gevraagd om Luke te snel af te zijn. Ze waren nu al tien jaar gelukkig getrouwd. Dat moest betekenen dat hij echt van haar hield. Dit was geen puberale beslissing geweest. Richard nam zijn huwelijksbeloften serieus, net als zij.

Ze draaide zich om en begon Emma's speelgoed op te ruimen. Die ochtend was ze zo druk geweest, dat ze nog geen tijd had gehad om alle knuffels en speeltjes van Emma's speelkleed te rapen.

Terwijl ze alle spulletjes in de rieten speelgoedmand naast de schommelstoel stopte, dwaalden haar gedachten weer af naar haar gesprek met Luke. Ook had hij gesuggereerd dat haar redenen om met Richard te trouwen niet helemaal zuiver waren geweest. Was dat zo? Was ze destijds gedreven door het verlangen naar zekerheid?

Met tranen in haar ogen deed ze de mand dicht. Luke dacht dat ze een geldwolf was, die met Richard was getrouwd vanwege zijn geld en status. Zo was het toch niet gegaan? In gedachten probeerde ze terug te gaan naar die verwarrende, tumultueuze periode in haar leven.

Ze was wel degelijk verliefd geweest op Richard. Vanaf het moment waarop ze hem voor het eerst had ontmoet, had hij haar hart sneller laten kloppen. Oké, hij had zich wel eens misdragen. Hij was behoorlijk arrogant geweest en had haar meer dan eens op haar ziel getrapt.

Ondanks al die fouten had ze ervan gedroomd met hem te trouwen. Het was opwindend geweest om zijn vriendinnetje te zijn, want het merendeel van de tijd was hij charmant, attent en ontzettend leuk gezelschap. Hij had haar het gevoel gegeven dat ze iets bijzonders was.

Hadden zijn geld, levensstijl en invloedrijke familie haar gevoelens voor hem beïnvloed? Waarschijnlijk wel. Per slot van rekening hadden ze onlosmakelijk bij Richards achtergrond gehoord. Dat betekende echter nog niet dat ze een geldwolf was. Dat betekende niet dat ze alleen maar met hem was getrouwd om zijn geld.

Ze liep naar de commode om de lijstjes met foto's op de rand recht te zetten. Wat was dat nu? Er ontbrak een foto. Haar favoriete foto was weg: die van Richard met Emma in zijn armen!

Ze keek op de vloer, achter de commode en bij het wiegje. Toen ze de foto nergens kon vinden, ging ze met gefronst voorhoofd en met haar handen op haar heupen in het midden van de kamer staan. Hoe kon die foto nu weg zijn? Ze had er die morgen nog naar gekeken, net voordat Richard de deur uit was gegaan.

Ze pijnigde haar hersens. Wat had ze die ochtend allemaal gedaan? Samen met Emma had ze op het kleed gespeeld. Toen Richard was binnengekomen om te zeggen dat hij wegging, was ze opgestaan om hem een kus te geven. Daarbij was haar oog gevallen op die ene foto, die haar zo dierbaar was.

Waar kon dat lijstje nu toch zijn gebleven?

In de hal hoorde ze de houten vloer kraken. Het was een heel zacht geluid, als een zuchtje wind.

Ze schrok zich naar. Opeens moest ze weer denken aan die ochtend, toen ze haar beddengoed verfomfaaid had aangetroffen. Er hadden deuken in de kussens gezeten, en er had een satijnen kleerhanger op de grond gelegen...

Langzaam draaide ze zich om naar de deur. Er was niemand te zien. Met knikkende knieën liep ze naar de hal, maar ook die was leeg.

'Richard?' riep ze. 'Ben jij dat?'

Er kwam geen antwoord.

Stel je nu niet zo aan, zo vermaande ze zichzelf. Het is een oud huis. Het is heel normaal dat het af en toe kreunt en kraakt.

Van de andere kant konden foto's niet zomaar verdwijnen. Kleerhangers wandelden niet uit zichzelf naar een bed. Dat betekende dat ze niet de enige was in huis...

Angstig haalde ze haar slapende dochter uit de wieg. Emma protesteerde een beetje, maar bleef gelukkig doorslapen. Zo zacht als ze kon, liep ze met haar dochter de trap af. Het kinderzitje en de luiertas stonden gelukkig nog in de hal. Nadat ze Emma in het zitje had vastgemaakt, pakte ze haar spullen om weg te gaan.

Voor het matglas van de voordeur stond een man. In de avondschemering was zijn gestalte een groot, donker silhouet.

Ze slaakte een hoge gil van schrik en deed een paar passen achteruit.

'Kate?' De man tikte op de deur. 'Ik ben het, Joe.'

Bibberend bracht ze haar hand naar haar mond, waarna ze nerveus begon te giechelen. Joe was haar buurman, een tachtigjarige, totaal ongevaarlijke man.

'Ik schrok me dood,' bekende ze zodra ze de voordeur voor hem geopend had. 'Ik stond net op het punt om weg te gaan.'

'Het spijt me dat ik je aan het schrikken maakte.' Bezorgd keek hij langs haar heen de hal in. 'Er is toch niets, hoop ik?'

Opeens voelde ze zich een ongelooflijke aanstelster. Wat een onzin eigenlijk, om ervandoor te willen gaan bij het gekraak van de houten vloer! 'Nee hoor,' antwoordde ze luchtig. 'Kom binnen.'

Hij stapte over de drempel. 'Is Richard nog niet terug van het golfen?'

Ze onderdrukte een glimlach. De oude Joe hield iedereen in de buurt altijd perfect in de gaten. 'Nee, hij is nog niet terug. Hij ging na het golfen nog even door naar zijn werk,' antwoordde ze. 'Had je hem willen spreken?'

'Nee hoor, dat niet.' Hij keek naar het zitje. 'Hoe is het met je dochter?'

'Uitstekend. Ze ligt lekker te slapen.'

'Wat vervelend dat ze ziek was. Wat zei de dokter?'

'Ziek?' herhaalde ze verbaasd. 'Ze is niet ziek. Van wie heb je dat gehoord?'

'Je vriendin vertelde het me vanochtend. Ze zei dat je met de baby naar de dokter was.'

'Mijn vriendin?' Ze dacht na. 'Was het soms iemand van The Uncommon Bean?'

'Nee, de vriendin die bij je op bezoek was. Ze zat op je schommel te wachten tot je terugkwam.'

Ze voelde haar nekharen overeind komen. 'Wat zeg je? Zat er iemand op onze schommel?'

'Ja, een knap jong ding van een jaar of twintig. Ze keek heel verbaasd toen ik haar aansprak. Ik vroeg haar namelijk wat ze in jullie tuin deed.'

De verdwenen foto. Het geplette dekbed.

Het gevoel dat iemand haar in de gaten hield. Dat ze niet alleen was...

Ze deed haar best om haar agitatie voor hem te verbergen. 'Wat zei ze toen je dat vroeg?'

'Dat ze een vriendin van je was, uit de stad. Dat je met de baby naar de dokter was. Ik heb haar niet gevraagd hoe ze heette, want ik vond eigenlijk dat dat me niets aanging.' Hij fronste zijn voorhoofd. 'Of had ik het beter wel kunnen vragen?'

Ze slikte moeizaam. 'Het was in elk geval geen vriendin van ons,' zei ze schor. 'Hoe laat heb je haar gesproken, Joe?'

'Eens even denken. Ik was aan het wandelen met Beauregard.' De oude man krabde op zijn hoofd. 'Rond de middag, denk ik.'

Rond de middag. Toen was zij in de stad en stond Richard op de golfbaan.

Hij maakte een geërgerd geluid. 'Ik wist dat er iets niet klopte,' mompelde hij. 'Maar op dat moment stond ik er niet zo bij stil, omdat ze wist hoe jullie heetten en dat jullie een baby hebben. Het spijt me dat ik niet wat waakzamer ben geweest.'

Om hem gerust te stellen dwong ze zich tot een glimlach en zei op sussende toon: 'Het is vast niet zo belangrijk.'

'Waarschijnlijk niet, maar toch leek het me verstandiger om het je even te vertellen.'

'Dat waardeer ik zeer. Hartelijk bedankt, Joe.' Op het moment dat ze de voordeur voor hem opende, zag ze Richards Mercedes de oprit op draaien. 'Het is fijn dat we een buurman hebben die onze veiligheid in de gaten houdt.'

De oude man knikte trots. 'Ik zal mijn oren en ogen openhouden. Als ik haar nog eens zie, laat ik het je wel weten.'

Nadat ze hem nogmaals had bedankt, bleef ze bij de deur op Richard wachten. Ze hoorde de mannen elkaar op de oprit groeten. Een paar tellen later verscheen Richard bij de voordeur.

'Hallo, schat.' Hij boog zich voorover om haar een kus te geven. 'Hoe ging het vandaag? Alles volgens plan verlopen?'

Geschrokken keek ze hem aan. 'Wat bedoel je?'

'The Bean,' verduidelijkte hij. 'Hebben jullie een goede dag gehad?'

Ze staarde hem aan. Zou ze hem vertellen over haar ontmoeting met Luke? Ze besloot het niet te doen. 'Ach, je weet hoe het gaat,' zei ze. 'Op zaterdag is het altijd lekker druk in de zaak.'

Zodra ze de woorden had uitgesproken, had ze spijt dat ze tegen hem had gelogen. Ze kon haar antwoord nu echter niet meer terugnemen zonder de situatie nog vervelender te maken. Je moet geen slapende honden wakker maken, dacht ze. Je hoeft hem niet van streek te maken met een verhaal dat er nu toch niets meer toe doet.

'Is er iets, Kate?' vroeg hij terwijl hij naar de keuken liep om een biertje te pakken. 'Je doet zo vreemd.'

Dit is je kans om hem alles te vertellen. Dit is je kans om te zeggen wat je dwarszit. 'Is dat zo?'

'Ja.' Hij trok zijn blikje open. 'Je bent een beetje bleek. Wat kwam Joe doen?'

Joe. De jonge vrouw op de schommel. De verdwenen foto. Het gevoel dat ze niet alleen was. Dit was zo ernstig, dat ze het niet voor hem kon verzwijgen. Terwijl ze haar verhaal deed, voelde ze de angst en ongerustheid weer terugkeren.

'Ik dacht dat ik iemand in huis hoorde, Richard,' vertelde ze. 'Ik probeerde me voor te houden dat mijn fantasie op hol was geslagen, maar nu weet ik het niet zo zeker meer.'

'Is die foto het enige wat is verdwenen?'

'I-ik weet het niet.' Huiverend wreef ze zich over de armen. 'Ik durfde het huis niet in mijn eentje door te lopen. Net toen ik wilde weggaan, kwam Joe.'

Hij liep naar zijn golftas om er een van zijn clubs uit te halen. Toen keek hij haar zo indringend aan, dat ze er de rillingen van kreeg. 'Als je ooit nog eens het gevoel krijgt dat er iemand in huis is, wil ik dat je meteen vertrekt,' zei hij ernstig. 'Begrijp je dat goed, Kate? Pak Emma op en ga zo snel mogelijk weg. Rij maar naar The Bean of naar een van de buren en bel dan mij of de politie.'

Ze knikte. Haar mond was droog, en haar polsslag versnelde. Het was nog angstaanjagender om Richard zo bezorgd te zien dan om alleen in huis te zijn. Zijn angst maakte het allemaal echt. 'Ik begrijp het,' zei ze.

'Oké. Dan gaan we nu even kijken of er nog iets weg is.'

Samen maakten ze een rondje door het huis. Richard ging met de club in zijn hand voorop, zij liep er met het kinderzitje achteraan. Grondig keken ze alle kamers, kasten en sieradenkistjes na, maar er was niets verdwenen.

In de keuken stopte hij de club weer in zijn tas. 'Nou, het ziet ernaar uit dat er verder niets is gebeurd. Was de keukendeur op slot toen je thuiskwam?'

'Dat weet ik niet.' Ze liep naar de koelkast om een flesje te maken voor Emma, die inmiddels wakker was geworden. 'Ik ben door de voordeur naar binnen gekomen.'

'Ik kijk wel even.' Hij liep naar de keukendeur. 'De deur zit dicht, en de sleutel hangt nog steeds aan het haakje.'

Ze zette het flesje in de magnetron. 'Waarom zou iemand nou inbreken om een foto te stelen?'

'Goede vraag. Weet je wel zeker dat je je niet hebt vergist? Ik bedoel, een kleerhanger op de vloer en een paar kreukels in het dekbed duiden nou niet bepaald op gevaar. Daarnaast weten we allebei dat dit huis harder kreunt en kraakt dan een oude vrijster van over de negentig.'

Met gefronste wenkbrauwen keek ze naar de magnetron. Zou ze het zich hebben verbeeld? Het had zo echt geleken, zo angstaanjagend... Het was helemaal niets voor haar om zich dingen in het hoofd te halen. Nu ze Richard zo hoorde praten, leek het echter allemaal nogal vergezocht.

'Ik vind mezelf altijd vrij nuchter, Richard,' zei ze. 'Je weet best dat ik niet zomaar iets verzin.'

'Dat weet ik. Maar je hebt de laatste tijd erg veel aan je hoofd gehad. Misschien is dit allemaal wel een gevolg van je chronische slaapgebrek.'

Op dat moment begon Emma te jengelen om haar flesje.

Kate pakte haar uit haar zitje om haar de fles te geven. Had hij gelijk? Waarom was ze dan zo bang, alsof ze intuïtief wist dat er iets akeligs gaande was?

Terwijl ze naar Emma's gulzige mondje keek, realiseerde ze zich in een flits waar ze bang voor was. Ze was bang dat Emma's biologische moeder hun adres had opgezocht omdat ze Emma terug wilde.

Tegen de tijd dat Emma haar fles leeg had, was Kates angst uit-gegroeid tot volledige paniek. Nadat ze het meisje had ver-schoond en in haar bed had gelegd, liep ze terug naar de keuken, waar Richard net een biefstuk onder de grill wilde leggen.

'Richard?' piepte ze.

Hij keek op. 'Wat is er?'

'S-stel dat het Emma's moeder was,' hakkelde ze. 'Stel dat ze ons heeft gevonden en dat ze haar dochter terug wil.' Met tranen in haar ogen beet ze op haar lip.

'Ben je bang dat zij die foto van Emma heeft gestolen?'

'Ja,' fluisterde ze nauwelijks hoorbaar.

'Waarom zou ze zoiets doen?'

'Omdat ze Emma terug wil.'

'Denk je dat ze hier heeft ingebroken in de hoop dat ze Emma kon stelen?'

Haar tranen lieten zich niet langer bedwingen. 'Ik zou het niet kunnen verdragen om haar te verliezen, Richard,' mompelde ze snikkend. 'Dan zou ik doodgaan van ellende.'

'Kom hier.' Troostend sloeg hij zijn armen om haar heen. 'Maak je nou niet zo van streek. Zoiets gebeurt echt niet.'

'Hoe weet jij dat nou?' vroeg ze huilend.

'Het is niet logisch, schat,' antwoordde hij. 'Ten eerste wilde ze een gesloten adoptie, dus ze weet niet eens hoe wij heten of waar we wonen. Ten tweede zou ze contact opnemen met Citywide als ze haar kind terug wilde. Dan zou ze Ellen bellen en een advocaat inschakelen, in plaats van hier in de bosjes wachten tot wij van huis gaan.'

Natuurlijk had hij gelijk. Waarom stelden zijn woorden haar dan niet gerust? 'Dat verklaart nog steeds niet waarom die foto weg is,' zei ze.

Hij haalde zijn schouders op. 'Misschien ligt het lijstje in een la. Misschien heeft de werkster het verplaatst.'

'Ik heb die foto vanmorgen nog gezien!'

'We komen dat lijstje vast wel weer tegen, Kate,' zei hij sus-send. 'Zo niet, dan maken we een nieuwe foto.'

Nog steeds was ze niet overtuigd. 'Ik was echt bang, Richard. Het was echt of er iemand naar me keek. En toen Joe ook nog eens begon over die vrouw op de schommel...' Ze haalde bibberig adem. 'Ze had de leeftijd om Emma's moeder te kunnen zijn.'

Hij nam haar gezicht tussen zijn handen. 'Het kan iedereen geweest zijn, lieverd. Het tuinhek is niet op slot. Misschien was ze wel aan het wandelen in het park en had ze ineens zin om hier te schommelen.'

'Ze wist hoe we heetten, Richard. Ze wist dat we een baby hebben.'

'Dat weet toch iedereen hier in de buurt?' Hij drukte een kus op haar lippen. 'Pieker er maar niet meer over, lieverd. Er is echt geen enkele reden om je zorgen te maken.'

28

Na zijn gesprek met Kate liep Luke een poosje door de stad om de vertrouwde geuren van New Orleans op te snuiven en bekende plekjes op te zoeken. Hij nam een appelbol en een kop koffie op het terras van het Café du Monde, liep langs een aantal historische gebouwen en bekeek de mensen vanaf een bankje op Jackson Square.

Terwijl hij daar zat, kwamen alle herinneringen aan zijn studietijd weer naar boven. Hij dacht terug aan de jongeman die hij was geweest, aan zijn dromen en aan Kate. Kate kwam in al zijn herinneringen voor, want ze hadden samen heel veel tijd doorgebracht. Ze hadden samen gelachen, gepraat, en ze had hem al gelukkig gemaakt door alleen maar bij hem te zijn.

In zijn hart had hij spijt dat hij die middag zo hard tegen haar was geweest. Hij had achter haar aan willen rennen, haar zijn excuses willen aanbieden en haar willen smeken om vergiffenis.

Zijn hoofd had hem echter verteld dat ze alleen maar naar hem toe was gekomen om iets uit te praten, om een bepaalde episode in hun leven af te sluiten. Ze had hem gevraagd om eerlijkheid, dus die had hij haar gegeven.

Helena had een suite voor hem geboekt in het Royal Orleans Hotel, een van de mooiste hotels in deze chique oude buurt. Het was gebouwd en onderhouden in de rijke traditie van het oude zuiden.

Op het moment dat hij voet over de drempel zette, viel het hem op dat het binnen heerlijk koel en rustig was. Buiten maakten de dagjesmensen en het winkelende publiek inmiddels plaats voor de nachtuilen, feestgangers en mensen die uit eten gingen.

Hij liep door de grote lobby naar de receptie, waarboven enorme kristallen kroonluchters hingen. Helena had een etentje geregeld bij Commander's Palace met een aantal mensen uit de uitgeverswereld. Ze had beloofd dat ze aan de receptie zou doorgeven hoe laat hij verwacht werd. Hij keek op zijn horloge. Met een beetje geluk had hij nog tijd voor een douche en een paar uurtjes achter zijn laptop.

'Goedemiddag, Mr. Dallas,' groette het meisje achter de balie.

'Dag, Aimee. Zijn er nog boodschappen voor me achtergelaten?' vroeg hij.

'Ik geloof het wel.' Ze keek in een vakje. 'Ja, er is een boodschap voor u, en er ligt ook nog een pakje voor u op kantoor. Zal ik het even voor u pakken, of wilt u dat ik het naar uw kamer stuur?'

'Ik wacht wel even.' Hij nam een envelop van haar aan. Het was een boodschap van Helena, die bevestigde dat hij inderdaad nog een paar uurtjes had voordat hij werd verwacht in het restaurant.

Aimee kwam terug met een klein boodschappentasje, waarin een exemplaar zat van Dead Drop. Het was een boek dat hij zelf had gesigneerd, met een opdracht aan Bird Man.

Hij fronste zijn voorhoofd. Hij had die dag honderden boeken gesigneerd en honderden gezichten gezien. Er waren minstens tien Mary's geweest, een handvol Stevens en een aantal Daves, maar er was maar één Bird Man geweest. Hij herinnerde zich dat hij de opdracht had geschreven, maar waarom herinnerde hij zich het bijbehorende gezicht nu niet? Zo'n naam moest toch opvallen tussen al die andere?

'Mr. Dallas?' klonk Aimees stem. Ze bloosde tot in haar haarwortels. 'Ik ben een grote fan van u. Ik kan haast niet wachten tot uw nieuwe boek uitkomt.'

'Dank je wel,' zei hij gevleid. 'Heb je toevallig gezien wie dit voor me heeft afgeleverd?'

'Nee, het spijt me. Mijn dienst is net begonnen.'

'Zat er geen briefje bij? Geen boodschap?'

'Ik dacht het niet, maar ik zal het even voor u nakijken.'

Er bleek geen boodschap bij te hebben gezeten. Hij ging naar zijn kamer, waar de telefoon bij zijn binnenkomst begon te rinkelen. Hij nam op. 'Hallo?'

'Kom over twintig minuten naar de Vieux Carré Gun Club,' sprak een mannenstem.

'Met wie spreek ik?'

'Twintig minuten,' herhaalde de stem. 'Als je nog steeds belangstelling hebt voor een interview.'

De hoorn werd aan de andere kant neergelegd. Pas op dat moment begreep Luke van wie de boodschap afkomstig was. Bird Man was Condor. Dat hij daar niet eerder aan had gedacht!

De Vieux Carré Gun Club was een privé-club voor rijke mensen. De portier liet hem naar binnen en verwees hem door naar de receptie, waar een mooie jonge vrouw in een Chanel-pakje hem bij naam begroette. Nadat hij het gastenboek had getekend, begeleidde ze hem naar de lounge.

Hij zag Condor al meteen. Hij zat aan een hoektafeltje, met zijn rug naar de muur.

'Bird Man, neem ik aan?' groette hij.

Condor lachte. 'Ik weet dat het een flauw grapje was, maar ik kon de verleiding niet weerstaan,' zei hij, gebarend naar de zitplaats tegenover hem. 'Hoelang duurde het voordat je het doorhad?'

'Te lang,' bekende hij, plaatsnemend in het luxueuze leren fauteuiltje. 'Ik had je helemaal niet herkend in de boekhandel.'

Condor wenkte de serveerster. 'Je moet altijd naar de ogen kijken. Die verraden altijd iemands identiteit.'

Toen de serveerster bij hen kwam staan, keek Luke naar Condors glas.

'Ik drink nooit alcohol,' zei Condor, alsof hij zijn gedachten had gelezen. 'Je wordt er minder scherp door, en het vermindert je reactievermogen.'

'Dat is nou net de reden waarom veel mensen het wél drinken,' merkte Luke op. 'Persoonlijk mag ik graag een biertje drinken.' Na er een bij de serveerster te hebben besteld, wendde hij zich weer tot Condor. 'Chique tent.'

'Zeker.' Condor nam een slokje van zijn tomatensap.

'Ben je lid hier?'

'Laten we het er maar op houden dat ik belangrijke vrienden heb.'

Een paar minuten lang praatten ze over ditjes en datjes. Luke had de indruk dat Condor hem nog steeds probeerde te peilen, alsof hij wilde aftasten of hij wel met hem kon praten.

'Waarom heb je me eigenlijk gebeld?' vroeg hij op een zeker moment.

'Ik hou van je boeken,' antwoordde Condor schouderophalend. 'En mijn vrouw ook.'

'Ben je getrouwd?'

'Vind je dat zo vreemd?'

'Het past niet helemaal in mijn beeld van een beroepsmoordenaar.'

'Jouw beeld is het beeld dat Hollywood je heeft voorgeschoteld,' merkte Condor glimlachend op. 'Ik heb zelfs twee kinderen. Mijn vrouw denkt dat ik vertegenwoordiger ben.'

'Wat zou ze zeggen als ze erachter kwam dat je haar hebt voorgelogen?'

'Ze komt er niet achter.'

'En als je nou per ongeluk wordt gedood bij een missie?'

'Dan verzint de CIA een aannemelijk excuus.' Condor stond op. 'Heb je wel eens geschoten?'

'Net genoeg om er met enig gezag over te kunnen schrijven.'

Er verscheen een glimlach op Condors gezicht. 'Kom maar mee dan. Laten we de schietbaan van deze club maar eens uitproberen.'

De schietbaan van de club, die verder helemaal verlaten was, was net een ondergrondse bunker, met zes cabines en kartonnen schietschijven. Op een tafel lagen een wapen en een doosje kogels klaar.

Condor pakte het wapen op. 'Een semi-automatische Beretta, 9 mm,' zei hij, over het metaal strijkend alsof het een dierbaar kleinood was. 'Heb jij een wapen, Dallas?' Tijdens het praten stopte hij de ammunitie behendig in de Beretta.

'Ja, een .44 Magnum.'

Condor keek hem aan. 'Dat is een krachtig wapen. Hebben schrijvers zulke zware dingen nodig?'

'Ik heb het gekocht tijdens het schrijven van Last Dance,' antwoordde hij lachend. 'Eigenlijk heb ik er geen ander excuus voor dan het feit dat ik van Dirty Harry-films hou. Ik zag mijn personage als een soort Harry Callahan, een vogelvrije rebel die de wet aan zijn laars lapt.'

'Aan zijn laars lapt? Ik vind Callahan juist iemand die aan de kant van de wet staat,' luidde Condors mening. 'Hij heeft een zeer sterk rechtvaardigheidsgevoel. Oog om oog, tand om tand.'

'Is dat ook jullie vaste regel?

'Ik denk het wel, ja. We leven in een gewelddadige maatschappij, Luke. Soms is de dood een ideale oplossing voor een probleem. Ieder mens, hoe slecht of machtig hij ook is, is uiteindelijk sterfelijk.'

'Zie jij jezelf als iemand die probleempjes oplost?'

'Ja, ik los problemen op voor mijn vaderland en mijn regering. Zullen we dit wapen eens uitproberen?' Condor prepareerde een kartonnen silhouet als schietschijf. Daarna zette hij een gehoorbeschermer op en schoot hij het hele magazijn leeg.

Nadere inspectie leerde dat hij het hoofd en het hart van het silhouet had doorzeefd. Nadat hij een nieuwe schietschijf klaar had gehangen, gaf hij het wapen aan Luke. 'Jouw beurt.'

Luke deed zijn best, maar hij was natuurlijk niet half zo goed als Condor. Tot zijn opluchting zag hij dat de meeste kogels het doel in elk geval wel hadden geraakt.

'Niet slecht voor een burger,' complimenteerde Condor hem.

'Bedankt.'

'Al die aanstellerige wapens uit Hollywood-films zijn nergens voor nodig,' vertelde Condor, nog een nieuwe schietschijf installerend. 'Simpele wapens zijn nog altijd het beste.' Binnen een paar tellen schoot hij weer een heel magazijn leeg, met hetzelfde resultaat als daarvoor. 'Een vuurwapen, een mes en een wurgkoord, meer heeft een man in mijn vak niet nodig. Simpel, effectief en snel.'

Hij laadde het wapen zonder dat hij ernaar hoefde te kijken. 'Professionals moeten altijd praktisch blijven,' vervolgde hij. 'We werken het liefst met wapens die niet al te duur zijn en niet te traceren. Jouw .44 is mij iets te zwaar, maar voor jou is het waarschijnlijk wel een nuttig ding. Als je een inbreker in je huis hebt, wil je er zeker van zijn dat je hem met één schot kunt neerleggen. Jouw Magnum slaat zo'n groot gat, dat het niet eens zoveel uitmaakt waar je de inbreker raakt.'

'Nou, je hebt wel vertrouwen in mijn schietkunst,' merkte Luke droog op.

Condor lachte. 'Een wapen is voor ons een stuk gereedschap, meer niet. In films zijn het favoriete voorwerpen van de held, maar bij ons niet. Elk wapen wordt weggegooid nadat we het een keer hebben gebruikt.'

'Echt waar?'

'Ja. Er mag natuurlijk nooit een verband zijn tussen twee klussen,' legde Condor uit. 'Wanneer ik een vuurwapen heb gebruikt, haal ik het helemaal uit elkaar en gooi ik alle onderdelen op verschillende plaatsen weg, zodat ze nooit meer kunnen worden getraceerd.'

'Hebben jullie nooit een lijk laten verdwijnen? Als er geen lijk is, komt er immers ook geen onderzoek.'

'Dat klopt, maar het is natuurlijk veel eenvoudiger om een wapen te laten verdwijnen,' antwoordde Condor. 'Bovendien gaat de politie bij elke moord op dezelfde manier te werk. Eerst zoeken ze de dader in de naaste omgeving van het slachtoffer, want het merendeel van de misdaden wordt gepleegd door een bekende. Als ik mijn werk goed doe, heeft de politie wel een misdaad, maar geen motief en geen wapen. Tegen de tijd dat ze de echtgenote, beste vriend en zakenpartner hebben ondervraagd, ben ik al lang verdwenen.'

'Wat gaat er door je hoofd wanneer je een klus voorbereidt?'

'Hoe kom ik binnen; hoe doe ik mijn werk zo snel mogelijk, en hoe kom ik zo snel mogelijk weer buiten,' antwoordde Condor. 'Professionals hebben maar twee dingen voor ogen: het doel uitschakelen en zo snel mogelijk wegkomen.'

'En daarna?' vroeg Luke. 'Denk je wel eens aan het gezin van een slachtoffer? Vraag je je wel eens af of je er goed aan doet iemand uit te schakelen?'

'Voor mij zijn het geen mensen, Dallas. Het zijn doelen. Een naam en een gezicht op papier,' legde Condor uit. 'Ik ben geen amorele psychopaat die het leuk vindt om te doden. Ik ben een militair die er trots op is zijn vaderland te dienen.'

Sceptisch trok Luke zijn wenkbrauwen op.

Condor lachte. 'Wees niet zo naïef, Luke. Elke regering heeft mensen zoals ik in dienst. Het is politieke noodzaak. Ik hou van Amerika en van mijn gezin. Ik ben bereid dit werk te doen om hun veiligheid te garanderen.'

Het verbijsterde hem dat Condor het had over eer en patriottisme en dat hij met liefde sprak over zijn vrouw en zijn gezin. Dit was een man die hem in een oogwenk kon doden en daar niet eens mee zou zitten. Hij werkte aan het behoud van alle wetten door zich er juist boven te stellen. Eigenlijk zou hij bang moeten zijn voor zo'n man, maar intuïtief wist hij dat hij Condor kon vertrouwen. Op een bepaalde manier vond hij hem zelfs aardig en respecteerde hij wat hij deed.

'Ben je wel eens emotioneel betrokken geraakt bij een klus?' wilde hij weten.

'Nooit,' antwoordde Condor ernstig. 'Dat is tegen alle regels.'

'Wat gebeurt er als een van je collega's wel over die grens gaat? Als er wraakgevoelens bij komen kijken, of als vakkennis wordt gebruikt om persoonlijke conflicten op te lossen?'

Condor zweeg even. 'Zo iemand zou een levensgevaarlijke moordmachine zijn, Luke. Een killer die dood en verderf zaait zonder zich met morele kwesties bezig te houden.' Hij keek Luke aan met een blik die hem rillingen bezorgde. 'Zo iemand zou kunnen doden uit plezier of willekeur. Mensen zijn doelen, niets meer en niets minder. Het enige wat mij en mijn collega's scheidt van moordenaars, is onze beroepsethiek. Ons eergevoel. Als je dat weghaalt, hou je een monster over, een goedgetrainde moordmachine. Een man voor wie bloedige wraak een andere term is voor rechtvaardigheid.'

29

Julianna en Sandy ontmoetten elkaar een week lang elke avond in het koffiehuis. Tegen het einde van de week stelde Julianna voor om samen te gaan eten en naar de film te gaan. Al gauw waren ze zulke dikke vriendinnen, dat ze zaterdags samen gingen lunchen en winkelen.

Zoals Julianna had verwacht, was Sandy vreselijk dankbaar voor haar vriendschap. Zelfs zo dankbaar, dat ze zich nooit afvroeg waaróm ze na al die jaren ineens een boezemvriendin had die elk vrij uurtje met haar wilde doorbrengen.

Na een aantal weken besloot ze dat het tijd werd voor haar volgende stap. Op een vrijdagavond, toen ze bij een maaltijdsalade in een restaurantje plannen maakten voor de volgende dag, sneed ze het onderwerp 'geld' aan.

'Ik moet echt snel een baan zien te vinden,' verzuchtte ze, terwijl ze haar helft van de rekening op tafel legde.

'Heb je nog steeds niets leuks gevonden?' vroeg Sandy.

'Nee. Het enige aanbod dat ik heb gehad, was bij een hamburgertent,' antwoordde ze mismoedig. 'Ik heb weinig zin om de hele dag vieze vette hamburgers te bakken.'

'Dat kan ik me voorstellen. Wat vervelend voor je.'

'Zeg dat wel. Ik had nooit gedacht dat het zo moeilijk zou zijn,' zei ze, in de verte starend. Ineens keek ze Sandy aan alsof ze een lumineus idee had. 'Is er bij jullie op kantoor geen geschikte vacature?'

Sandy schudde haar hoofd. 'Volgens mij niet. Er zijn twee vacatures, maar daarvoor heb je niet de juiste opleiding.'

'Hoe weet jij dat nou?' vroeg ze uitdagend. 'Ik kan heel veel, hoor.'

'Voor beide banen moet je rechten hebben gestudeerd en op een advocatenkantoor hebben gewerkt. Het spijt me.'

Julianna was oprecht teleurgesteld. Ze had werkelijk gedacht dat er bij een groot kantoor als Nicholson, Bedico, Chaney & Ryan wel een geschikt baantje voor haar zou zijn. Was Sandy wel helemaal eerlijk tegen haar, vroeg ze zich af. Misschien had ze nog een klein zetje nodig.

'Iedereen zegt voortdurend tegen me dat ik niet de juiste opleiding heb,' merkte ze met tranen in haar ogen op. 'Als ik niet snel iets vind, zal ik terug moeten naar Washington.'

Sandy's ogen werden groot van schrik. 'Dat meen je niet! We hebben het net zo gezellig samen!'

'Ik wil ook niet weg, maar het ziet ernaar uit dat ik geen keus heb,' zei ze met een brok in haar keel. 'In Washington heb ik kennissen die me misschien kunnen helpen. Hier ken ik niemand behalve jou, en jij kunt me niet...' Ze maakte haar zin niet af. 'Het had me juist zo leuk geleken om met je samen te werken. Dan zouden we elke dag samen kunnen lunchen en elkaar stiekem briefjes kunnen doorgeven wanneer de baas niet kijkt. Het zou net zo leuk zijn als een vriendschap op de middelbare school.'

'Dat had mij ook enig geleken,' verklaarde Sandy met een verlangende klank in haar stem. 'J-je bent de beste vriendin die ik ooit heb gehad, Julianna.'

'En jij bent mijn beste vriendin. Ik zal je vreselijk missen.'

Er viel een lange, bedrukte stilte. Sandy moest overduidelijk moeite doen om niet in tranen uit te barsten. Plotseling rechtte ze haar rug, alsof haar iets te binnen schoot. 'Wacht eens even... Misschien weet ik toch iets voor je!'

Struikelend over haar woorden vertelde ze dat ze Richard Ryans secretaresse had horen klagen over haar werklast. 'Mr. Ryan heeft zich kandidaat gesteld voor een post op het Openbaar Ministerie, en zijn secretaresse heeft daardoor zo veel extra werk gekregen, dat ze al eens heeft gedreigd te zullen opstappen. Ze zei dat Mr. Ryan haar had beloofd dat hij iemand zou zoeken om een aantal klusjes en administratief werk voor zijn campagne te doen.'

Richard had een assistente nodig... Alweer een gunstig voorteken!

'Wanneer heb je dat gehoord?' wilde ze weten.

'Afgelopen dinsdag,' vertelde Sandy. 'Ik weet natuurlijk niet of hij al een advertentie heeft geplaatst of dat hij iemand in zijn hoofd had, maar je zou het kunnen proberen.'

Haar hart sprong op. Samenwerken met Richard... Het leek haast te mooi om waar te zijn.

'Dit lijkt me perfect!' jubelde ze, Sandy's handen in de hare nemend. 'Wil jij me voorstellen aan Mr. Ryan, Sandy? Alsjeblieft?'

Sandy weifelde. 'Als ik dat doe, betekent dat dat ik je min of meer voordraag voor die baan.'

'Wat geeft dat? Je hebt toch vertrouwen in me?'

'Jawel, maar –'

Ze verstevigde haar greep om Sandy's vingers. 'Je móét me helpen, Sandy. Begrijp je dat? Ik móét die baan hebben.'

'Je doet me pijn,' fluisterde Sandy.

Meteen liet ze haar los. 'Sorry, dat was niet de bedoeling,' zei ze berouwvol. 'Het is alleen... Ik begin onderhand wanhopig te worden. Deze baan klinkt als de perfecte kans voor mij. Ik heb ook ervaring met dit soort werk, want in Washington heb ik gewerkt voor politici.'

Afwachtend keek Sandy haar aan.

Ze wil meer informatie hebben, dacht ze. Ik móét haar ervan overtuigen dat ik de juiste kwaliteiten heb voor dit werk. Ze dacht aan haar moeder en aan haar moeders laatste minnaar.

Senator Jacobson. Natuurlijk!

'Ik heb gewerkt voor senator Jacobson tijdens zijn verkiezingscampagne,' vertelde ze.

Dat was nog niet eens honderd procent gelogen, want ze was geregeld bij hem op kantoor geweest om kleine klusjes voor hem te doen. Zijn medewerkers hadden haar en haar moeder rondgeleid en uitgelegd wat hun werk precies inhield.

Sandy's gezicht klaarde op. 'Echt waar?'

'Echt waar. Ik weet zeker dat hij me een aanbevelingsbrief zou geven.'

Secondelang zei Sandy niets.

Julianna zag aan haar gezicht dat ze haar graag wilde helpen, maar dat ze bang was om haar nek uit te steken. Ze was bang dat ze haar keurige reputatie zou schaden of dat ze problemen zou krijgen met haar werkgevers.

Nog een klein zetje, dacht ze. Dan heb ik haar waar ik haar wil. 'Denk nou eens na, Sandy,' spoorde ze haar vriendin aan. 'Als Mr. Ryan me aanneemt, komen we in hetzelfde gebouw te werken. Dan kunnen we elke dag samen lunchen. We kunnen altijd tegelijk koffiepauze nemen en 's avonds na het werk samen iets gaan drinken.' Ernstig keek ze Sandy diep in de ogen. 'Ik heb nog nooit met een goede vriendin samengewerkt. Het lijkt me het leukste wat er is.'

'Het lijkt mij ook erg gezellig,' zei Sandy met enige aarzeling.

'Betekent dat dat je het doet?' vroeg ze opgetogen, haar handen weer naar die van Sandy uitstekend. 'Stel je me voor aan Mr. Ryan? Wil je een goed woordje voor me doen?'

Met een diepe zucht hakte Sandy de knoop door. 'Oké, Julianna. Ik zal kijken wat ik voor je kan doen.'

30

Sandy beloofde haar dat ze haar curriculum vitae de eerstvolgende maandagmorgen aan Richard zou geven.

Julianna besteedde haar hele weekend aan het maken van dat cv. Ze veranderde haar leeftijd van negentien naar tweeëntwintig en schreef de namen van al haar moeders minnaars op als referenties, in de hoop dat Richard die niet zou natrekken. Ook schreef ze dat ze campagne-assistente was geweest bij senator Jacobson.

In een fotokopieerzaak liet ze het geheel met een laserprinter uitprinten. Het resultaat zag er prachtig uit. Zelf was ze het meest tevreden over de lijst van werkzaamheden die ze zogenaamd voor senator Jacobson had verricht. Wie had ooit kunnen denken dat ze nog zoveel zou oppikken van de gesprekken die ze haar moeders vrienden had horen voeren?

Ze besloot dat ze haar moeder na haar sollicitatiegesprek bij Richard zou bellen. Dan kon zij wel regelen dat senator Jacobson ook inderdaad een aanbevelingsbrief zou schrijven.

Op zondagavond bracht ze haar curriculum vitae naar Sandy, en op maandagmorgen belde ze haar vriendin om haar veel succes te wensen. Tot haar ergernis klonk Sandy nerveus, alsof ze weinig zin had om haar belofte na te komen.

'Je krabbelt nu toch niet terug?' vroeg ze, de hoorn steviger beetgrijpend.

'Nee.' Sandy's stem verraadde echter dat ze dolgraag onder de opdracht uit zou willen.

'Dan is het goed.' Ze zou haar beslist niet de kans geven zich terug te trekken. 'Probeer je een beetje enthousiast te zijn wanneer je naar Mr. Ryan gaat? Je moet hem de indruk geven dat je me met alle plezier komt aanprijzen.'

'Dat weet ik, maar...' Sandy zuchtte. 'Ik vind het een beetje eng. Mr. Ryan is een van de hoogste bazen. Als dit verkeerd afloopt, raak ik mijn baan kwijt.'

'Waarom zou het verkeerd aflopen? Je kent me toch? Je bent toch mijn vriendin? Ik verzeker je dat Richard Ryan tevreden over me zal zijn. Als hij me aanneemt, geeft hij jou misschien zelfs wel opslag en een promotie.'

'Dan kunnen we elke dag samen lunchen...' fluisterde Sandy.

'En koffiedrinken.' Ze glimlachte, want ze wist dat ze Sandy had overtuigd. 'Je weet toch dat ik je niet zou laten gaan als ik niet zeker wist dat ik die baan aankon? Je moet vertrouwen in me hebben.'

'Dat heb ik ook.'

'Zeg maar gewoon dat ik je beste vriendin ben en dat ik voor senator Jacobson heb gewerkt.'

'Oké.'

'En onthou dat je hém een plezier doet,' zei ze. Opeens was ze zelf zo nerveus, dat ze er misselijk van werd. 'Ik ben geknipt voor deze baan. Als jij daarin gelooft, gelooft hij het ook.'

'Oké.'

'Bel je me zodra je meer weet?' vroeg ze. 'Ik blijf hier bij de telefoon wachten tot ik van je hoor.'

Om half vijf die middag ging de telefoon.

'Hij wil je spreken!' jubelde Sandy. 'Zorg dat je morgenochtend om acht uur op zijn kantoor bent!'

31

'Goedemorgen, Mr. Ryan.' Met uitgestoken hand kwam ze Richards werkkamer binnen. 'Prettig met u kennis te maken.'

'Het genoegen is wederzijds.' Hij gebaarde naar een paar leren fauteuils tegenover zijn bureau. 'Ga zitten.'

'Dank u wel.' De zenuwen gierden haar door de keel, maar ze deed haar best er niets van te laten merken. Richard Ryan had vast geen behoefte aan een zenuwachtige assistente. Ze moest rustig, zelfverzekerd en intelligent overkomen. Ze moest op Kate lijken.

Voor deze speciale gelegenheid had ze haar mooiste mantelpakje aangetrokken en zich extra zorgvuldig opgemaakt. Daarna had ze nog een poos voor de spiegel Kates gebaren en glimlach geoefend. Het resultaat was verbluffend geweest.

Hij schraapte zijn keel. 'Ik lees dat u hebt gewerkt voor senator William Jacobson,' zei hij, opkijkend van haar cv. 'Bent u niet een beetje jong om zo'n soort baan gehad te hebben?'

'Tweeëntwintig is niet meer zo jong,' zei ze rustig.

Zijn mondhoeken trilden. 'Over tien jaar zegt u dat niet meer,' mompelde hij, zijn aandacht weer op het papier richtend. 'Ik zie dat u niet hebt gestudeerd. Het verbaast me dat senator Jacobson u heeft aangenomen zonder universitaire bul.'

Zo kalm mogelijk vouwde ze haar handen in haar schoot. 'Billy is een goede vriend van de familie,' legde ze uit. 'Hij was zo aardig om me een kans te geven, ondanks mijn gebrek aan ervaring.' Ze keek hem recht in de ogen. 'Hij heeft er nooit spijt van gehad. Als u me aanneemt, beloof ik u dat u daar ook nooit spijt van zult krijgen.'

Met een geamuseerde glimlach zei hij: 'Het ontbreekt u in elk geval niet aan zelfvertrouwen. Dat is belangrijk bij dit werk.'

Ze leunde een stukje naar voren. 'Als u me deze baan geeft, zal ik keihard voor u werken. Het is meer dan een gewone baan voor me, want ik geloof in uw ideeën. Net als u, vind ik dat je criminelen hard moet aanpakken.'

Richard glimlachte aangenaam verrast.

'Ik zou het een eer vinden om voor u te mogen werken, Mr. Ryan,' vervolgde ze. 'Ik vind u een integere, intelligente man.'

Een paar tellen lang keek hij haar zwijgend aan, waarna hij zijn blik weer op haar cv richtte. 'Ik zie dat u heel veel verschillende werkzaamheden voor senator Jacobson hebt verricht. U bent verantwoordelijk geweest voor donaties, mailings, p.r. en verkiezingsbijeenkomsten.'

Help, dacht ze geschrokken. Heb ik misschien te veel opgeschreven? Is mijn verhaal nu ongeloofwaardig?

'Ik heb natuurlijk niet de leiding gehad over al die activiteiten,' haastte ze zich te zeggen. 'Ik sprong bij waar dat nodig was. Ik was gewoon maar een assistente, net iets belangrijker dan een krullenjongen.' Opnieuw zochten haar ogen de zijne. 'Destijds vond ik het weleens vervelend om op al die verschillende terreinen te worden ingezet, maar nu beschouw ik het als een voordeel dat ik van alle werkzaamheden wel iets heb gezien.'

'Ik denk dat dat inderdaad een voordeel is, Ms. Starr.' Met een schuin hoofd voegde hij eraan toe: 'U komt me trouwens bekend voor. Hebben we elkaar al eens eerder ontmoet?'

Hoofdschuddend antwoordde ze: 'Ik denk het niet. Ik woon nog maar kort in Mandeville.'

Hij leunde achterover in zijn stoel. 'Waarom bent u eigenlijk vanuit Washington hiernaartoe verhuisd?' wilde hij weten.

Die vraag had ze niet verwacht. Ze sloeg haar ogen neer terwijl ze koortsachtig naar een aannemelijke verklaring zocht. 'Mijn moeder is vorig jaar overleden aan kanker,' antwoordde ze zacht.

'Ik heb geen verdere familie meer. Na haar dood wilde ik niet meer in Washington blijven.'

'Wat naar voor u.'

Ze knikte. 'New Orleans is een stad die me altijd al heeft aangesproken,' vervolgde ze. 'Daarom heb ik mijn spullen gepakt en ben ik hiernaartoe gekomen.'

'Waarom bent u dan neergestreken in Mandeville?'

Ze glimlachte. 'Het wonen in de stad zelf viel me toch een beetje tegen,' vertelde ze. 'Toen ik op een zaterdagmorgen een kijkje ging nemen aan deze kant van het meer, werd ik verliefd op Mandeville.'

'Daar kan ik me wel iets bij voorstellen,' zei hij. 'Ik ben zelf opgegroeid in de stad, maar ik zou er nu ook niet meer naartoe willen.' Hij stond op en stak zijn hand naar haar uit. 'Ik vind het leuk om u gesproken te hebben, Ms. Starr. Ik zal u zeker in het achterhoofd houden voor deze baan.'

Het kostte haar moeite haar teleurstelling te verbergen. In haar fantasie had hij haar de baan meteen aangeboden. 'Hebt u enig idee wanneer u een beslissing neemt?' vroeg ze.

'Ik denk dat ik het binnen een paar dagen wel weet. Als u over een week nog niets hebt gehoord, kunt u even contact opnemen met mijn secretaresse.'

Ze schudde hem de hand en draaide zich om. Bij de deur besloot ze zich echter met de moed der wanhoop nog een keer tot hem te wenden. 'Ik wil deze baan dolgraag hebben, Mr. Ryan. Als u mij aanneemt, zal ik alles doen om u tevreden te stellen. Geen enkele taak is me te lastig of te zwaar. Echt, u zult er geen spijt van krijgen.'

Dat kleine toespraakje stond hem wel aan. 'Ik zal het zeker in overweging nemen, Ms. Starr. En mijn welgemeende condoleances nog met het overlijden van senator Jacobson.'

Ze keek hem aan of ze water zag branden. 'Wat zegt u?'

'Senator Jacobson. Ik vond hem een uitstekend politicus,' zei hij. 'Het is een schandaal en een groot verlies voor de Verenigde Staten dat hij is vermoord.'

Bij het horen van die woorden kreeg ze overal op haar lichaam kippenvel. De kamer draaide om haar heen. 'Vermoord?' herhaalde ze nauwelijks hoorbaar. 'Billy?'

Gauw liep hij om zijn bureau heen. 'U wordt zo wit als een vaatdoek. Gaat u even zitten, dan haal ik een glas water.'

Ze liet zich op een stoel zakken. Nadat ze een paar minuten diep en langzaam had ingeademd, trok de duizeligheid weg. Maar het verdriet en de schok bleven.

Billy was dood. Vermoord. Haar arme moeder...

'Het spijt me dat ik u zo van streek maak,' zei Richard, haar een glas water aanreikend. 'Als ik had geweten dat het nieuws voor u was, had ik niets gezegd. Het heeft in alle kranten gestaan.'

Bibberend nam ze een slokje water. 'S-sinds de verhuizing heb ik g-geen kranten meer bijgehouden,' stamelde ze. 'W-wanneer is het gebeurd? H-hoe...'

'Hij is vorig jaar november doodgeschoten,' vertelde hij. 'Ik weet niet alle details, maar ik geloof dat ze de dader nog niet te pakken hebben gekregen.'

Sylvia's minnaar was dood. Vermoord.

De dader was nog voortvluchtig.

John.

Hoewel ze opeens doodsbang werd, probeerde ze kalm te blijven. Aan Richards meelevende blik zag ze echter dat ze daar niet goed in slaagde.

Zou John Billy hebben vermoord? Of was het toeval dat John en Billy toevallig allebei iets met haar moeder hadden gehad?

Richard liep met haar naar de deur. 'Als u meer details wilt weten, kunt u altijd naar de bibliotheek gaan om oude kranten op te vragen,' opperde hij.

De bibliotheek. Natuurlijk. 'Dat zal ik doen,' zei ze. 'Dank u wel, Mr. Ryan. Ik kijk uit naar uw telefoontje.'

Ondanks haar verwarde toestand slaagde ze erin de bibliotheek te bereiken. Daar las ze dat de senator op zestien november dood in een hotelkamer in Washington was gevonden. Hij was van dichtbij neergeschoten en op slag dood geweest. Op het moment dat het artikel was geschreven, had de politie nog geen idee wie de dader was.

Met tranen in haar ogen staarde ze naar het scherm van de microfilm waarop het krantenbericht stond. Ergens klopte er iets niet. Waarom was Billy in een hotelkamer gevonden? Wanneer hij in Washington was, logeerde hij altijd bij Sylvia...

Nadat ze een kopie van het artikel had laten maken, reed ze naar huis. Daar draaide ze het telefoonnummer van haar moeders appartement. Terwijl ze wachtte, hield ze zich voor dat er met haar moeder niets aan de hand was. Billy's dood had niets met haar of John te maken.

Een bandje aan de andere kant van de lijn liet haar weten dat het gevraagde nummer niet langer in gebruik was.

Ontzet liet ze zich op haar knieën zakken. Dat kan niet, dacht ze. Ik heb vast het verkeerde nummer gedraaid!

De tweede keer hoorde ze echter weer het bandje.

Had haar moeder een ander nummer gekregen? In paniek belde ze inlichtingen om het nummer van Sylvia Starr in Washington op te vragen. Een vriendelijke stem vertelde haar dat er geen Sylvia Starr in het bestand zat.

Sylvia had geen telefoonnummer, en Billy was dood.

Ze beet op haar lip. Wat moest ze nu doen? Ze wilde weten of alles goed was met haar moeder. Ze moest haar zien te vinden.

Clark Russell. Natuurlijk!

Zodra ze haar emoties weer onder controle had, belde ze de CIA in Langley, Virginia.

'Wie wilt u spreken?' vroeg de telefoniste.

'Clark Russell, alstublieft. Zegt u maar dat Julianna Starr aan de lijn is.'

Na een paar klikken kreeg ze een mannenstem aan de lijn. 'U spreekt met Todd Bishop. Kan ik u misschien van dienst zijn?'

'I-ik wil Clark Russell graag spreken. Het is erg dringend.'

'Het spijt me, maar Mr. Russell is er niet meer. Kan ik u misschien ergens mee helpen?'

De adem stokte haar in de keel. 'Is hij er niet meer?' herhaalde ze. 'Wanneer is hij dan –'

'Hij is in januari de dienst uit gegaan, de mazzelaar,' vertelde Bishop. 'Kan ik misschien –'

Met een kreun van frustratie gooide ze de hoorn op de haak. Daarna ging ze op de grond zitten, vechtend om grip op zichzelf en haar groeiende angst te krijgen.

Billy was vlak na haar vertrek vermoord; Clark werkte niet meer voor de CIA, en haar moeder was onvindbaar.

Snikkend sloeg ze haar armen om haar opgetrokken knieën heen. John was bezig aan een grote schoonmaak. Hij nam wraak op de mensen die hem voor de voeten hadden gelopen.

Waarschijnlijk was Sylvia ook dood...

Ze drukte haar handen tegen haar oren alsof ze daarmee haar gedachten kon uitbannen. Nee, haar moeder kon niet dood zijn. Ze had Billy vast verruild voor die onuitstaanbare miljonair die haar het hof had gemaakt. Dat moest het wel zijn. Sylvia had het huis verkocht en was met haar nieuwe vriend op een cruise gegaan. En Clark was gewoon de dienst uit gegaan, zoals Todd Bishop had gezegd.

Het waren aannemelijke, logische veronderstellingen. Logischer dan de gedachte dat John iedereen uit de weg ruimde die met haar te maken had gehad.

Kom op, Julianna, zo vermaande ze zichzelf. Maak jezelf nu niet zo vreselijk bang. Billy's dood is een schok, maar het is nog geen reden voor paniek. Zet deze nare telefoontjes uit je hoofd en richt je aandacht op je zonnige toekomst met Richard.

32

Onderweg naar huis moest Richard voortdurend denken aan de jonge vrouw die die ochtend bij hem op sollicitatiegesprek was geweest. Hoewel hij zelf niet wist waarom, kon hij haar maar niet uit zijn gedachten krijgen.

Het gesprek met haar was goed verlopen. Haar curriculum vitae was even glanzend als dat van de andere kandidaten die hij had gesproken, en hij was onder de indruk geweest van haar werklust en ambitie. Toch had hij besloten haar niet aan te nemen, omdat ze in zijn ogen net iets te jong, te mooi en te onervaren was.

Desondanks bleef ze maar door zijn hoofd spoken. Hoe langer hij over haar nadacht, hoe meer hij eraan begon te twijfelen of hij haar wel moest afwijzen. Ze had een vastberadenheid die haar eigenlijk wel geschikt maakte voor de baan. Door haar zelfvertrouwen had ze ouder geleken dan ze was en had ze de indruk gewekt dat ze al heel wat van de wereld had gezien.

Hij stuurde zijn auto in de richting van Gerard Street aan het meer. Er verscheen een glimlach op zijn gezicht bij de herinnering aan de manier waarop ze hem had aangekeken. Ze had honderd procent vertrouwen in hem gehad, alsof ze ervan overtuigd was dat hij die post op het OM al in zijn zak had.

Grinnikend schudde hij zijn hoofd. Toen ze zo naar hem had gekeken, had hij moeten denken aan de jonge man die hij op de universiteit was geweest. Arrogant en zeer zelfverzekerd. Vol vertrouwen dat hij een gouden toekomst tegemoet zou gaan. Hij had het gevoel gehad dat hij maar met zijn vingers hoefde knippen om te krijgen wat hij wilde. En nu? Nu was hij gevleid en zo trots als een pauw dat een mooi jong ding vol bewondering naar hem opkeek. Reden te meer om haar niet aan te nemen.

De grijns verdween van zijn gezicht toen hij terugdacht aan haar reactie op het nieuws van Jacobsons dood. Het arme kind; ze was werkelijk erg van streek geweest. Hij had echt medelijden met haar gehad.

Toen hij bij het volgende stoplicht stilstond, dwaalden zijn gedachten naar Kate. Kate had vroeger precies zo naar hem gekeken als Julianna Starr. Ze had naar hem opgekeken of hij de sterren van de hemel kon plukken en het altijd bij het rechte eind had. Bij Kate had hij altijd het gevoel gehad dat hij onkwetsbaar en oppermachtig was.

Peinzend fronste hij zijn wenkbrauwen. Hoelang was het geleden dat ze zo naar hem had gekeken? Wanneer was hij van zijn voetstuk gevallen?

Sinds ze Emma heeft, dreunde het door hem heen. Na Emma's komst was alles tussen hen veranderd.

Zodra het licht op groen sprong, reed hij de Lakeshore Drive op. Voordat hij zijn oprit op reed, zwaaide hij naar zijn buurvrouw, die in haar tuin bezig was.

Kate zat op het hoogste balkon te lezen, met Emma in een schommelwiegje naast haar. Zodra ze hem in de gaten kreeg, zwaaide ze naar hem.

Dat is het, flitste het door hem heen. Julianna Starr doet me denken aan Kate.

Uiterlijk waren er heel wat verschillen tussen de twee vrouwen. Kate was een stijlvolle, klassieke vrouw terwijl Julianna meer leek op de magere jonge supermodellen op de catwalks van Calvin Klein. Toch leken Julianna's gebaren, lachjes en manier van lopen sterk op die van Kate.

Tegen de tijd dat hij de voordeur had opengedaan, was Kate in de keuken al bezig een fles wijn voor hen te openen. Hij sloeg vanachteren zijn armen om haar heen en gaf haar een kus op haar oor.

'Dag, schoonheid,' fluisterde hij.

Lachend draaide ze zich om. 'Dag, lieverd.'

Nadat ze elkaar hadden gekust, keek hij kritisch naar haar gezicht. 'Je ziet er moe uit,' merkte hij op. 'Je hebt kringen onder je ogen.'

'Emma was lastig vandaag,' vertelde ze.

Hij liet haar los om twee wijnglazen te pakken. 'Slaapt ze nu?'

'Gelukkig wel. Ze heeft bijna de hele dag gehuild.'

'Ben je niet naar The Bean geweest?' Hij schonk de wijn in.

'Nee, dat ging niet. Emma zou de hele tent bij elkaar hebben geschreeuwd.' Ze zuchtte en nam een slokje van haar wijn. 'Lekker, zeg. Daar was ik aan toe. Hoe ging het met de sollicitatiegesprekken?'

'Ik heb vandaag een heel interessante jonge vrouw op kantoor gehad.'

'O ja?' Afwezig stelde ze de babyfoon in.

Hij vertelde haar alles wat Julianna hem had verteld. Ook meldde hij dat ze heel jong en zelfverzekerd op hem overkwam.

'Klinkt goed,' luidde haar mening. 'Ben je van plan haar die baan te geven?'

'Ik weet het niet... Misschien is ze te jong. Misschien heeft ze toch wat te weinig ervaring.' Bij het zien van haar sceptische blik schoot hij in de lach. 'Denk jij dat ik er verkeerd aan doe als ik haar passeer?'

Ze beantwoordde zijn vraag met een wedervraag. 'Denk je dat ze geschikt is voor het werk?'

'Ik denk het wel, ja,' antwoordde hij na enig nadenken.

'Denk je dat je goed met haar kunt samenwerken?'

'Ja, ik denk het wel. Alleen is het natuurlijk wel lastig dat ze me zo adoreert.' Lachend ontweek hij de theedoek die ze hem naar het hoofd gooide. 'Wat wil je nou eigenlijk zeggen, Kate? Vind je dat ik haar de baan moet geven?'

'Het blijft jouw beslissing, natuurlijk.' Ze keek naar de babyfoon, waardoor Emma's stem te horen was. 'Maar ze lijkt me een bijzonder geschikte kandidate. Zeker als ze op mij lijkt!'

Ditmaal was zij degene die een theedoek naar haar hoofd kreeg.

'Maar even serieus, Richard,' zei ze toen ze waren uitgelachen. 'Misschien is het een goed idee om haar een kans te geven. Wij zijn toch ook ooit jong en ambitieus geweest? Geef haar een proeftijd van een maand en vertel haar dat je daarna haar werk zult evalueren.'

Peinzend liet hij haar woorden op zich inwerken. 'Oké, dat lijkt me wel een goed idee,' zei hij uiteindelijk. 'Ik geef haar een maand de tijd om zichzelf te bewijzen.'

33

Tijdens de twee daaropvolgende weken stortte Julianna zich vol overgave op haar werk om een goede indruk te maken op Richard. Het werk op zich was dodelijk saai, maar ze vond het heerlijk om met Richard samen te werken.

Ze had twee verschillende manieren bedacht om zijn affectie te winnen. Ten eerste koos ze haar kleding elke dag met zorg uit: rokjes die kort, maar uiterst netjes waren, en blouses die keurig en toch uitnodigend en vrouwelijk waren. Wanneer ze 's ochtends de deur uit ging, wist ze dat ze er beschaafd en toch sexy uitzag.

Ten tweede zorgde ze ervoor dat ze al zijn wensen vervulde en dat hij maar met zijn vingers hoefde te knippen om haar voor hem te laten vliegen. Het was haar bedoeling om onmisbaar te worden, om iemand te worden naar wie hij elke dag weer uitkeek. Uiteindelijk zou hij dan vanzelf gaan inzien dat ze méér voor hem was dan een werknemer en dat hij niet zonder haar kon leven.

Soms, wanneer hij naar haar glimlachte, een hand op haar schouder legde of een blik wierp op haar decolleté of benen, wist ze zeker dat haar plannetje zou lukken. Op andere dagen, wanneer ze hem nauwelijks zag of wanneer hij nauwelijks in de gaten leek te hebben dat ze er was, zonk de moed haar weleens in de schoenen. Op die dagen moest ze zich echt voorhouden dat ze voor elkaar voorbestemd waren en dat hij haar man zou worden.

'Julianna?'

Ze keek op van de telefoon. In de deuropening van haar kleine kantoortje stond Sandy. 'Wat is er?'

'Zullen we samen lunchen?' vroeg Sandy.

'Sorry, ik kan niet,' zei ze. 'Ik ga al lunchen met Mr. Ryan.'

'Echt waar? Met Mr. Richard Ryan?'

'Ja, Sandy,' verzuchtte ze. 'We hebben iets zakelijks te bespreken.'

'O.' Sandy schraapte haar keel. 'Morgen dan, misschien?'

'Dat weet ik nog niet. Ik kan niets beloven.'

'Dat zei je gisteren ook al,' zei Sandy wrevelig, 'en eergisteren ook.'

Ze vernauwde haar ogen tot spleetjes. 'Wat wil je daarmee zeggen?'

'Je werkt nu al twee weken hier. In die tijd hebben we nog niet één keer samen geluncht.'

'Ik heb het druk, Sandy. Mijn werk gaat voor.'

'Dat begrijp ik. Kunnen we dan niet iets afspreken na het werk? Zullen we straks iets gaan drinken?'

'Nee, ik kan niet. Dat zeg ik toch?' Zonder zelfs maar naar Sandy te kijken verdiepte ze zich in het telefoontje dat ze moest plegen.

Sandy gaf echter niet zomaar op. 'Ik zag je gisteren anders wel lunchen met Bruce en Laura,' zei ze. 'Voor hen had je het kennelijk niet te druk.'

Ze slaakte een ongeduldige zucht. Zo langzamerhand begon Sandy vervelend te worden. Dacht die grijze muis nu werkelijk dat ze met háár gezien wilde worden? Stel je voor dat Richard het zag! Aan de andere kant was het waarschijnlijk niet verstandig om van Sandy een vijand te maken.

'Goh, Sandy, het lijkt wel of je jaloers bent,' zei ze plagend. 'Je doet net of ik je bedrieg met een ander.'

Sandy's wangen werden rood van ergernis. 'Dat is niet mijn bedoeling. Maar toen ik je aan dit baantje hielp, zei je dat –'

'Ho eens even, jij hebt me helemaal niet aan dit baantje geholpen,' viel ze Sandy in de rede. 'Dat heb ik zelf gedaan, met mijn eigen talenten. Hoe denk je dat het op andere mensen overkomt als je zoiets zegt?'

Sandy's ogen liepen vol tranen. 'Julianna, ik krijg sterk de indruk dat je niet meer met me wilt omgaan .'

'Onzin.' Ze legde de telefoon neer en pakte haar handtas. 'Dat verbeeld je je maar. Wil je me nu excuseren? Het is al laat, en Richard wacht op me.'

Sandy staarde haar aan. 'Je hebt me gebruikt,' fluisterde ze met trillende stem. 'Je hebt me gebruikt om deze baan te krijgen en in Mr. Ryans buurt te komen.'

'Wat een onzin. Hoe kom je daar nou bij?' Ze deed haar best om haar nervositeit te verbergen. 'Ik wist niet eens dat je hier werkte.'

'Waarom zou ik je geloven?' vroeg Sandy bevend. 'Wie weet heb je me wel wekenlang gevolgd om erachter te komen hoe je het beste in zijn buurt kon komen.'

Ze schrok. Had Sandy haar door? 'Stel je niet aan. Waarom zou ik dat van plan zijn geweest?' vroeg ze hooghartig.

'Omdat je verliefd op hem bent. Iedereen ziet hoe je naar hem kijkt,' antwoordde Sandy.

'Schei toch uit! Jij hebt een therapeut nodig, Sandy. Of een beter sociaal leven.' Boos ging ze voor haar staan. 'Je bent een zielig geval, weet je dat? Ik heb gewoon medelijden met je.'

Met haar neus in de lucht liep ze haar vriendin voorbij. Het kon haar niet eens schelen dat Sandy's schouders schokten van het huilen.

34

Julianna en Richard gingen naar het café tegenover het kantoor. Terwijl ze plaatsnamen bij het raam, keek ze verlangend naar het terras.

'Ik ben dol op buiten eten,' verkondigde ze.

Hij lachte. 'Dat is waar ook, dit is je eerste augustusmaand in het zuiden van Louisiana. Wat vind je ervan? Is het warm genoeg voor je?'

'Ik vind het hier afschuwelijk heet,' antwoordde ze, haar kin ondersteunend met haar handen. 'Wordt het ooit nog wat aangenamer?'

Weer viel het hem op dat ze heel veel weg had van Kate. 'In oktober hebben we meestal wel een paar aangenaam koele dagen,' antwoordde hij.

Met een koket lachje pakte ze de menukaart. 'Je plaagt me.'

'Was het maar waar,' zei hij. 'Moet je je voorstellen hoe het hier was voordat ze airconditioning hadden.'

Ze trok een gezicht van afschuw. Nadat ze de kaart had bestudeerd, gaf ze haar bestelling door aan de serveerster.

Hij keek naar haar. Hoe was het toch in vredesnaam mogelijk dat hij soms het idee had tegenover Kate te zitten?

'Wat is er?' vroeg ze blozend.

'Het klinkt raar, maar je doet me steeds denken aan mijn vrouw.'

'Waarom zou ik dat raar moeten vinden?'

'Omdat je niet echt op haar lijkt.' Hoofdschuddend keek hij toe terwijl ze twee schepjes suiker in haar ijsthee deed. 'Je doet zelfs evenveel suiker in je thee als zij.'

'Ik vind het niet erg om met haar te worden vergeleken,' zei ze zacht. 'Aan de foto op je bureau te zien, is ze erg knap.'

'Dat is ze zeker.'

'Heb je geen kinderen?'

'Pardon?'

'Ik zag geen kinderfoto's op je bureau staan,' legde ze uit.

'Ik heb een dochter,' zei hij. 'Ze is drie maanden oud.' De woorden klonken hem heel onwerkelijk in de oren, alsof hij tegen haar loog. 'Ze heet Emma Grace.'

'Waarom zet je dan geen foto op je bureau?' wilde ze weten. 'Ze is vast beeldschoon.'

'Dat is ze inderdaad.' Hij schraapte zijn keel. Omdat hij het liever niet over Emma wilde hebben, zei hij: 'Even over het werk: ik ben vanmiddag op de rechtbank. Wil jij even noteren wat je straks allemaal voor me kunt doen?'

'Natuurlijk.' Ze haalde haar pen en notitieblok uit haar tas. 'Zeg het maar.'

'Heb je gebeld om het tijdstip van mijn lezing te bevestigen?'

'Ja zeker.' Ze keek op haar aantekeningen. 'Je wordt aangekondigd door de voorzitter, Jay Sumners. Ik heb hem wat informatie opgestuurd waarmee hij zijn speech kan maken. Mr. Sumners heeft gevraagd of je de laatste twintig minuten van je tijd wilt openhouden voor vragen uit de zaal.'

'Oké.' Hij nam een slokje van zijn thee en dicteerde haar een lijst met opdrachten. 'Volgende week ben ik de hele week op de rechtbank, dus dan zien we elkaar amper. Ga maar gewoon door met de taken die ik je heb gegeven en neem via Nancy contact met me op als er echt iets dringends is.'

'Goed.' Ze nam een hapje van haar salade, die even daarvoor op tafel was gezet. 'Hoelang gaat dat proces duren?'

'Een week of drie,' antwoordde hij. 'Er is veel bewijsmateriaal aanwezig, waaronder DNA-materiaal. Dat is altijd lastig.'

'Vind je het niet afschuwelijk om al die bewijsstukken te moeten bekijken?' vroeg ze. 'Ik bedoel, dit proces gaat toch om die man die ervan wordt beschuldigd zijn vriendin in stukken te hebben gehakt?'

De pers had zijn cliënt dokter Death genoemd, vanwege de gruwelijke aard van de moord en het feit dat de verdachte een bekende chirurg uit New Orleans was.

'Het valt soms inderdaad niet mee, maar het hoort nou eenmaal bij mijn vak.'

'Denk je dat je hem vrij krijgt?'

'Ik hoop het wel, want ik denk dat hij onschuldig is.'

'Wat doe je nou als je denkt dat je cliënt wel schuldig is?'

'Dan heeft hij nog steeds recht op verdediging. In dit land ben je onschuldig totdat het tegendeel bewezen is. Iedere Amerikaan heeft het recht op een eerlijk proces en een onbevooroordeelde raadsman of -vrouw.'

Bij het zien van haar bewonderende blik, voelde hij zich ineens weer twintig. 'Aan de andere kant: het lijkt me heel gezond om het zaakje ook eens door de ogen van het OM te bekijken,' vervolgde hij. 'Ik heb wel eens mensen vrij gekregen van wie ik wist dat ze de misdaad hadden gepleegd. Dat gaf me geen prettig gevoel. Ik heb me wel eens moeten inhouden om de rechter niet te vertellen wat ik allemaal wist.'

'Wow.' Ze leunde voorover, waardoor de aanzet van haar borsten zichtbaar werd.

Hij merkte dat die aanblik hem opwond. Schuldbewust keek hij weg om zijn gêne voor haar te verbergen.

'Ik vind het echt een eer om voor je werken,' zei ze, vanonder haar wimpers naar hem kijkend.

'Dat klinkt alsof ik een stokoude rechter met rimpeltjes en artritis ben,' grapte hij.

Ze schoot in de lach. 'Integendeel. Je bent de meest sexy man die ik...' Blozend sloeg ze een hand voor haar mond. 'Dat had ik niet mogen zeggen. Het spijt me.'

'O, alsjeblieft, verontschuldig je niet. Ik ben wel oud, maar nog lang niet dood. Een compliment van een mooie vrouw is altijd welkom.' Ik vind het zelfs bijzonder opwindend, voegde hij er in gedachten aan toe. Het was eeuwen geleden dat iemand met zoveel adoratie naar hem had gekeken. Zelfs Kate zag hem tegenwoordig meer als vader dan als man.

'Vind je me mooi? Dank je wel.'

'Graag gedaan,' zei hij grinnikend. Je flirt met haar, flitste het door hem heen. Hoewel hij wist dat hij het gesprek beter weer op hun werk kon brengen, leunde hij dichter naar haar toe dan strikt noodzakelijk was. 'Vertel me eens wat meer over jezelf,' verzocht hij haar. 'Je werkt nu al twee weken voor me, maar ik weet nog net zo weinig van je als op de dag van ons sollicitatiegesprek.'

'Wat wil je van me weten?' vroeg ze terwijl ze haar bord opzijschoof.

Alles, dacht hij meteen. Ik wil weten waar je van houdt, wat voor jeugd je hebt gehad en op welk type man je valt.

Hij slikte krampachtig. Zulke gedachten had hij niet meer over een vrouw gehad sinds hij Kate zijn jawoord had gegeven. Natuurlijk had hij wel eens bewonderend naar een paar borsten of billen gekeken, of zich afgevraagd of een andere vrouw goed zou zijn in bed. Dat deden toch alle mannen?

Maar dit was anders. Hij merkte dat hij belangstelling had voor Julianna als persoon. Hoewel hij graag naar haar korte rokjes keek, was de aantrekkingskracht niet alleen lichamelijk. Het was geen misdaad om belangstelling te hebben voor een mooie secretaresse. Het betekende ook helemaal niet dat hij van plan was Kate te bedriegen. Hij hield van zijn vrouw en had respect voor zijn huwelijksbeloften. Hij was zijn wilde haren allang kwijtgeraakt, nog voordat hij met Kate was getrouwd.

Het was maar goed dat hij zo'n goed huwelijk had, want anders zou het gevaarlijk zijn geweest om een vrouw als Julianna Starr in zijn buurt te hebben.

35

'Werk nu een beetje mee, schat,' zei Kate tegen Emma, die uit alle macht met haar armpjes en beetjes zwaaide. 'Je wilt toch mooi zijn voor het bezoek? En voor papa?'

Als reactie op haar woorden gingen Emma's armpjes nog harder maaien. Het leek wel of ze het bijzonder komisch vond dat haar moeder er niet in slaagde haar aan te kleden.

Uiteindelijk schoot Kate ook in de lach. 'Stouterd,' zei ze, haar hoofd buigend om een dikke kriebelkus op Emma's blote buik te geven.

Emma gierde het uit.

Behendig gebruikte Kate dat moment om haar een rompertje over haar hoofd te trekken. 'Hebbes,' zei ze triomfantelijk, de drukknoopjes tussen de beentjes vastmakend.

Ze wierp een blik op haar horloge. Nog een paar minuten, dan kwam Richard zijn nieuwe assistente aan haar voorstellen. Dat betekende dat ze moest opschieten, want ze was zelf nog niet eens aangekleed. Nadat ze Emma onder haar kleurige mobile had gelegd, rende ze naar haar eigen slaapkamer om iets aan te trekken.

Net toen ze de knoopjes van haar katoenen zomerjurk wilde dichtmaken, hoorde ze hem thuiskomen. 'Ik kom er zo aan, schat!' riep ze naar beneden. 'Er ligt een fles witte wijn in de koelkast en een rode in het wijnrek. Wil je voor mij alvast een glas rode wijn inschenken?'

Ze liep naar de spiegel om haar make-up te controleren, want ze was een beetje nerveus bij het vooruitzicht Julianna te ontmoeten. Richard stak al weken lang de loftrompet over haar. Toen hij had verteld dat hij en Julianna moesten overwerken, had Kate voorgesteld om Julianna te eten te vragen. Dan konden ze na het eten aan het werk gaan in Richards studeerkamer terwijl Kate de tafel afruimde en voor Emma zorgde.

'Ik wil die briljante beschermeling van jou weleens zien,' had ze plagend gezegd.

'Je bent gewoon jaloers dat ik zoveel tijd doorbreng met een andere vrouw,' had hij gepareerd.

Lachend had ze hem een dikke kus gegeven.

Het lachen verging haar toen ze de trap af kwam en Julianna in de woonkamer zag staan.

'Dag, Kate.' Glimlachend kwam Julianna op haar af.

Kate schudde haar uitgestoken hand. Uit Richards beschrijvingen had ze begrepen dat zijn assistente een leuk, pittig jong ding was dat nog veel moest leren. Ze had niet verwacht dat Julianna zo'n mooie, wereldwijze en sexy vrouw zou zijn. Ook had ze nooit gedacht dat het meisje met haar tweeëntwintig jaar zo zelfverzekerd zou overkomen. En ze had al helemaal niet verwacht dat ze zo verliefd en bezitterig naar Richard zou kijken...

'Dag, Julianna,' zei ze. 'Ik ben blij dat ik eindelijk met je kan kennismaken.'

De jonge vrouw keek naar Emma, die in Kates armen lag. 'Zo, dus deze kleine schoonheid is Emma Grace, Richards baby,' merkte ze met een raadselachtig lachje op.

Kate rechtte haar rug. 'Onze baby,' verbeterde ze.

Snel keek Julianna naar Richard. 'Ik zou haar dolgraag eens willen vasthouden.'

'Ga je gang,' zei hij.

'Nee!' Intuïtief wendde ze zich van Julianna af. 'Het spijt me, maar Emma reageert niet goed op vreemden,' verzon ze blozend. 'Ze heeft even tijd nodig om aan nieuwe gezichten te wennen.'

'Sinds wanneer?' vroeg Richard verbaasd. 'Geef haar toch even aan Julianna. Ik weet zeker dat ze haar met alle plezier teruggeeft zodra ze begint te huilen.'

Kates blos werd dieper van kleur. Had hij gelijk? Gedroeg ze zich als een overdreven beschermende moederkloek? Met samengeknepen keel gaf ze haar dochter aan Julianna. Terwijl ze Richards assistente met het kind zag tuttelen, moest ze zich inhouden om Emma niet terug te graaien.

Ze vroeg zich af waarom ze de jonge vrouw intuïtief niet mocht. Was het haar schoonheid? Haar gespeelde warmte? Was ze gewoon jaloers? Ze had geen idee wat het was, maar Julianna had op haar het effect van een krassende nagel over een schoolbord.

Zodra Emma begon te mopperen, nam ze haar dochter dan ook weer van Julianna over. 'Je weet hoe baby's zijn,' zei ze verontschuldigend. 'Ze zijn altijd het liefst bij hun moeder.'

'Richard zei dat ze geadopteerd was.'

Het was of ze een klap in haar gezicht kreeg. Ze draaide zich om naar Julianna, die wederom een raadselachtig, haast triomfantelijk lachje om haar mond had. Ze zag eruit alsof ze genoot van een geheimpje dat ze met opzet voor hen verborgen hield.

Word nu niet boos, Kate, hield ze zich voor. Laat je niet op de kast jagen door een van Richards jongste werknemers. 'Dat klopt,' zei ze koeltjes. 'Willen jullie me even excuseren? Dan haal ik wat lekkere hapjes voor bij de wijn.'

Tot haar ergernis volgde Julianna haar naar de keuken.

'Je bent zeker wel blij met Emma, hè?' vroeg ze. 'Het valt vast niet mee om een baby te vinden.'

In stilte dwong ze zichzelf tot tien te tellen. Normaal vond ze het helemaal niet erg als mensen haar naar de adoptie vroegen. Het feit dat Emma geadopteerd was, hoorde nu eenmaal bij het kind. Wanneer mensen domme of kwetsende opmerking maakten, maakte ze altijd van de gelegenheid gebruik om hen een beetje op te voeden.

Ze vóélde echter dat Julianna met haar vraag een bijbedoeling had. Richards assistente probeerde haar pijn te doen, haar te raken op een gevoelige plek. Hoewel ze haar nog maar een paar minuten kende, besloot ze dat Julianna een onbetrouwbare, onaardige vrouw was.

'We hebben haar niet gevónden, Julianna,' legde ze geduldig

uit. 'We hebben haar geadopteerd via een zeer betrouwbaar bemiddelingsbureau.'

'De grill is al warm,' zei Richard, die de keuken binnen kwam. Hij liep naar de schaal met brie, aardbeien en toastjes die ze had klaargezet.

'We hadden het net over adoptie,' vertelde Julianna. 'Ik zei tegen Kate dat het heerlijk was dat jullie Emma hebben kunnen adopteren.'

Bij het zien van Richards glimlach, verslikte Kate zich bijna in een aardbei. Het was wel duidelijk dat hij heel anders over zijn assistente dacht dan zij.

'Dat vinden wij ook,' zei hij. 'We beschouwen het eigenlijk als een soort wondertje, hè schat?'

'Dat klopt,' antwoordde ze, dankbaar voor zijn opmerking.

'Laat jij Julianna maar even het huis zien,' stelde hij voor. 'Dan leg ik ondertussen de biefstukken onder de grill.'

Hoewel ze totaal geen zin had om Julianna Starr door haar huis te leiden, wist ze niet goed hoe ze er beleefd onderuit kon komen. Terwijl ze van kamer naar kamer liep, had ze het vreemde gevoel dat Julianna hier al eens eerder was geweest. Het was alsof ze de indeling van het huis allang kende en wist waar alle slaapkamers waren.

Om te kijken of dat rare gevoel terecht was, ging ze iets langzamer lopen. Zoals ze had verwacht, nam Julianna onmiddellijk de leiding, waardoor Kate haast het idee kreeg dat zij degene was die een rondleiding kreeg. Die gedachte stond haar helemaal niet aan.

'En dit is Richards werkkamer,' zei Julianna zacht, de juiste kamer in lopend. Ze sloot haar ogen en ademde heel diep in door haar neus. 'Het ruikt hier lekker naar hem.'

Ze wist niet wat ze hoorde. 'Pardon?'

'Hij is een geweldige man, Kate,' zei Julianna, naar haar opzij kijkend. 'Je hebt geluk gehad.'

'Gehad? Dat klinkt haast alsof er een einde aan komt,' merkte ze op geforceerd luchtige toon op.

'Sorry, zo bedoelde ik het niet,' zei Julianna. 'Mag ik de babykamer zien? Die is even verderop, toch?'

'Ja, maar die lijkt me niet erg interessant voor je.'

'Natuurlijk wel! Dacht je dat ik de kamer van die lieve kleine Emma niet wilde zien?' Ze lachte naar de baby, die comfortabel in Kates armen lag.

'Nou, goed dan.' Met tegenzin leidde ze haar naar de babykamer.

'O, wat een schattige kamer!' riep Julianna uit zodra ze er binnen liep. 'Echt een kleinemeisjesdroom, met al die lieve zachte tintjes.' Ze liep naar het rijtje foto's boven de commode en bestudeerde ze schaamteloos. 'Heb je er geen van Emma met haar vader?' vroeg ze over haar schouder aan Kate.

Kate voelde een ijskoude tinteling over haar rug. 'We hebben er wel een gehad,' antwoordde ze met droge mond. 'Die foto is gestolen.'

'Gestolen?' herhaalde Julianna geschrokken. 'Hebben ze hier ingebroken? Wat afschuwelijk.'

Kate lachte ongemakkelijk. 'Nou, dat weten we niet zeker. De foto was opeens verdwenen.'

'O, zulke dingen gebeuren mij voortdurend. Vervelend is dat, hè?' vroeg Julianna. 'Misschien komt hij uiteindelijk toch weer boven water.'

De babykamer was de laatste kamer op de bovenste verdieping. Kate nam Julianna mee naar haar atelier in het souterrain, waar Julianna op haar gemak rondslenterde en dingen oppakte.

Van die minuten maakte Kate gebruik om Julianna te observeren. Richard had gezegd dat Julianna hem aan haar deed denken. Eerst waren de overeenkomsten haar niet opgevallen, maar nu zag ze het wel. Op een raar soort manier leek Julianna wel een spiegelbeeld van haar. Ze had hetzelfde kapsel, dezelfde kledingstijl, glimlach, gebaren en intonatie.

Ze slikte moeizaam. Het was alsof Julianna 's nachts haar slaapkamer in was geslopen om een deel van haar identiteit in te pikken! Wat wilde Julianna nog meer van haar hebben, vroeg ze zich af.

'Zullen we weer naar Richard gaan? Ik denk dat de biefstukken bijna klaar zijn,' zei ze na een blik op haar horloge.

Het leek wel of Julianna haar niet had gehoord. 'Ik wilde zelf ook kunstenares worden, maar ja...' Haar blik viel op Kates gesigneerde exemplaar van Dead Drop. 'Dat boek heb ik net gelezen. Heb jij het al uit?'

'Nog niet, nee.'

Julianna sloeg het boek open om Lukes opdracht te lezen.

Opnieuw had Kate de neiging haar eigendom uit Julianna's handen te grissen.

'Jullie kennen de auteur, zie ik.'

'Ja. Hij is een oude vriend van ons,' zei ze koeltjes, haar hand uitstekend naar het boek. Nadat Julianna het aan haar had gegeven, legde ze het weg op een plank. 'Nu moeten we echt weer naar boven, want ik weet zeker dat Richard op ons zit te wachten.'

Uren later, na Julianna's vertrek, stond Kate voor de slaapkamerspiegel aan Richards assistente te denken.

Richard zat in bed zijn aantekeningen voor de volgende dag te bekijken.

'Ik mag haar niet, Richard,' zei ze.

'Wie?' vroeg hij, opkijkend van zijn werk.

'Julianna.'

Die mededeling leek hem hevig te verbazen. 'Waarom niet?'

Ze heeft iets... iets achterbaks over zich,' antwoordde ze. 'Ik weet heel zeker dat ze je niet alles over zichzelf heeft verteld.'

'Dat zou me ook ten zeerste verbazen,' zei hij grinnikend. 'Ik ben haar baas, weet je nog?'

'Zo kijkt ze anders niet naar je,' zei ze zacht.

'Schei toch uit, Kate. Ze is gewoon –'

'Je ziet het niet,' onderbrak ze hem. Ze deed tandpasta op haar tandenborstel. 'Ze kijkt naar je alsof ze je op wil eten.'

'Hoe kom je daar nou bij?' vroeg hij op geamuseerde toon.

'Ik meen het, Richard,' zei ze serieus. 'Heb je gezien hoe ze naar Emma keek? Alsof Emma van háár was. En tijdens de rondleiding deed ze net of het hele huis haar eigendom was. Het leek wel of ze hier eerder was geweest. Echt waar, ik had durven zweren dat ze de indeling van het huis kende.'

'Ze zal er wel eens over hebben gefantaseerd, Kate,' zei hij schouderophalend. 'Welk jong meisje droomt er nou niet van een mooi huis als dit? En welk meisje droomt nou niet van het soort huwelijk dat wij hebben?' Met een warme glimlach keek hij haar aan. 'Misschien zou je niet achterdochtig moeten zijn, maar gevleid.'

Achterdochtig? Gevleid? Ik voel me bedreigd, dacht ze.

'Er was iets boosaardigs aan haar manier van doen,' hield ze vol. 'Jij hebt het misschien niet gevoeld, maar ik wel.'

'Volgens mij zie je spoken.' Hij klopte met zijn vlakke hand op haar kant van het bed. 'Kruip maar gauw in bed. Je bent moe en gespannen. Je zult zien dat je er morgenochtend heel anders tegenaan kijkt. Dan zul je zelf zien dat er helemaal niets aan de hand is.'

De volgende ochtend was ze echter nog veel ongeruster en banger dan de avond ervoor. Ze had nachtmerries gehad van een levensgevaarlijk, dreigend wezen dat haar achtervolgde. Het wezen, dat geen gezicht had, was van plan alles wat haar dierbaar was te vernietigen.

Terwijl ze in de keuken een kop koffie dronk om tot rust te komen, drong het tot haar door dat ze er misschien niet goed aan had gedaan om haar man aan te raden Julianna Starr in dienst te nemen.

36

De nacht na het etentje kon Julianna niet slapen. Met opgetrokken knieën zat ze op haar bed na te denken over alles wat ze had ontdekt over Richard en Kate.

Nu ze hen samen een avond had meegemaakt, wist ze precies waar de zwakke plek in hun huwelijk zat. Ze wist waaraan Richard behoefte had en hoe ze hem van Kate kon afpakken. Sylvia had gelijk: iedere man had een achilleshiel, waar hij vreselijk kwetsbaar was.

Het was haar al snel duidelijk geworden waar Richards achilleshiel zat: Kate hield niet genoeg van hem. Hij had een vrouw nodig die hem het gevoel gaf dat hij sterk en supermannelijk was. Een vrouw die op hem leunde, die vertrouwde op zijn mening en die de grond onder zijn voeten aanbad.

Kate was veel te onafhankelijk om op die manier van Richard te houden. Daarnaast was ze nu zo gericht op Emma, dat haar mans behoeften in de verdrukking kwamen. Julianna werd nog misselijk wanneer ze aan moeder en kind dacht. Kate had Emma de hele avond bij zich gehouden. Zelfs tijdens het eten had ze het kind op haar knie laten zitten om haar te kunnen knuffelen en strelen. Zo maakte ze het Julianna wel heel gemakkelijk om Richard van haar af te nemen.

En zo was het ook voorbestemd.

Giechelend dacht ze terug aan het etentje. Naast het feit dat

Kate Richard verwaarloosde, had ze nog een wapen ontdekt: Luke Dallas. Tijdens het eten had ze achteloos laten vallen dat ze Lukes gesigneerde boek in Kates atelier had zien liggen. Meteen had ze Richard boos zien verstijven.

Kate had gauw een leugentje verzonnen. Een vriendin van haar was naar de lezing geweest en had het boek voor haar meegenomen, had ze beweerd.

Maar Julianna wist hoe de vork werkelijk in de steel stak, want ze was die ochtend naar The Uncommon Bean gegaan. Daar had ze Marilyn tegen Blake horen zeggen dat Kate naar de stad was om Luke te ontmoeten.

Die wetenschap kon ze mooi tegen Kate gebruiken. Ze zou Kates leugen en Richards jaloezie gebruiken om een wig tussen hen te drijven, waarna ze haar slag kon slaan.

Het was allemaal zo eenvoudig. Ze hoefde hem alleen maar te verwennen, naar hem op te kijken en hem het gevoel te geven dat hij een echte man was. Ze zou begrijpend naar hem luisteren en altijd voor hem klaarstaan wanneer hij zijn hart wilde luchten.

Zodra de kloof tussen de beide echtelieden onoverbrugbaar was, zou ze hem met open armen opwachten.

37

Met roffelend hart stond John voor de deur van Buster's. Hij sloot zijn ogen en dwong zichzelf diep adem te halen door zijn neus. Eindelijk was er een eind gekomen aan zijn speurtocht. Het had acht maanden geduurd, maar nu had hij zijn engeltje eindelijk gevonden. Nog even, dan zou hij Julianna weer zien.

Voor de zekerheid controleerde hij nogmaals het adres dat hij via de belastingdienst had gekregen, waarna hij zijn blik kritisch over de vuile gevel liet dwalen. Het was onvoorstelbaar dat ze zo laag had kunnen zinken, maar het bewijs dat ze hier werkte, had hij in zijn hand. Haar baas had keurig haar sofi-nummer aan de belasting doorgegeven.

Hij glimlachte tevreden. Maandenlang had hij tevergeefs allerlei valse sporen gevolgd, maar nu had hij haar dan eindelijk te pakken. Nu hoefde hij niet meer te piekeren of vanaf een afstandje naar haar te verlangen.

Een veel te blonde serveerster met een mond vol kauwgom begroette hem zodra hij binnenkwam. 'Hallo, schat, zoek maar een plaatsje. Ik kom zo bij je.'

Alsof hij in dit soort tenten iets zou willen bestellen! Hij liep naar de kassa, waarachter een meisje met een verveeld gezicht zat. 'Hallo. Is de eigenaar of manager misschien aanwezig?' vroeg hij.

Het meisje knikte. 'Buster!' schreeuwde ze over haar schouder. 'Je hebt bezoek!'

Een man met een vuil schort kwam de keuken uit. 'Ik ben Buster Boudreaux,' zei hij tegen John. 'Wat kan ik voor u doen?'

'Ik ben advocaat bij Reed, Reed & White,' zei John, hem een kaartje overhandigend. 'Ik behandel de nalatenschap van Jonathan Starr en ben in verband daarmee op zoek naar zijn dochter, Julianna. Klopt het dat ze hier werkt?'

Nieuwsgierig keek Buster van het kaartje naar hem. Aan zijn gezicht was te zien dat hij zich afvroeg of hij hier iets mee kon verdienen.

'Ms. Starr heeft een aanzienlijke hoeveelheid geld geërfd, Mr. Boudreaux,' vervolgde John. 'We willen er dus graag achter komen waar ze is. Degene die ons aan haar adres kan helpen, kan rekenen op een aardige beloning.'

Met een norse blik stak Buster het kaartje in zijn zak. 'Ze heeft hier inderdaad gewerkt,' vertelde hij. 'Maar zo'n vier, vijf maanden geleden is ze zomaar vertrokken, zonder zich ook maar iets aan te trekken van de opzegtermijn.'

'Waar is ze naartoe gegaan?' Hij kon zijn opwinding nauwelijks verbergen. Hij was nu zo dichtbij, dat hij haar bijna kon ruiken.

'Geen idee. Ze heeft geen adres achtergelaten,' antwoordde Buster. 'Misschien weet een van de serveersters het. Lorena!'

De geblondeerde serveerster die hem had begroet, draaide zich om naar de toonbank.

'Deze man is op zoek naar Julianna. Ze heeft een hoop geld geërfd. Weet jij waar ze is?'

'Nee, en het interesseert me ook niet,' antwoordde Lorena kattig. 'Dat verwende mormel dacht dat ze veel beter was dan wij, ondanks dat buitenechtelijke kind in haar buik. Ik ben blij dat die akelige trut weg is.'

Met moeite slaagde hij erin zijn woede te beheersen. Hoe durfde dit menselijk stuk zwerfvuil zo over zijn Julianna te praten? Hij zou haar straffen voor haar brutaliteit.

'Ik heb wel het adres waar ze woonde toen ze hier nog werkte,' zei Buster. 'Wilt u dat hebben?'

'Graag.'

Buster liep naar zijn kantoor om een stukje papier te halen.

'Zorgt u dat ik een beloning krijg wanneer u haar vindt?' vroeg hij nadat hij het adres had opgeschreven.

'Zeker.' Terwijl hij het briefje in zijn borstzak stopte, keek hij naar de blondine. 'En ik zal ervoor zorgen dat jij ook wat krijgt, liefje.'

Later die avond werd Lorena opgehaald door een man. Ze gingen samen naar een bar om iets te drinken, waarna ze ieder hun eigen weg gingen.

John stapte uit de donkere schaduwen te voorschijn om de blondine te volgen. In het donker liep hij bijna geluidloos achter haar aan.

Pas toen hij vlak achter haar stond, kreeg ze hem in de gaten. Ze wilde er geschrokken vandoor gaan, maar het was al te laat. Hij gaf haar zo'n harde klap tegen haar hoofd, dat ze languit op straat viel, waar ze thuishoorde.

Snikkend smeekte ze hem haar in leven te laten.

Vol walging gaf hij haar zo'n harde trap in haar ribben, dat ze een stukje van de grond werd opgetild. Vervolgens gaf hij haar net zo'n harde schop in haar onderbuik.

Hij doodde haar niet. Maar later zou ze zo'n pijn hebben, dat ze zou wensen dat hij haar had vermoord.

Voordat hij wegliep, boog hij zich voorover om nog iets tegen haar te zeggen. 'Zorg dat je volgende keer wat meer respect toont voor mensen die beter zijn dan jij.'

38

Richard zat tegenover Julianna in het café vlak bij zijn werk. Van over de rand van zijn kaart keek hij naar haar gezicht. Aandachtig bestudeerde ze het menu.

De laatste tijd vond hij het steeds prettiger om naar haar te kijken. Hij genoot van haar jonge, frisse huid, haar parelende lach en van de bewonderende, respectvolle blikken die ze hem schonk.

Wat had Kate ook alweer van haar gezegd? Dat ze haar achterbaks, oneerlijk en een manipulator vond. Daar was hij het niet mee eens. Hoewel hij inmiddels heel wat tijd met Julianna had doorgebracht, kon hij alleen maar aardige kanten aan haar ontdekken.

Hij vermoedde dat Kate jaloers was op zijn mooie assistente, al zou ze natuurlijk nog liever het puntje van haar tong afbijten dan dat toegeven. Ach, eigenlijk kon hij het haar ook niet kwalijk nemen als ze Julianna benijdde. Julianna was jong, mooi en zo vrij als een vogel, terwijl zijzelf inmiddels met handen en voeten gebonden was. Want hoewel ze dolgelukkig was met Emma, viel het lang niet altijd mee om 's nachts te moeten opstaan, huilbuien te moeten aanhoren en rekening te moeten houden met het schema van een baby. Ze had haar werk in The Bean nog altijd niet hervat, en hij kon zich niet herinneren wanneer hij haar voor het laatst in haar atelier had gezien.

'Ik denk dat ik gegrilde kip neem,' zei Julianna, haar menu-kaart dichtslaand. Er verscheen een lichte blos op haar wangen toen ze in de gaten kreeg dat hij naar haar zat te kijken. 'Wat is er?' vroeg ze. 'Waarom kijk je zo naar me?'

Hij lachte. Het was jaren geleden dat hij een vrouw had laten blozen. 'Zomaar,' antwoordde hij.

'Waarom kijk je dan...' De blos op haar wangen werd nog die-per. 'Je zit naar me te staren, Richard.'

'O ja?' Hij legde zijn hand onder zijn kin.

'Dat weet je best! Je...' Ze maakte een ongeduldig geluid. 'Oké, staar dan maar. Het doet me niets, echt niet.'

Grinnikend legde hij zijn menukaart opzij. Het was inmiddels zijn gewoonte geworden om bijna elke lunchpauze vrij te hou-den voor Julianna. Dat bleek een goed moment te zijn om samen zijn campagneagenda door te nemen en hun vooruitgang te be-spreken.

'Heb je Leo deze week nog gesproken?' wilde ze weten.

Leo Bennett was een politiek adviseur, die hem hielp bij zijn campagne. Op dit moment had hij alleen nog een rol in de cou-lissen, maar naarmate de verkiezingsdatum dichterbij kwam, zou zijn aandeel steeds groter worden.

'Ja. Hij heeft me een lijst gestuurd van groeperingen waar ik volgens hem lezingen voor moet geven.' Uit zijn zak haalde hij een vel papier, dat hij aan haar gaf.

Nadat ze de lijst vluchtig had doorgelezen, stopte ze het papier in haar agenda. 'Oké, ik zal vanmiddag een aantal van deze orga-nisaties bellen.'

De ober kwam langs om hun drankjes voor hen neer te zetten.

'Heb je een leuk weekend gehad?' vroeg Richard zodra de man weer weg was.

'Gaat wel.'

'Geen spannende afspraakjes?' vroeg hij op plagende toon.

'Nee, hoor. Heb jij het leuk gehad?'

'Ach, wat zal ik zeggen. Het was weer een rustig weekendje thuis met de baby.'

Ze trok een meelevend gezicht. 'Wil Kate nog steeds geen op-pas inhuren?'

Een week eerder had hij tot zijn eigen verbazing bij haar ge-klaagd dat Kate het huis niet meer uit wilde. Even was hij bang geweest dat hij hun werkrelatie in gevaar bracht met zulke ont-boezemingen, maar ze had fantastisch gereageerd. Ze had ge-duldig naar hem geluisterd en begrip getoond voor zijn frustra-ties.

Sindsdien nam hij haar eigenlijk steeds vaker in vertrouwen. Hij sprak over zijn verwachtingen van de campagne, zijn zorgen over de gezondheid van zijn ouders, een blunder van een collega en zijn aversie tegen een bepaalde rechter. Als hij eerlijk was, keek hij zelfs uit naar die gesprekken. In tegenstelling tot Kate, had Julianna altijd tijd voor hem.

'Het valt inderdaad niet mee om haar zover te krijgen,' erken-de hij. 'Ze wil geen tieners uit de buurt, want die vindt ze te jong. Ze heeft twee vrouwen gevonden die ze wel zou willen, maar die zijn bijna altijd bezet. Ik heb de indruk dat ze nauwelijks meer de moeite neemt om iemand te vinden.' Hij hief zijn handen op. 'Ik begrijp haar de laatste tijd niet meer.'

'Hoe kan dat nou?' vroeg ze ongelovig. 'Zo erg kan het toch niet zijn? Ze is je vrouw, Richard. Jullie zijn al jaren bij elkaar.'

'Dat weet ik, maar ze is veranderd. Vroeger gingen we 's avonds uit of ontvingen we gasten. Nu heeft ze alleen nog maar tijd voor...' Hij maakte zijn zin niet af, omdat hij zelf hoorde dat hij klonk als een verwend kind. 'Ach, het kost tijd om aan de komst van een baby te wennen,' zei hij toen. 'Het duurt even voordat iedereen zijn ritme heeft hervonden.'

'Dat denk ik ook,' zei ze zacht. 'Hoe oud is Emma nu?'

'Vier maanden.'

'Vier maanden,' herhaalde ze peinzend.

'Wat dan?'

Ze haalde haar schouders op. 'Ik heb natuurlijk nooit een kind gehad, maar ik heb weleens gehoord dat vrouwen...' Ze schudde haar hoofd. 'Ach, waar bemoei ik me eigenlijk mee. Het zijn za-ken die mij niet aangaan.'

'Wat wilde je zeggen?' vroeg hij. 'Vertel maar wat je denkt. Ik ben er toch zelf over begonnen?'

'Ik weet dat sommige kersverse moeders zo depressief worden, dat hun echtgenoten ze amper nog herkennen,' vertelde ze. 'Zou dat bij Kate misschien het geval kunnen zijn? Heb je de indruk dat ze gelukkig is?'

Hij fronste zijn wenkbrauwen. 'Je hebt haar laatst gezien. Hoe kwam ze op jou over?'

Ze wachtte even met antwoord geven, alsof ze haar woorden zorgvuldig wilde wegen. 'Ik had de indruk dat ze... dat ze een zeer toegewijde moeder is.'

Maar geen toegewijde echtgenote, was de onuitgesproken boodschap die daar achteraankwam. Dat hoefde ze hem echter niet te vertellen, want dat wist hij zelf ook wel.

'Probeer maar een beetje geduld met haar te hebben,' adviseerde ze hem. 'Deze fase gaat vast wel over.'

Terwijl hij naar de ober keek, die kwam aanlopen met twee borden, vroeg hij zich af wat hij moest doen als deze fase níét vanzelf overging. Stel dat Kate en hij steeds verder uit elkaar groeiden, tot ze elkaar niet meer begrepen of elkaar niets meer te vertellen hadden...

Hij nam een paar happen van zijn lunch.

'Richard?' klonk Julianna's stem zacht.

Vragend keek hij op van zijn bord.

Ze stak haar hand uit om haar vingers op zijn hand te leggen. Tot zijn verbazing schoot er een bliksemschicht van opwinding door hem heen.

'E-er is iets wat ik je moet vertellen, maar ik weet eigenlijk niet zo goed hoe ik het moet formuleren,' zei ze hakkelend. Ze schraapte haar keel en leek al haar moed te moeten verzamelen om door te gaan. 'Ik loop hier nu al dagen mee rond. Ik weet niet of ik er goed aan doe om je dit te zeggen, maar nu je zelf zegt dat er iets tussen jou en Kate is veranderd...'

'Gaat het over Kate?'

'Ja.' Ze keek naar haar bord en toen weer naar hem. 'E-en over Luke Dallas.'

Hij voelde zijn gezicht verstrakken. 'Waar heb je het over?'

'Tijdens dat etentje heeft ze gelogen over dat gesigneerde boek van Luke Dallas,' vertelde ze. 'Ze heeft het niet gekregen van een vriendin. Ik heb haar zelf gezien.'

'Waar heb je haar gezien?'

'Bij die lezing en in de boekhandel waar Dallas zijn werk signeerde. Ze had Emma bij zich. Ik herinner me nog dat ik medelijden had met je dochter, omdat Kate heel lang in de rij moest wachten voordat ze Dallas kon spreken. Ze zag er die dag erg moe uit.'

Het kostte hem moeite om zijn woede, ergernis en schaamte te verbergen. Had Kate tegen hem gelogen? Hoe had ze dat in vredesnaam kunnen doen? En waarom had ze het gedaan waar Julianna bij was?

Julianna sloeg haar ogen neer. 'O jee, nu heb ik je van streek gemaakt. Misschien had ik mijn mond moeten houden. Het spijt me vreselijk, Richard. Ik dacht alleen dat je wel zou willen weten dat ze...'

Dat ze stiekem naar de stad is gegaan om haar oude vriendje te zien terwijl ze geen tijd heeft om uit eten te gaan met haar man. Dat ze ronduit heeft gelogen.

'Het spijt me zo,' mompelde ze met haar ogen vol tranen. 'Vergeet alsjeblieft dat ik dit heb gezegd. Ik zou niet willen dat jullie hierover ruzie kregen.'

'Maak je maar geen zorgen,' zei hij met een geforceerd lachje. 'Ik ben blij dat je het me hebt verteld. We waren vroeger goed bevriend met Luke Dallas. Ik denk dat Kate gewoon is vergeten hoe ze aan dat boek is gekomen.'

'Ja, zo zal het wel zijn gegaan.'

Hoewel het onderwerp daarmee was afgesloten, wisten ze allebei dat dat een leugen was.

Hij betaalde de rekening en kondigde aan dat het tijd werd om terug te gaan naar kantoor.

Toen ze wilde opstaan, legde hij een hand op haar arm. 'Bedankt voor het luisteren,' zei hij. 'Dat staat per slot van rekening niet in je taakomschrijving.'

Om haar lippen verscheen een warme, begrijpende glimlach. 'Daar ben ik toch voor, Richard? Onthou dat maar goed. Ik sta altijd voor je klaar.'

39

Voor de honderdste keer keek Kate op haar horloge. Waar bleef Richard toch? Het was inmiddels al tien uur geweest. Hij had haar vóór de lunch nog gebeld om te zeggen dat hij die avond vroeg thuis zou zijn. Er zou toch niets gebeurd zijn? Het was helemaal niets voor hem om zomaar weg te blijven. Wanneer hij moest overwerken, belde hij haar altijd even op.

Bezorgd ijsbeerde ze door de kamer. Ze had iedereen gebeld die ze maar kon bellen: zijn partners, zijn golfvrienden en zijn ouders. Ze had zelfs zijn sportclubs en het ziekenhuis opgebeld. Niemand wist waar hij was.

In gedachten zag ze hem bloedend langs de kant van de weg liggen, tussen de wrakstukken van zijn auto...

Het werd kwart over tien. Het werd elf uur. En nog steeds was er echter geen levensteken van Richard.

Toen ze eindelijk zijn sleutel in het slot hoorde, vloog ze opgelucht naar de deur. 'Richard! Godzijdank! Waar ben je toch geweest? Ik heb me vreselijke zorgen gemaakt.'

'Wel wel wel, daar hebben we mijn liefhebbende, toegewijde echtgenote,' zei hij op sarcastische toon.

Ze werd bijna misselijk van de walm van drank en sigaretten die om hem heen hing. 'Je hebt gedronken!' riep ze uit.

'Briljante deductie, Sherlock Holmes.' Hij gooide zijn koffertje in de richting van de bank. Hij gooide echter mis, waardoor het met een luide klap op de grond belandde.

Nerveus keek ze in de richting van de babyfoon. 'Richard, doe eens wat zachter. Anders maak je Emma wakker.'

'Anders maak je Emma wakker,' bauwde hij haar na. 'Het draait hier verdomme alleen nog maar om Emma.'

O nee, dacht ze. Uit zelfmedelijden heeft hij zich een stuk in de kraag gedronken. Dat deed hij in onze studententijd ook als hij zijn zin niet kreeg. Dan was hij meestal dagenlang niet te genieten. 'Waar ben je geweest?' wilde ze weten.

'Ik ben in een bar geweest. En jij? Dat lijkt me namelijk veel relevanter.'

'Ik was hier. Ik heb op je gewacht,' antwoordde ze. 'Ik was doodsbenauwd dat je iets was overkomen!'

'Ik heb trek in een borrel.'

Toen hij zich omdraaide om naar de keuken te lopen, hield ze hem aan zijn arm tegen. 'Denk je niet dat je genoeg hebt gehad?'

Ruw schudde hij haar van zich af. 'Blijf van me af. Jij hoeft me niet te vertellen wat ik wel en niet moet doen.'

Ontdaan deed ze een stap achteruit. Dit was een Richard die ze nog maar een paar keer had meegemaakt, jaren geleden. Uit ervaring wist ze dat ze nu maar beter niet boos kon worden, omdat ze de situatie anders alleen maar erger maakte. Hij had op momenten als deze een kort lontje, dat bij de minste of geringste provocatie kon ontploffen.

Dus haalde ze diep adem om zichzelf te kalmeren. 'Wat is er gebeurd, schat?' vroeg ze. 'Wil je erover praten?'

'Vertel jij me eerst maar eens wat er is gebeurd op die lezing,' zei hij. 'Hoe kom je aan die gesigneerde versie van Dead Drop?'

'Lukes boek?' vroeg ze verbaasd. 'Wat heeft dat hiermee te maken?'

'Ik vraag je iets, Kate!' schreeuwde hij. 'En probeer me niet weer te bedotten met een onzinverhaal over een vriendin, want ik weet dat je naar de stad bent geweest. Waarom ben je achter mijn rug om naar die lezing gegaan? Heb je die verdomde uitnodiging soms uit de prullenbak gevist?'

Trots hief ze haar kin op. 'Ik wilde hem graag spreken, Richard. Ik had gehoopt dat we de banden van onze vriendschap weer konden aanhalen.'

'Vriendschap, ha! Weet je zeker dat er niet meer aan de hand was?'

'Ik meen het, Richard. Ik wilde de band van vroeger herstellen. Ik heb hem een paar keer gebeld, maar hij belde niet terug. Daarom besloot ik naar hem toe te gaan om te kijken of er nog iets te lijmen viel.'

'En... En omdat het allemaal zo vreselijk onschuldig was, besloot je erover te liegen,' sneerde hij. Hij was zo dronken, dat hij struikelde over zijn woorden.

Had ik dat maar nooit gedaan, dacht ze. Kon ik de klok maar terugdraaien.

'Ik heb erover gezwegen omdat ik wist dat je boos zou worden,' legde ze uit. 'Tijdens het etentje met je assistente verzon ik een smoesje omdat ik niet met je in discussie wilde gaan waar zij bij was. Het spijt me, Richard. Achteraf heb ik spijt dat ik niet meteen eerlijk tegen je ben geweest.'

'Geloof je het zelf?' Dreigend kwam hij dichterbij. 'Je hebt tegen me gelogen omdat je bij hem wilde zijn. De rotzak.'

'Het lijkt me het beste als we dit een andere keer bespreken.' Ook zij dreigde nu haar kalmte te verliezen. 'Je bent stomdronken.'

Ze wilde de kamer uit lopen, maar hij versperde haar met een van woede en jaloezie vertrokken gezicht de weg.

'Je hebt nooit meer tijd of aandacht voor mij, maar je hebt wél tijd om met Emma naar de stad te rijden en uren in de rij te staan voor Dallas' handtekening en dat rotboek,' siste hij haar toe.

'Richard, je bent dronken,' herhaalde ze vermoeid. 'Laten we er alsjeblieft een andere keer over praten.'

'Nee, we praten er nú over!' schreeuwde hij. 'Ze heeft je daar gezien, Kate. Tijdens dat etentje wist ze al precies hoe de vork in de steel stak. Ze weet alles over jou en Dallas. Heb je enig idee hoe vernederend dat is?'

'Over wie heb je het? En wat bedoel je met "alles"?'

'Je weet heel goed waar ik het over heb,' mompelde hij.

'Nee, dat weet ik niet. Wie heeft me gezien? Je assistente?' Aan zijn gezicht zag ze dat ze de spijker op de kop had geslagen. Geen wonder dat Julianna zoveel belangstelling had gehad voor het boek. Geen wonder dat ze er aan tafel over was begonnen.

'Dat kind is niet te vertrouwen, Richard,' zei ze fel. 'Je bent zo weg van haar, dat je het zelf niet meer ziet.'

'Nu hij rijk en beroemd is, heb je spijt dat je niet met hem bent getrouwd, hè?' zei hij vol haat. 'Nu hij meer geld heeft dan ik, wil je hém.'

Nog nooit in haar leven was ze zo gekwetst geweest. 'Hoe kun je dat in vredesnaam zeggen na al die jaren dat we al bij elkaar zijn?'

'Dáárom ben je naar hem toe gegaan,' vervolgde hij. 'Je bent hem gaan vertellen dat je destijds een fout hebt gemaakt.'

'Dat slaat nergens op,' zei ze heftig. 'Ik heb echt geen zin meer om hier nog langer naar te luisteren.'

Hij greep haar bij de arm om te verhinderen dat ze wegliep. 'Waarom ben je eigenlijk met me getrouwd, Kate? Vond je het zo leuk om de rijke Mrs. Ryan uit te hangen?'

'Hou je mond!' riep ze. Die beschuldiging had Luke ook al geuit. Wat bezielde die mannen toch? 'Hou alsjeblieft op voordat we allebei dingen zeggen waar we later spijt van krijgen.'

Boven begon Emma luidkeels te brullen.

Meteen trok ze zich los uit zijn greep. 'Ik moet naar boven. Emma heeft me nodig.'

'Ik heb je ook nodig. Tel ik niet meer mee?'

'Emma is een baby, Richard,' zei ze scherp. 'Jij bent een volwassene.'

'Oké, ga dan maar naar die babykamer. Maak maar tijd voor haar, net zoals je tijd hebt gemaakt om naar de stad te gaan. Je hebt tijd voor iedereen, behalve voor mij. Luke Dallas, The Bean, dat kind...'

Boos draaide ze zich om. 'Dat kind? Ze is óns kind, Richard. Ze is van jou en mij, al zou je soms niet zeggen dat jij haar vader bent als je kijkt naar het zielige beetje aandacht dat je haar geeft.'

'Waarom zou ik haar aandacht geven? Jij geeft haar al vierentwintig uur per dag aandacht!' riep hij uit. 'Wat blijft er dan nog voor mij over?'

Ze kon haar oren niet geloven. Het was al erg genoeg dat hij stikjaloers was op Luke en diens succes, maar het was onverteerbaar dat hij ook nog eens jaloers was op zijn eigen, hulpeloze dochtertje.

'Je gedraagt je als een klein kind, Richard,' zei ze met trillende stem. 'Word alsjeblieft volwassen. De tijd dat je een verwend rijk jongetje was, is voorbij.'

Hij liep achter haar aan naar de babykamer, waar Emma inmiddels hysterisch lag te huilen.

Voordat ze Emma uit de wieg kon halen, trok hij haar aan haar arm tegen zich aan. 'Je bent van mij, Kate,' zei hij op dreigende toon. 'Ik heb je toen gewonnen en ik ben niet van plan je aan Dallas of aan wie dan ook af te staan.'

'Gewonnen?' herhaalde ze. Had Luke dan toch gelijk gehad? 'Was dat de basis voor ons huwelijk? Zag je je aanzoek als een soort wedstrijd?'

Hij gaf geen antwoord. In haar wiegje bleef Emma ontroostbaar brullen.

'Laat me los, Richard,' beval ze. 'Ik moet Emma uit de wieg halen.'

'Je bent van mij,' herhaalde hij, waarna hij zijn mond hard op de hare duwde.

Ze moest haast kokhalzen van de walm van whisky die haar neus binnen drong. Ze deed verwoede pogingen om zich los te trekken, maar die mochten niet baten. Hij greep haar alleen maar steviger beet en kuste haar nog ruwer. Ondertussen duwde hij zijn onderlichaam hard tegen haar aan.

Het werd haar pijnlijk duidelijk wat hij van plan was, en het kostte haar moeite om niet in paniek te raken. Wie was deze man? Waar was de Richard met wie ze tien jaar gelukkig getrouwd was geweest?

Uit pure wanhoop gaf ze hem een enorme trap op zijn voet.

Die aanval verraste hem zo, dat zijn greep een paar tellen lang verslapte.

Gauw maakte ze van dat moment gebruik om zich los te rukken. Met tranen in haar ogen tilde ze haar dochter uit de wieg, waarna ze het kind op zachte toon probeerde te kalmeren, zonder Richard uit het oog te verliezen.

In zijn wazige ogen verscheen een geschokte blik, alsof hij zelf eindelijk doorhad wat hij had gedaan. 'Kate?' mompelde hij.

Ze kon het niet opbrengen hem te vergeven. Daarvoor waren haar lippen te beurs en deden haar armen te veel pijn. Met het kind in haar armen draaide ze hem de rug toe.

'Ze is niet eens van ons,' fluisterde hij. 'Hoewel het niet eens ons eigen kind is, hou je meer van haar dan van mij.'

Het was of haar hart in ontelbare stukjes brak. Alles waarin ze had geloofd, liep als los zand door haar vingers. Ze draaide zich om naar haar echtgenoot, die opeens was veranderd in een vreemde. 'Ik begrijp niet hoe je dat kunt zeggen,' fluisterde ze. 'Natuurlijk is Emma van ons. Ouderschap is méér dan een kind verwekken en baren, Richard. Het draait om liefde en verzorging. Ik vind het ronduit schokkend dat jij daar kennelijk anders over denkt.'

Hij zei niets. Hij kon haar alleen maar verslagen aanstaren.

'Ga weg,' zei ze. 'Ik wil je niet eens meer in Emma's buurt hebben. Ik wil je voorlopig ook niet meer zien.' Tranen liepen over haar wangen.

Hij draaide zich om, en een minuut later hoorde ze de voordeur met een knal dichtslaan.

Met Emma in haar armen liet ze zich snikkend in de schommelstoel zakken.

40

Hij reed rechtstreeks naar Julianna's huis.

Daar bleef hij een paar minuten voor de deur staan weifelen, omdat hij niet wist of hij het wel kon maken bij haar aan te kloppen. Per slot van rekening was hij haar baas. Als hij zich nu tot haar wendde, overschreed hij een duidelijke grens tussen werk en privé-leven. Bovendien zou hun verhouding als baas en ondergeschikte behoorlijk in de knel komen.

Hij wist dat hij beter naar huis kon gaan om Kate zijn excuses aan te bieden, maar de gedachte aan Julianna's stralende lach hield hem echter tegen. Als hij aanklopte, zou hij haar gezicht zien oplichten, waardoor hij weer het gevoel zou krijgen dat hij alles aankon. Als hij haar om steun vroeg, zou ze naar hem luisteren en hem begrip tonen. Ze vond hem geweldig. Ze geloofde in hem, zoals Kate vroeger ook in hem had geloofd.

Dus hief hij zijn hand en klopte een paar keer zacht op de deur. Terwijl hij zijn vingers op het hout voelde roffelen, vochten paniek en opwinding om voorrang in zijn binnenste.

De paniek won.

Waar was hij in vredesnaam mee bezig? Hij was getrouwd. Julianna was een ondergeschikte. Niet alleen was dit uit fatsoensoverwegingen verkeerd, zijn toenadering kon ook nog eens uitgelegd worden als seksuele intimidatie. Hij was nota bene advocaat. Hij wilde een hoge functie bij het Openbaar Ministerie!

Langzaam draaide hij zich om, vastbesloten om weer naar huis te gaan. Wat een geluk dat hij nog net op tijd zijn gezond verstand had teruggevonden.

Precies op dat moment ging de deur open.

'Richard? Wat doe jij hier?' klonk het verwonderd.

Een blos steeg naar zijn wangen. Hij wenste dat hij helder kon nadenken, dat hij niet zoveel had gedronken. 'Het spijt me, Julianna,' mompelde hij. 'Ik heb ruzie gehad met Kate en... ik wist niet zo gauw waar ik naartoe moest.'

'Ruzie gehad met Kate?' herhaalde ze terwijl ze de deur verder opendeed.

Met het licht van de gang erachter leek haar nachtjapon bijna doorschijnend. Hoewel hij wist dat hij haar beter kon blijven aankijken, dwaalde zijn blik als vanzelf af naar beneden.

'Eh.. ja,' antwoordde hij, zowel gegeneerd als opgewonden door de aanblik van haar mooie lichaam. 'I-ik wilde graag met iemand praten, en jij was de eerste aan wie ik dacht.'

Ze duwde de deur zo ver open, dat hij kon binnenkomen. 'Ik zal mijn ochtendjas even pakken.'

Haar appartement was klein en goedkoop gemeubileerd, maar brandschoon en gezellig ingericht. Zelfs in zijn vermoeide, dronken toestand viel het hem op dat ze haar best had gedaan een eigen, stijlvolle stempel op het interieur te zetten. Ze had mooie bloemen neergezet, een zachte grand foulard over de bank gelegd en groepjes geurkaarsen neergezet.

Twee minuten later kwam ze de woonkamer weer binnen, gekleed in een witte ochtendjas en met twee dampende mokken koffie in haar hand. 'Ga zitten,' zei ze.

Pas op dat moment drong het tot hem door dat hij al die tijd bij de deur was blijven staan. 'Eigenlijk zou ik rechtsomkeert moeten maken,' zei hij terwijl hij plaatsnam op de bank. 'Ik voel me nogal opgelaten dat ik jou zo kom lastigvallen.'

'Welnee. We zijn toch vrienden? Ik ben blij dat ik iets voor je kan doen.'

Toen ze hem zijn koffie aanreikte, viel haar ochtendjas een stukje open, waardoor hij haar blote borsten en een glimpje van een tepel kon zien. Meteen begon zijn bloed weer te koken.

'Dank je wel,' zei hij, zich dwingend haar aan te kijken.

Ze ging op het andere uiteinde van de bank zitten en trok haar benen onder zich. 'Wat is er nu precies gebeurd?' vroeg ze.

Na een korte aarzeling zei hij: 'Je had gelijk. Kate heeft gelogen over dat boek. Ze is inderdaad naar de stad gegaan om Dallas te zien.'

'Wat naar voor je.'

'In onze studietijd waren we Dallas, Kate en ik bevriend,' vertelde hij. 'Tenminste, dat dacht ik, totdat ik ontdekte dat hij verliefd was op Kate. Hij deed alsof hij mijn beste vriend was, maar ondertussen probeerde hij Kate van me af te pakken, de rotzak.'

'Luke Dallas betekende vast niets voor Kate,' zei ze op sussende toon. 'Ze heeft uiteindelijk toch voor jou gekozen?'

Hij dacht terug aan zijn ruzie met Kate. Hij had haar gevraagd waarom ze met hem was getrouwd en gesuggereerd dat ze was gevallen op zijn geld. Hoewel ze dat verontwaardigd had ontkend, bleef de twijfel aan hem knagen.

'Op de universiteit was Dallas zo arm als een kerkrat,' zei hij. 'Nu is hij steenrijk en beroemd en gaat hij om met allerlei grote namen.'

Hij kon het niet uitstaan dat Luke dat allemaal had bereikt zonder familiegeld of goede connecties. Luke had het hem altijd al voorspeld en uiteindelijk zijn dromen waargemaakt. Daarom haatte Richard hem, haatte hem met een heftigheid die hem zelf verbaasde.

'Hij heeft gewoon mazzel gehad,' vervolgde hij, zijn koffie neerzettend. Hij stond op van de bank en liep onrustig heen en weer door de kamer. 'Gewoon mazzel, meer niet. Maar als je Kate moet geloven, is hij een genie. En wat heeft hij nou helemaal bereikt? Hij heeft een paar boeken verkocht. Maakt dat hem zo bijzonder? Moet ik hem daarom vereren?'

'Natuurlijk niet,' zei ze. 'Sommige vrouwen vallen voor geld en roem, maar dat heb ik ook nooit begrepen.' Toen vroeg ze: 'Weet je wel zeker dat Kate gevoelig is voor zulke oppervlakkige dingen?'

Hij stond stil. 'Denk jij van niet?'

'Ik heb zo mijn twijfels. Trouwens, wat kan jou het schelen als

Luke Dallas vroeger verliefd was op Kate? Ze heeft toch niets met hem gehad?'

Jawel, dat heeft ze wel, dacht hij. Dat is nu net het probleem. Met een diepe zucht liet hij zich weer op de bank zakken. Jarenlang had de gedachte aan een lichamelijke relatie tussen Kate en Luke hem pijn in de maag bezorgd. Hij kon die pijn alleen bestrijden door hardop tegen zichzelf te zeggen dat hij uiteindelijk toch maar mooi degene was geweest die haar had gekregen. Nu had ze echter tegen hem gelogen. Ze was naar de stad gegaan om Dallas te zien.

'Richard?'

'Ze heeft nooit echt een verhouding met hem gehad,' zei hij. 'Ze waren gewoon vrienden.'

'Dan hoef je je toch nergens zorgen over te maken? Ik weet zeker dat ze stapelgek op je is.'

'Ik weet het niet. Een paar maanden geleden was ik nog heel gelukkig getrouwd, maar nu...' Hij liet het hoofd hangen. 'Nu lijkt het wel of alles onder mijn handen afbrokkelt.' Hij stond weer op en liep naar het raam.

Waarom vertelde hij haar dit allemaal? Hij zou zich moeten schamen met zijn gezeur en zelfmedelijden. Zou Kate nog wakker zijn? Zou ze zich afvragen waar hij was?

Hij hoorde dat Julianna vlak achter hem kwam staan. Het volgende moment voelde hij haar handen op zijn nek en begon ze zijn gespannen spieren te masseren. Ongewild ontsnapte er een zucht van genot aan zijn lippen.

'Ik moet weg,' zei hij met tegenzin.

'Ik begrijp het.'

Langzaam draaide hij zich om. 'Bedankt voor je begrip, Julianna. Ik vond het lief dat ik bij je terecht kon.'

Er verscheen een droevig lachje om haar lippen. 'Het bestaat niet dat Kate niet van je houdt,' zei ze. 'Jij bent alles wat een vrouw zich maar kan –' Geschrokken hield ze haar mond, en ze wendde haar gezicht van hem af.

'Wat is er?' Hij probeerde haar gezicht naar zich toe te draaien. 'Julianna, wat is er?'

'Niets,' antwoordde ze, een traan van haar wang vegend.

'Waarom huil je dan? Zeg alsjeblieft wat er is.'

'Dat kan ik je niet zeggen,' fluisterde ze. 'Ik heb het recht niet, omdat je getrouwd bent met Kate.'

'Ik ga niet weg voordat je me hebt verteld wat er is.' Met beide handen omvatte hij haar gezicht.

'Goed dan.' Ze haalde beverig adem, waarna ze haar wang tegen zijn handpalm drukte alsof ze een poes was die kopjes gaf. 'I-ik heb heel mijn leven gewacht op een man als jij. H-het is wreed om te zien dat Kate haar geluk nu zomaar weggooit. Ik bedoel, ziet ze dan niet hoe geweldig je bent? Beseft ze niet hoezeer ze boft met een man als jij?'

'O, lieverd toch...' De woorden glipten over zijn lippen voordat hij er erg in had. Haar verlangende blik deed zijn hart overlopen van tederheid voor haar. Wat een lief, onschuldig jong ding was ze toch.

En terwijl hij naar haar lippen keek, kon hij alleen nog maar denken aan hun kleur, hun uitnodigende zachtheid en hun smaak. Voordat hij besefte wat hij deed, had hij zich voorovergebogen om haar te kussen.

Haar lippen trilden en weken vervolgens uiteen. Kreunend nam hij bezit van haar mond, om haar overal te proeven en te veroveren.

Vol verlangen drukte ze zich tegen hem aan, totdat ze zich scheen te herinneren wie hij was. 'Nee, Richard,' zei ze zacht. Met haar handpalmen duwde ze hem van zich af. 'Dit mag niet. Je hebt thuis een vrouw en een kind.'

Hij vocht om zijn kalmte te hervinden. Het gebeurde hem niet vaak dat hij zijn zelfbeheersing verloor.

'Ik zou alles willen geven om bij je te kunnen zijn, maar niet op deze manier,' vervolgde ze. 'Als we aan de verleiding toegeven, zul je later spijt krijgen. Dat zou ik niet kunnen verdragen.'

'Julianna –'

'Nee, niets meer zeggen,' fluisterde ze, haar wijsvinger op zijn lippen leggend. 'Ga naar huis, naar Kate en Emma.'

Hij wist dat ze gelijk had. Zijn verantwoordelijkheden lagen thuis. Maar hij werd verscheurd door de strijd tussen zijn hart en zijn verstand. Ze was zo lief, zo kwetsbaar...

Je bent getrouwd, Richard, dreunde het door zijn hoofd.

Na een laatste blik op haar mond draaide hij zich om en ging naar huis.

41

Nog lang na Richards vertrek bleef ze in het donker nagenieten van zijn kus. Het was alsof ze zijn geur nog kon ruiken, of ze zijn hongerige, brandende lippen nog op de hare proefde.

Er ging een huivering van opwinding door haar heen. Hoewel ze dolgraag met hem naar bed had gewild, had ze zich nog net op tijd haar moeders wijze woorden herinnerd.

'Als je een man eenmaal aan de haak hebt, moet je de lijn heel langzaam binnenhalen,' had Sylvia gezegd. 'Ga niet te snel met hem naar bed, want dan voelt hij zich zo schuldig, dat hij meteen terug rent naar zijn vrouw. Hij moet langzaam het gevoel krijgen dat zijn gedrag gerechtvaardigd is. Hij moet trots op zichzelf zijn dat hij de verleiding nog zo lang heeft kunnen weerstaan.'

Ze glimlachte. Het zou niet lang meer duren voordat ze Richard hier terugzag. Nu hij had geproefd wat hij bij haar kon krijgen, zou zijn onvrede met Kates afwezige kusjes en hun plichtmatige vrijpartijen alleen maar toenemen. Hij zou thuis steeds gefrustreerder raken.

Nee, ze kon domweg niet verliezen. Bovendien had ze het lot aan haar kant.

Hoewel hij het zelf nog niet wist, was hij nu al van haar.

42

De volgende morgen maakte Richard berouwvol zijn excuses aan Kate. Hij knuffelde Emma en fluisterde in haar oor dat hij dol op haar was. Zijn gedrag van de avond daarvoor weet hij aan een combinatie van drank en stress, en hij beloofde dat zoiets nooit meer zou gebeuren.

Vanaf zijn werk liet hij bloemen bezorgen bij Kate, en na zijn werk kwam hij thuis met een teddybeer voor Emma.

Uiteindelijk besloot Kate hem vergiffenis te schenken. Wat kon ze anders? Hij was haar echtgenoot, de man aan wie ze in het bijzijn van al haar vrienden en familie trouw had beloofd.

Maar het zou niet meevallen om het voorval te vergeten. Het was niet gemakkelijk te accepteren dat haar eigen man van plan was geweest haar te verkrachten, evenmin als het eenvoudig was om te leven met het feit dat hij haar in het diepst van haar ziel had geraakt met zijn hatelijke opmerkingen over Emma.

Verdrietig dacht ze na over wat er allemaal was gebeurd. Ze had al wekenlang het afschuwelijke gevoel dat het fout ging met hun huwelijk, dat Richard en zij werden gemanipuleerd door krachten buiten hen om.

Het was begonnen op de dag dat ze naar Lukes lezing was geweest, de dag waarop de foto van Richard en Emma was verdwenen. De dag waarop Joe haar had verteld over de jonge vrouw op de schommel.

Julianna?

Huiverend wreef ze zich over de armen. Ze dacht na over Emma's plotselinge komst in hun leven en over Richards assistente, aan wie ze een onverklaarbare hekel had. Ook dacht ze na over de verdwenen foto en Richards gedrag. Had het een misschien met het ander te maken? Nee, dat kon niet. Dat zou wel al te toevallig zijn.

'Kate?' Onverwacht stond Richard achter haar. 'Sta je te piekeren? Ik kan je alleen maar nogmaals zeggen dat het me vreselijk spijt.'

Het ontging haar niet dat hij haar niet aanraakte. Was hun relatie inmiddels al zo verslechterd, dat hij haar niet durfde aan te raken? En vond ze het eigenlijk wel erg dat hij afstand tussen hen bewaarde?

'Kun je het me vergeven?' vroeg hij.

'Ik zal mijn best doen,' antwoordde ze. Ze wist echter dat dat niet zo eenvoudig was als vroeger, en die wetenschap beangstigde haar.

'Ga je mee naar bed?' vroeg hij. 'Ik wil graag met je vrijen, om je te bewijzen dat ik zielsveel van je hou.' Bij het zien van haar aarzeling pakte hij haar hand om er een kus op te drukken. 'Het komt allemaal best goed, Kate. Het wordt vast weer zoals voorheen. Vertrouw maar op mij.'

Uit verlangen naar vroeger en naar hun oude intimiteit besloot ze hem zijn zin te geven. In bed probeerde ze zichzelf wijs te maken dat ze de oude Richard terug had en dat alles weer goed zou komen. Maar in haar hart bleef ze bang dat hun relatie voorgoed veranderd was.

43

Hij lag op zijn zij naar zijn slapende vrouw te kijken. Er waren inmiddels twee weken verstreken sinds Kate en hij die enorme ruzie hadden gehad. Twee weken sinds hij naar Julianna was gegaan en haar in zijn armen had gehouden. Twee afschuwelijke, ellendige weken.

Langzaam liet hij zijn blik over haar gelaatstrekken gaan. Elk lijntje, elke schaduw, elke ronding was hem vertrouwd. Ze waren nu al zo lang samen, dat ze elkaar door en door kenden.

Af en toe wenste hij dat hij haar kracht en haar zuivere karakter had. Hij hield van haar, bewonderde haar en kon zich het leven niet meer zonder haar voorstellen.

Maar zelfs nu hij zo naast haar lag in bed, voelde hij dat hij steeds meer naar Julianna toe werd getrokken. Hij wist dat het verkeerd was, dat hij er een punt achter zou moeten zetten. Elke avond hield hij zich voor dat hij rekening moest houden met zijn verplichtingen, dat hij zijn vrouw eeuwige trouw had beloofd en dat hij haar geen verdriet mocht doen. Elke dag ging hij vol goede voornemens naar zijn werk, gesterkt door weer een vertrouwde, veilige nacht met Kate.

Zodra hij Julianna zag, verdwenen al zijn goede voornemens en verstandige redeneringen echter als sneeuw voor de zon. Julianna gaf hem het gevoel dat hij weer een jonge kerel was. Ze maakte behoeften in hem wakker die hij jarenlang niet meer had gevoeld.

Geleidelijk aan begon hij zo onderhand geobsedeerd door haar te raken. Hij kon alleen nog maar denken aan seks met haar. Hoe zou ze smaken? Hoe zou het voelen om binnen in haar te zijn? Welke geluidjes zou ze maken wanneer ze haar climax bereikte?

Deze twee weken waren een regelrechte kwelling voor hem geweest. Hij werd heen en weer geslingerd tussen twee verschillende vrouwen, tussen plicht en verleiding, tussen liefde en lust.

Hij rolde zich op zijn rug en staarde naar de langzaam draaiende ventilator aan het plafond. Een uur eerder had hij nog met Kate gevrijd. Maar tijdens zijn hoogtepunt had hij aan Julianna gedacht. In zijn fantasie was zij degene geweest die onder hem had gelegen, kronkelend van genot en met zijn naam op haar lippen. In werkelijkheid had Kate zijn naam uitgeroepen. Hij had zich zo schuldig gevoeld, dat hij zijn geheim bijna aan haar had opgebiecht.

Vol zelfverwijt legde hij zijn arm over zijn ogen. Wat was er toch met hem aan de hand? Hij hield van Kate. Hij hield van het leven dat ze samen hadden opgebouwd. En desondanks bleef hij verlangen naar Julianna. Soms was het verlangen zelfs zo hevig, dat hij dacht gek te zullen worden als hij haar niet kreeg.

Julianna had hem niet aangemoedigd. Integendeel, ze had hem juist op een armlengte afstand gehouden. Kennelijk was zij zich beter bewust van zijn verplichtingen en verantwoordelijkheden dan hijzelf.

Ze hadden het over hun kus gehad en waren tot de conclusie gekomen dat het een fout was geweest die nooit meer mocht voorkomen. Dat was gemakkelijker gezegd dan gedaan.

Kreunend dacht hij aan de sfeer waarin hij moest werken. De seksuele spanning tussen hen was te snijden. Voortdurend waren ze zich bewust van elkaars aanwezigheid en het effect dat ze op elkaars lichaam hadden.

Tijdens vergaderingen betrapte hij zich erop dat hij naar haar mond staarde en opgewonden werd van de herinneringen aan hun kus. Wanneer ze elkaar tijdens het werk per ongeluk aanraakten, keken ze precies op hetzelfde moment op en staarden ze secondelang in elkaars ogen. Wanneer dat gebeurde, zag hij zijn eigen verlangens gereflecteerd in haar blik.

Hij kreeg hoofdpijn van het gepieker over zijn assistente. Als de aantrekkingskracht puur lichamelijk was, zou het misschien nog niet eens zo erg zijn geweest. Dan zou hij de kracht wel hebben gevonden om de verleiding te weerstaan. Het probleem was alleen dat hij ook verliefd op haar begon te worden.

Wanneer hij naar haar keek, kreeg hij behoefte om haar dicht tegen zich aan te drukken en haar tegen de buitenwereld te beschermen. Hij wilde haar voortdurend om zich heen hebben, omdat ze alle kwaliteiten had die zijn ideale vrouw moest bezitten: ze was lief, kwetsbaar, intelligent en zo sexy, dat ze hem knettergek maakte.

Op een gegeven moment had ze gevraagd of hij liever wilde dat ze ontslag nam. Ze had gezegd dat hij misschien maar beter kon uitkijken naar een vervangster. Ze had hem voorgehouden dat zijn gezin op de eerste plaats moest komen en dat ze hun best moesten doen om sterk te zijn.

Hij had haar echter niet willen laten gaan. Het was niet eerlijk als ze hierdoor haar baan verloor. Bovendien deed ze haar werk uitstekend.

Nee, het was nu aan hem om een echte man te zijn. Hij moest sterk zijn en zijn zelfbeheersing bewaren. Het zou voor geen van beiden eenvoudig zijn, maar er zat gewoon niets anders op.

Het geluid van de telefoon maakte een einde aan zijn getob. Haastig greep hij de hoorn van de haak voordat Kate of Emma wakker kon worden.

Het was Julianna. In tranen.

'Wat is er?' vroeg hij ongerust.

'Ik weet niet wat ik moet doen,' zei ze huilend. 'Ik ben zo bang.'

Hij keek opzij naar Kate, die in haar slaap bewoog. 'Vertel me eens wat er is gebeurd.'

'E-er was net iemand hier,' antwoordde ze met een klein stemmetje. 'Ik werd er wakker van. I-ik hoorde iemand aan de deurknop rammelen, en daarna zag ik een schaduw voor het raam.'

'Ik kom eraan. Controleer of al je ramen en deuren goed dicht zijn en wacht op mij. Oké?' Hij hing op en stapte uit bed.

'Richard?' vroeg Kate slaperig. 'Wat is er?'

'Er is ingebroken op kantoor,' antwoordde hij. Hij schrok er zelf van de dat de leugen zo gemakkelijk over zijn lippen rolde.

'Echt waar?' Bezorgd ging ze half rechtop zitten.

'Ik moet er even naartoe.' Hij schaamde zich zo, dat hij zich er niet toe kon brengen haar aan te kijken. Met zijn rug naar haar toe trok hij een katoenen lange broek en een poloshirt aan.

'Is dat niet gevaarlijk? Ik weet niet of ik het wel zo prettig vind als je daar rondloopt.'

'De politie is er ook,' loog hij. 'Ze willen dat een van de partners de schade komt opnemen en het alarm uitschakelt. Je hoeft je nergens zorgen om te maken.'

'Weet je het zeker?'

'Heel zeker.' Met bonkend hart kwam hij naar haar toe om haar een kus te geven.

Toen zijn lippen haar huid raakten, besefte hij weer dat hij met vuur speelde. Hij hield van Kate. Ze was een levensgroot onderdeel van zijn bestaan. Als hij niet oppaste, zou hij het allemaal verspelen. Dat mocht niet gebeuren. Hij ging gewoon naar een vriendin toe die zijn hulp nodig had, meer niet. Hij had tegen Kate gelogen omdat... omdat het al laat was en hij nu geen tijd had voor discussies. Dat was alles.

Teder gaf hij haar nogmaals een kus. 'Ik hou van je, Kate,' fluisterde hij met een brok in zijn keel. 'Echt waar.'

Ze pakte zijn arm beet. 'Ik ben bang, Richard.'

Hij wist dat ze het niet had over deze avond of over het feit dat hij nu naar kantoor moest. Ze had het over hun huwelijk, dat zulke angstaanjagende barsten vertoonde.

Om haar en zichzelf gerust te stellen, gaf hij haar nog een lange, innige kus op haar mond. 'Dat hoeft niet,' verzekerde hij haar. 'Voordat je het weet, ben ik weer bij je terug.'

44

~w~

Julianna deed de deur voor hem open.

Nadat hij naar binnen was gestapt, deed hij de deur op slot. Zwijgend draaide hij zich daarna naar haar om.

Allebei waren ze volwassen mensen die heel goed wisten wat ze deden. Hij wist exact waarom hij meteen was gekomen, waarom hij tegen Kate had gelogen en waarom hij haar drie keer had gekust voordat hij was weggegaan.

Zonder iets te zeggen, drukte Julianna zich tegen hem aan.

Dwars door haar dunne nachtjapon heen kon hij de rondingen van haar lichaam voelen. Met zijn handen op haar billen trok hij haar nog dichter tegen zich aan, om haar te laten voelen dat hij helemaal gek werd van verlangen.

Bij het voelen van zijn opwinding hield ze even haar adem in. Toen hief ze met trillende lippen haar gezicht naar hem op.

Koortsachtig trokken ze elkaars kleren uit, waarna ze zich naakt op de grond lieten zakken. Met haar handen en haar mond liefkoosde ze hem op manieren waarvan hij alleen maar had kunnen dromen.

Snakkend naar adem rolde hij zich op zijn rug en trok haar boven op zich om bezit van haar te kunnen nemen.

Ze bewoog ritmisch op en neer, tot hij het niet meer kon verdragen. Op het moment dat ze haar rug kromde en zijn naam uitriep, tuimelde hij zelf ook over het randje van de afgrond.

Terwijl zijn lichaam nog nagloeide, drong het tot hem door wat hij had gedaan. Hij had seks gehad met een andere vrouw. Hij had overspel gepleegd en zijn beloften aan Kate verbroken. Ditmaal kon hij zijn gedrag echter niet goedpraten met smoesjes over drank, of frustraties over Kates vermoeidheid. Evenmin kon hij de schuld afschuiven op Luke Dallas. Er was maar één reden waarom hij seks met Julianna had gehad: omdat hij dat had gewild.

Lieve hemel, wat had hij gedaan? Wat zouden de gevolgen hiervan zijn? Hij had zijn perfecte leven met Kate geruïneerd voor een opwindend avontuurtje!

Hij keek naar Julianna, die hem met zichtbaar genoegen begon te strelen. Tot zijn ontzetting merkte hij dat zijn lichaam helemaal geen spijt had van wat hij had gedaan. Ofschoon hij wist dat het verkeerd was, wilde hij het hier niet bij laten. Hij wilde de volgende dag weer met haar vrijen, en de dag daarna ook. Nu hij eenmaal kennis had gemaakt met haar lichaam, wilde hij haar niet meer kwijt. Of hij het nu wilde of niet, ze zat in zijn bloed.

45

John stond in de woonkamer van Julianna's kleine appartement. Bij de gedachte aan hun op handen zijnde hereniging glimlachte hij voldaan. Het zou aangenaam zijn om haar terug te hebben. Heel aangenaam.

Langzaam liet hij zijn blik over het interieur gaan. Er waren geen aanwijzingen dat ze een kind had. Er lag geen speelgoed, er was geen box, en nergens rook het naar babyvoeding of talkpoeder. Dat beviel hem wel. Dat betekende dat ze uiteindelijk toch tot de conclusie was gekomen dat ze de baby maar beter kon laten weghalen.

En dat was maar goed ook, want ze was een verwend meisje. Ze was gewend dat er voor haar gezorgd werd en dat ze altijd haar zin kreeg. Het zou niets voor haar zijn geweest om dag en nacht voor een jankend kind te zorgen en vieze luiers en ondergespuugde slabbetjes te verschonen. Dat was gewoon niet haar stijl.

Dit smoezelige appartement was trouwens ook niet haar stijl. Hoe was het in vredesnaam mogelijk dat ze de afgelopen maan-· den haar toevlucht had gezocht tot hopeloze baantjes en armoedige flats? Kennelijk was ze zonder hem nog dieper gezonken dan hij dacht.

Als haar moeder en Russell niet hadden dwarsgelegen, zou ze nu al weer thuis bij hem zijn geweest. Ze hadden haar bang gemaakt met hun horrorverhalen. Ze hadden haar dingen verteld die ze helemaal niet hoefde te weten. Geen wonder dat ze ervandoor was gegaan.

Dat nam echter nog niet weg dat ze ongehoorzaam was geweest. Ze had niet naar hem geluisterd, ondanks zijn waarschuwingen dat hij haar zou straffen.

Met gesloten ogen haalde hij diep adem. Zijn engeltje was van haar voetstuk gevallen. Dit armoedige appartement was deel van haar straf, maar hij was nog niet met haar klaar. Zodra hij haar terug had, zouden zijn liefhebbende handen haar nogmaals een lesje leren.

Hij liep naar een bureautje in de hoek van de kamer, waarop een stapeltje post lag. Reclamemateriaal, een gasrekening en een telefoonrekening. De laatste envelop maakte hij open om te kijken wie ze had gebeld.

Er stonden lokale telefoontjes op, een aantal telefoontjes naar een nummer in New Orleans en twee gesprekken met de inlichtingendienst. Daarnaast had ze een gesprek gevoerd met iemand in Langley, Virginia.

Hij herkende het nummer. De CIA. Waarom had ze daar naartoe gebeld?

Na de rekening in zijn zak te hebben gestopt, keek hij rond. Een van de redenen waarom hij haar had opgespoord, was dat hij zijn zwarte notitieboekje terug wilde. Het stond vol met belangrijke namen, data, bedragen en locaties. Hij had het keurig bijgehouden voor het geval hij ooit zou moeten onderhandelen met de politie. Het was een soort verzekeringspolis geworden om uit de gevangenis te kunnen blijven. En juist dat boekje had ze bij haar vertrek van hem gestolen.

Hij wist dat veel mensen, onder wie zijn ex-collega's van de CIA, het boekje dolgraag in handen zouden krijgen. En daarom wilde hij het terug.

Toen hij had ontdekt dat het verdwenen was, was hij bijna ontploft van woede. Hij was razend geweest dat ze het had gewaagd hem te bestelen en boos op zichzelf dat hij haar had onderschat. Kennelijk had hij haar te veel vertrouwd.

Die fout zou hij echter niet nog een keer maken.

Systematisch doorzocht hij haar hele appartement. Hij keek op alle plaatsen die voor de hand lagen en op plaatsen die mensen doorgaans erg uitgekookt van zichzelf vonden. Hij ging met zijn vingertoppen over vloerdelen en plinten, doorzocht haar vriezer en haar bijkeuken en keek achter de stortbak van het toilet en tussen haar handdoeken in de badkamer.

Uiteindelijk belandde hij in haar slaapkamer. Haar ladekast bewaarde hij tot het laatst.

Bij de aanblik van de inhoud van de bovenste la verstarde hij. Wat was dat? De la lag vol met flinterdunne, doorschijnende nachtjaponnetjes en sexy lingerie. Met een vreemd, licht gevoel in het hoofd viste hij een G-string uit de la. Het was een zwart kanten gevalletje dat hoorde bij sloeries. Bij vrouwen wier ziel bezoedeld was. Een heel ander type vrouw dan Julianna, het onschuldige meisje van wie hij al zo lang hield.

Zijn vingers klauwden zich in de delicate zwarte stof, en zijn hoofd bonsde van frustratie en razernij. Als ze deze ordinaire kleren droeg, voor wie droeg ze die dan?

Hij werd zo kwaad, dat hij zijn zelfbeheersing verloor. Een voor een scheurde hij de dunne kledingstukken aan flarden, tot er niets anders meer over was dan een hoopje kant en elastiek.

Blijkbaar had ze haar lesje na die ene avond nog steeds niet geleerd. Oké, dan zou hij haar nogmaals onder handen nemen. Hij zou haar laten zien dat het verkeerd was om ongehoorzaam te zijn.

Hij dwong zichzelf net zo lang diep adem te halen tot hij gekalmeerd was. Hij zou haar straffen tot ze het doorhad, waarna ze de draad van hun leven gewoon weer zouden oppakken. Nee, het zou zelfs nog beter worden dan voorheen.

Maar voordat hij toesloeg, zou hij nog een poosje wachten. Hij zou nog even met haar spelen, voor hij haar nieuwe, veilige wereldje op zijn kop zette. En tot die tijd zou hij haar vast een teken geven dat hij in de buurt was.

Hij sloeg haar dekens terug, ritste zijn broek open en bevredigde zichzelf op haar lakens. Het was geen kunst om opgewonden te raken bij de gedachte aan haar zachte huid en haar kleine, stevige borsten...

Vervolgens deed hij zijn broek dicht en haalde zijn zakmes te voorschijn. Zonder met zijn ogen te knipperen haalde hij het vlijmscherpe blad over zijn handpalm. Hij strekte zijn arm en keek tevreden toe terwijl het bloed van zijn hand op de lakens viel.

Bloed en sperma. Leven en dood. Het begin en het einde. Nu en voor eeuwig. Hij was ervan overtuigd dat ze de boodschap zou begrijpen.

46

Tom Morris kwam meteen ter zake. 'Wat heb je voor me?' vroeg hij.

Ze zaten op een bank in een treinstation in Washington. Om hen heen liepen honderden forensen, toeristen en zakenlieden. Het lawaai van hun stemmen en voetstappen weerkaatste luid in de grote hal.

'Niet veel,' antwoordde Condor, wat kruimels van zijn schoot vegend. Bij een stalletje verderop had hij een zak chocoladekoekjes gekocht. 'Wil je ook een koekje?'

Tom keek naar de zak. 'Graag.' Hij stak zijn hand uit.

'Powers is niet meer terug geweest in zijn appartement,' vertelde Condor. Terwijl hij sprak, keek hij naar de menigte om hen heen. 'Hij heeft ook geen reizen gemaakt onder de pseudoniemen die hij doorgaans gebruikt. Ik heb al de juiste mensen gesproken, maar die konden me ook niet helpen. Met andere woorden: hij is uit het zicht verdwenen.'

'Dat denk ik niet,' zei Tom terwijl hij een stuk van zijn koekje brak.

'Niet?' Condor keek opzij.

'Een paar maanden geleden kwam er een telefoontje binnen van ene Julianna Starr. Ze was dringend op zoek naar Clark Russell.'

'Starr,' herhaalde Condor. 'Is ze familie van de vermoorde vrouw?'

'Haar dochter,' antwoordde Tom. 'Ik had je dit eerder willen vertellen, maar degene die het telefoongesprek heeft aangenomen, wist niet dat het belangrijk was. Het bericht heeft een hele poos op zijn bureau gelegen.'

'Waarom wilde ze Russell spreken?'

'Goede vraag.' Tom schraapte zijn keel. 'Wat me boeit aan deze zaak, is dat Julianna Starr niet op haar moeders begrafenis is geweest. Ze is daarna ook niet komen opdagen om haar erfenis op te eisen. Buren en kennissen hebben haar al maanden niet meer gezien. Interessant, vind je niet?'

Condor fronste zijn wenkbrauwen. 'Misschien weet ze niet eens dat haar moeder dood is. Of misschien weet ze meer van die dubbele moord en rent ze nu voor haar eigen leven. Het zou kunnen zijn dat ze Russell heeft gebeld om hulp of informatie.'

'Precies. Dat dacht ik ook.'

'Er kan veel gebeuren in een paar maanden,' zei Condor peinzend. 'Misschien leeft die hele Julianna Starr al niet meer. Heb je een adres voor me?'

'Ja zeker, en een foto.' Tom gaf hem een bruine envelop. 'Ben je wel eens in het zuiden van Louisiana geweest?'

'Daar kom ik net vandaan.'

'Dan hoop ik dat je van het klimaat houdt, vriend, want daar ga je nu weer naartoe.'

47

Haastig deed Julianna de deur van haar appartement open en liep naar binnen. Ze had een afspraak om met Richard te lunchen in haar appartement. Ze waren van plan om eerst uitgebreid te vrijen en daarna lekker in bed te eten.

Ze deed de deur dicht, maar niet op slot, want Richard kon elk moment arriveren met de sandwiches. Met een glimlachje nam ze zich voor om naakt in bed op hem te wachten.

Sinds ze drie weken daarvoor zijn minnares was geworden, was ze volmaakt gelukkig. Alles was precies zo gegaan als ze had gehoopt. Hij behandelde haar als een gelijkwaardige, volwassen vrouw. Hij luisterde naar haar mening en werd niet boos als die afweek van de zijne.

De seks was ook geweldig – veel beter en opwindender dan met John. In het begin had ze niet goed durven zeggen wat ze lekker vond, maar nu wel. Nu wist ze dat hij het heerlijk vond als zij het initiatief nam en hem vertelde wat ze allemaal prettig vond.

Het was ronduit bevrijdend om zijn vriendin te zijn. Voor het eerst in haar leven voelde ze zich een volwassen jonge vrouw.

Ze vrijden wanneer het maar kon: in zijn kantoor, in zijn auto of in het toilet van een restaurant. Ze hadden zelfs een keer in zijn bed gevrijd toen Kate niet thuis was.

Wanneer ze samen waren, hadden ze het nooit over Kate of Emma. Ze spraken niet over zijn huwelijk of over de vraag wat de toekomst zou brengen. Dat stoorde haar niet. Van haar moeder had ze geleerd dat ze geduldig moest wachten. Wanneer het tot hem doordrong dat hij niet zonder haar kon leven, kwam hij vanzelf wel naar haar toe. Per slot van rekening waren ze voor elkaar voorbestemd.

In haar slaapkamer kleedde ze zich uit tot op haar beha en G-string, waarna ze nietsvermoedend de dekens van haar bed terugsloeg. Bij het zien van de rommel op haar onderlaken, hield ze geschrokken haar adem in. Wat was dat?

Ze had al bijna haar hand ernaar uitgestoken toen het plotseling tot haar doordrong wat het was. Met een kreet van schrik draaide ze zich om.

De inhoud van haar ladekast lag overal verspreid op de grond. Met bonzend hart liep ze ernaartoe, voorzichtig, alsof ook op de vloer overal viezigheid lag.

Meteen zag ze dat er niets meer over was van haar slipjes en nachtjaponnetjes. Alles was ruw en grondig aan stukken gescheurd.

John, flitste het door haar heen. Hij heeft me gevonden.

'Julianna!' riep Richard. 'Ik heb de broodjes!'

'Richard!' Ze haastte zich naar de gang en trok de slaapkamerdeur met een knal achter zich dicht. Ze wilde niet dat hij zou zien wat John had gedaan. 'O, Richard!' Huiverend wierp ze zich in zijn armen. 'Wat ben ik blij dat je er bent.'

'Lieverd, je trilt.' Hij hield haar bezorgd op een armlengte afstand. 'Wat is er aan de hand? Is er iets gebeurd?'

Hoofdschuddend kroop ze weer in zijn armen. Ze kon zich er niet toe brengen hem aan te kijken, al wilde ze hem eigenlijk het liefst alles over John vertellen. Ze wilde door hem gerustgesteld worden, maar ze durfde er niet over te beginnen, uit angst dat hij haar niet meer zou willen hebben.

'Julianna?' drong hij aan. 'Vertel me alsjeblieft wat er is.'

Ze besloot hem een deel van de waarheid te vertellen. 'In Washington heb ik iets gehad met een afschuwelijke man,' vertelde ze met tranen in haar ogen. 'Hij is de ware reden waarom ik hiernaartoe ben verhuisd. Ik wilde zo ver mogelijk uit zijn buurt zijn.'

Ernstig keek hij haar aan.

'Hij is echt een griezel, Richard,' bracht ze met moeite uit. 'Als hij me vindt, weet ik zeker dat hij me iets vreselijks zal aandoen.'

'Ben je bang dat hij je heeft gevonden?' vroeg hij.

'Ja. Toen ik thuiskwam, zag ik...' Aan zijn hand nam ze hem mee naar de slaapkamer om hem te laten zien wat er met haar bed was gebeurd. Daarna liet ze hem zien dat al haar lingerie aan flarden was gescheurd.

Zijn gezicht werd wit van razernij. 'Weet je zeker dat je ex-vriend dit heeft gedaan?'

'Nee, maar wie zou het anders kunnen zijn? Wie zou me zoiets willen aandoen?'

'Het kan ook gewoon een perverse inbreker zijn geweest. Iemand die je naar huis is gevolgd en zich naar binnen heeft gewurmd toen je niet thuis was. Dit bevalt me helemaal niet.'

Haar tanden begonnen te klapperen. Ze pakte haar ochtendjas van het haakje om haar naakte huid te bedekken.

'Zaten al je deuren en ramen op slot?'

'Ik denk het wel. Ik weet het niet zeker,' antwoordde ze. 'De voordeur was in elk geval op slot, want die heb ik net zelf opengemaakt.'

Een kleine rondgang door het appartement leerde dat er een paar ramen op een kiertje stonden.

Nadat Richard alles goed had afgesloten, legde hij zijn handen op haar schouders. 'Vanaf vandaag moet je extra voorzichtig zijn,' zei hij met nadruk. 'Koop een busje traangas en ga 's avonds niet meer in je eentje weg. Let extra goed op of je wordt gevolgd en bel de politie als je het gevoel hebt dat er iets niet klopt.'

'De politie? Moet dat?'

'Ja zeker. Ik wil dat je nu ook de politie belt. Kleed je aan en draai het alarmnummer, Julianna. Ik ga nu weg.'

Tranen rolden haar over de wangen. 'Waarom ga je weg?'

'Ik kan hier niet zijn wanneer de politie komt,' legde hij uit. 'Dat begrijp je toch wel? Ik moet om mijn reputatie denken.'

Ze liet het hoofd hangen. 'Ja, dat begrijp ik, maar ik ben bang.'

Troostend sloeg hij zijn armen om haar heen. 'We vinden er wel wat op, schat,' zei hij sussend. Hij drukte een kus op haar haren. 'Je denkt toch niet dat ik toesta dat iemand je kwaad doet?'

'Beloof je dat?' fluisterde ze.

Hij nam haar gezicht tussen zijn handen. 'Je hoeft niet bang te zijn, Julianna. Nooit meer. Daar zal ik wel voor zorgen.'

48

~~~

'Welkom terug, Kate!' riepen Blake, Marilyn en Tess in koor zodra Kate voet over de drempel van The Bean zette.

Het was maandagmorgen, de eerste dag na het ouderschapsverlof dat ze zichzelf had gegeven. Hoewel ze sinds Emma's komst wel het een en ander achter de schermen had gedaan, zou dit haar eerste volledige werkdag worden.

Verrast bleef ze stilstaan. Haar werknemers hadden een groot spandoek achter de toonbank gehangen met de jubelende tekst 'Ze is weer terug!' erop. Alle tafels waren versierd met een vrolijk dansende ballon, en aan de kassa hing zelfs een hele tros ballonnen.

Alle drie stoven ze op haar af. Marilyn nam Emma op de arm, Tess pakte de overvolle luiertas, en Blake nam Kate bij de arm.

'Kom gauw binnen, lieverd,' zei hij. 'We hebben nog veel meer verrassingen voor je in petto.'

Ze namen haar mee naar een hoek van het café, waar ze een heel babyparadijs bleken te hebben ingericht, compleet met kleurige speelkleden, knuffels en kindveilige hekjes. Boven de hoek hing een bord met het woord 'Babycentrum'. Alle drie begonnen ze tegelijk te vertellen.

'We hebben samen –'

'Een paar klanten wilden –'

'– speelgoed gekocht waarmee ze maanden vooruit kan.'

'Ik heb het bord gemaakt,' vertelde Tess.

'We wilden graag iets voor jou en Emma doen.'

'Op deze manier kun je je werk en Emma goed combineren,' vertelde Marilyn stralend. 'We vinden het heerlijk dat je terug bent, Kate. We hebben je echt gemist.'

Kate was tot tranen toe geroerd. 'Ik weet gewoon niet wat ik moet zeggen,' mompelde ze. 'Ik vind het ontzettend lief van jullie.'

'Mooi zo,' zei Blake. 'Maar we zijn nog niet klaar.' Aan haar hand trok hij haar mee naar haar kantoor, waar een schattige wieg en een schommelstoel bleken te staan.

'De stoel is van mijn zus,' zei Marilyn. 'Je mag hem lenen zo lang als je wilt.'

'Ik ben compleet overdonderd,' zei Kate zacht. 'Ik ben echt sprakeloos.'

'Richard heeft ons geholpen.'

'Wist Richard hiervan?' vroeg ze verbaasd.

'Ja zeker.' Tess lachte. 'Hij heeft ons zijn creditcard meegegeven om de babyzaak leeg te kopen. Dat was echt heel leuk. Ik geloof dat ik er aanleg voor heb om andermans geld uit te geven.'

Op de voordeur klonk luid geklop. 'Hallo, is daar iemand?' klonk een stem.

Blake wierp een snelle blik op zijn horloge. 'O jee, we zijn al tien minuten open.'

'We hadden al tien minuten open móéten zijn,' corrigeerde Kate hem. 'Hebben jullie al koffiegezet en de kaart van vandaag op het bord geschreven?'

Beschaamd bekenden de drie dat ze nog niets hadden gedaan. Vanaf dat moment werkten ze keihard om de verloren tijd in te halen.

Die dag kwam een aantal vaste klanten Kate en Emma gedag zeggen. Verder kwam de bakker niet op tijd, ging het espresso-apparaat kapot en maakte een groepje moeders met kinderen een enorme puinhoop van de zaak. Kortom, Kate was al snel weer helemaal terug in de dagelijkse routine. Ze moest toegeven dat ze het heerlijk vond.

Op een rustig moment nam Marilyn haar even apart. 'Hoe gaat

het nu tussen jou en Richard?' wilde ze weten.

Eigenlijk was Marilyn meer een vriendin dan een werknemer, en Kate had haar wel eens in vertrouwen genomen over Richards problemen om zich aan te passen aan het ouderschap. Nu kon ze Marilyn met een brede glimlach vertellen dat het goed ging met haar huwelijk. Richard was erg veel weg, maar wanneer hij thuis was, had hij alle aandacht voor Emma en haar. Vaak had hij een cadeautje bij zich voor zijn dochter en een fles wijn, een lekker dessert of een bos bloemen voor Kate. Het was alsof die ene afschuwelijke ruzie iets fundamenteel veranderd had. Hij was een compleet nieuwe man. Zo had ze hem nog niet eerder meegemaakt.

'Mooi zo,' zei Marilyn tevreden. 'Het is goed als mannen zich schuldig voelen, want daar worden ze veel aardiger van. Soms is er een flinke ruzie voor nodig om ze op het rechte pad te krijgen.'

Toevallig kwam Blake net op dat moment met een grote doos servetten voorbijlopen, waardoor hij de laatste zin van het gesprek opving. 'Wil je alle mannen op het rechte pad krijgen?' vroeg hij met een uitgestreken gezicht. 'Alsjeblieft niet, schat. Verpest het nou niet voor de rest!'

Marilyn rolde met haar ogen. 'Waarom moeten al jouw gesprekken over seks gaan?'

'Ach, je weet wat ze zeggen, meisje,' zei hij lachend. 'Iedereen heeft wel een onderwerp waarvan hij veel verstand heeft. Toevallig ben ik nu net de prins der –'

'Ho eens even!' Kate hief haar hand op. 'Nu weet ik zeker dat ik weer gewoon op mijn werk ben.'

'Betekent dat dat je ook de laatste nieuwtjes wilt horen?' vroeg Blake terwijl hij de doos onder de toonbank zette. 'Het is hier net een soapserie de laatste weken.'

'O?'

'Ralph en zijn vrouw zijn uit elkaar,' vertelde Tess, verwijzend naar een van de vaste klanten. 'Zij heeft de voogdij gekregen over de jeep en de kat.'

'Hij was er kapot van, want hij was gek op die auto,' vulde Blake aan. 'Tot overmaat van ramp was dat ding net afbetaald.'

Ze vertelden Kate over een zwangerschap van een klant, over

het feit dat een van de aankomende schrijvers eindelijk een boek had verkocht en over een derde klant, die dankzij een nieuw dieet al tien kilo was kwijtgeraakt.

'En tijdens je afwezigheid heeft Tess ook al vijf keer een nieuwe liefde gevonden,' vertelde Blake.

'Nee, zes,' verbeterde Marilyn hem lachend.

'Dat hoorde ik heus wel,' zei Tess, die net met Emma in haar armen kwam aanlopen. 'Kan ik het helpen dat ik de perfecte man nog niet ben tegengekomen?' Ze wendde zich tot Marilyn. 'Heb je Kate al verteld over die nieuwe man?'

'Ze bedoelt een van onze drie nieuwe vaste klanten,' legde Marilyn uit terwijl ze een klant hielp bij de toonbank.

'Het zijn alle drie mannen,' zei Tess met een dromerige blik. 'Maar er is er maar één superaantrekkelijk en sexy. Hij heet Nick Winters.'

Kate nam haar dochter van haar over. 'Nick Winters? Vertel me eens wat meer over hem.'

'Hij is een ontzettend lekker stuk,' zei Tess, naar de toonbank lopend om Marilyn te helpen. 'En hij is ook nog eens vrijgezel.'

'Hij is veel te oud voor je,' zei Marilyn. 'Maar ze heeft wel gelijk dat hij knap is,' liet ze er over haar schouder op volgen. 'Een ruig type, maar wel intellectueel. Hij heeft filosofie gedoceerd aan een universiteit in Cleveland.'

'Wat doet hij dan hier?' vroeg Kate.

'Hij heeft een erfenis gehad,' legde Marilyn uit. 'Hij heeft al zijn bezittingen verkocht en maakt nu een rondreis door Amerika. Het bevalt hem hier zo goed, dat hij een poosje is blijven hangen.'

'Een andere nieuwe gast is Steve Byrd,' zei Blake. 'Van de drie nieuwelingen is hij mijn favoriet. Hij ziet eruit alsof hij regelrecht uit de jaren zestig komt, compleet met paardenstaart en hippiekleding. Hij heeft vijfentwintig jaar lang de popgroep The Grateful Dead gevolgd op hun tournees. Daarbij heeft hij de kost verdiend met het verkopen van Grateful Dead-artikelen. Hij zegt dat het leven eigenlijk geen zin meer heeft sinds de Dead-zanger, Jerry Garcia, is overleden.'

'Volgens mij heeft Steve Byrd al zijn levende hersencellen om zeep geholpen met drugs,' zei Marilyn met een huivering. 'Ik heb dat hele flowerpowerwereldje nooit begrepen.'

'Het klinkt alsof hij een kleurrijke aanvulling is op onze dagelijkse clientèle,' merkte Kate lachend op. 'Wie is nummer drie? Jullie zeiden dat er drie nieuwe vaste klanten waren.'

Haar drie werknemers wisselden veelbetekenende blikken met elkaar.

Blake schraapte zijn keel en antwoordde: 'Nummer drie is een griezel. Een ex-militair die niet zoveel zegt. Hij komt elke dag en kijkt dan met een vuile blik naar Steve en iedere andere gast die er een beetje anders uitziet dan normaal. En Beanie en ik kunnen zijn goedkeuring ook niet wegdragen.' Hij onderdrukte een rilling.

'Hoe heet hij?' vroeg Kate.

'Geen idee,' antwoordde hij. 'Zoals ik al zei, hij zegt niet veel.'

'Ik heb een keer geprobeerd een praatje met hem te maken,' vertelde Tess. 'Maar hij deed zo lelijk tegen me, dat ik maar gauw mijn mond dichthield.'

'Het gebeurt niet vaak dat ik het met Blake eens ben, maar in dit geval moet ik hem gelijk geven,' zei Marilyn. 'Die man is een engerd. Volgens mij heeft hij een ijskoud hart.'

Een ijskoud hart. Met gefronste wenkbrauwen vroeg Kate zich af waarom zo'n man in een café als The Uncommon Bean rondhing. Was het soms iemand die op zoek was naar problemen? Als dat zo was, moest zij ervoor zorgen dat er geen problemen kwamen.

49

John zat op een bankje onder een eeuwenoude eik aan Lake Pontchartrain. Vlak voor zijn neus dook een meeuw naar het wateroppervlak om een visje te verschalken.

Het was een milde, aangename oktoberdag. Normaal gesproken zou hij van het weer en de prachtige omgeving hebben genoten, maar deze keer niet. Deze keer vocht hij om zijn tomeloze woede onder controle te krijgen.

Hij was Julianna gevolgd vanaf haar appartement. Hij wist waar ze werkte en voor wie. Ook was hij erachter gekomen dat ze een dochter had gekregen en dat ze het kind had afgestaan voor adoptie. Hij wist zelfs hoe de adoptiefouders heetten en waar ze woonden. Kortom, hij wist alles.

Hij keek omhoog naar de perfecte, stralend blauwe lucht.

Alles.

Ze sliep met een andere man. Zijn Julianna, zijn eigen kleine meisje, deelde het bed met iemand die daar niet thuishoorde. Nu begreep hij waarom ze een la vol sexy lingerie had gehad. In gedachten zag hij haar voor zich, kronkelend onder de handen van de andere man... Ze was een sloerie geworden, net als haar moeder. Kennelijk was ze vergeten wat hij haar over liefde en loyaliteit had geleerd.

Nee, ze was geen haar beter dan een haar moeder.

Die gedachte was onverteerbaar. Hij had gedacht dat zij anders was. Hij was ervan overtuigd geweest dat zijn Julianna iets bijzonders was.

Ooit was ze puur geweest, een onschuldige bron van licht...

Er ontsnapte een diepe, gekwelde kreun aan zijn keel, alsof hij een dier was dat pijn leed.

Ooit had ze met haar warmte de koude plekken in zijn ziel geraakt. Ooit had hij zich kunnen vastklampen aan haar onschuld...

Trillend bracht hij zijn handen naar zijn gezicht. Hoe had hij zich zo kunnen vergissen? Hoe kon hij afscheid nemen van zijn droom?

Er liep een moeder voorbij met een klein meisje aan haar hand. Het kind keek met een verlegen lach naar hem opzij.

Haar lachje deed hem niets. Dit kind had niet Julianna's heldere licht. Ze bezat niet die zuivere ziel die haar anders maakte dan de anderen.

Nee, hij had zich destijds niet in Julianna vergist. Ze was speciaal geweest. Dat was ze nog steeds. In haar jeugdige onbezonnenheid was ze weggelopen en had ze zich tot die Richard gewend, maar het was nog niet te laat. Nog steeds kon hij haar op het rechte pad brengen.

Hij stond op en keek naar een meeuw die zich schreeuwend op zijn prooi stortte. Het was allemaal de schuld van die man en van diens vrouw. En van de baby.

Het werd tijd dat die drie hindernissen uit de weg werden geruimd. Daarna zou hij kunnen kijken of Julianna nog steeds zo bijzonder was als hij dacht.

50

De volgende dagen waren druk en zeer vermoeiend voor Kate. Ze moest er erg aan wennen om na zoveel weken weer hele dagen in The Uncommon Bean te zijn.

Ook Emma moest aan alle veranderingen wennen. Het kind hoorde zo veel nieuwe geluiden en zag zo veel nieuwe gezichten, dat ze oververmoeid raakte en 's avonds niet in slaap kon komen. Tegen de tijd dat Kate haar dan eindelijk in slaap had gewiegd en in haar bedje had gelegd, had ze zelf alleen nog maar energie om haar nachtjapon aan te trekken en in bed te rollen.

Daarnaast waren er ook nog eens wat kleine ergernisjes thuis. Het had al weken niet geregend, waardoor ze elke avond de tuin moest sproeien. De koelkast had de geest gegeven, en de telefoon was opeens heel raar gaan storen. Gelukkig had er binnen de kortste keren een monteur op de stoep gestaan, die haar had uitgelegd dat het probleem in haar telefoonaansluiting zat.

Het irritantste was echter dat een opmerking van Marilyn haar steeds dwars bleef zitten. Terwijl ze de terrastafeltjes van The Uncommon Bean afruimde, dacht ze weer over dat ene zinnetje na.

Waarom had Marilyn gesuggereerd dat Richards attente gedrag te maken had met een schuldig geweten? Waar voelde hij zich schuldig over? Was er echt een reden waarom hij steeds cadeautjes voor haar meenam?

Ze wist dat hij spijt had van alle dingen die hij had gezegd over

Luke en Emma en dat hij waarschijnlijk met schaamte terugdacht aan de avond waarop hij haar had willen dwingen met hem te vrijen. Zelf dacht ze ook niet met plezier aan die avond terug.

Maar was er misschien meer aan de hand? Had hij nog meer redenen om haar te overladen met cadeaus?

Ze zette de vuile vaat op een dienblad, verzamelde alle gebruikte servetjes, suikerzakjes en melkpoederzakjes en veegde met een vaatdoekje de tafel schoon.

Was ze paranoïde als ze meer zocht achter zijn gedrag?

Waarschijnlijk maakte ze zich weer druk om niets. Ze was al gespannen sinds de dag waarop Joe die jonge vrouw op de schommel had zien zitten. De vrouw op de schommel... Ze begreep zelf niet waarom, maar haar gedachten gingen steeds terug naar dat verhaal van Joe.

Toen ze opkeek, zag ze haar buurman stomtoevallig voorbijkomen met zijn hond. Zoals gewoonlijk probeerde het beest zijn baas enthousiast vooruit te trekken.

'Hallo, Joe!' riep ze. 'Heb je misschien zin in een kopje koffie?'

Daar had de oude man wel oren naar, en een paar minuten later zaten ze samen in de aangename namiddagzon op het terras te genieten van een vers kopje koffie. Op de grond stond een bak met water voor de hijgende Beauregard.

Nadat ze over koetjes en kalfjes hadden gepraat, stuurde ze het gesprek naar de vrouw op de schommel. 'Ik heb nog vaak aan haar moeten denken,' zei ze. 'Weet je toevallig nog hoe ze eruitzag?'

De vraag leek hem niet in het minst te verbazen. 'Eens even denken,' mompelde hij, op zijn hoofd krabbend. 'Het is alweer even geleden, en ik heb haar niet van heel dichtbij gezien.' Met gefronste wenkbrauwen keek hij opzij naar haar. 'Ze had ongeveer dezelfde kleur haar als jij en ook ongeveer hetzelfde kapsel. Ze was nog jong; ik schat nog geen twintig. Ze droeg een kort rokje, dat weet ik nog wel.' Afkeurend schudde hij zijn hoofd. 'Ik vond het hoogst onfatsoenlijk dat ze in die kleding zat te schommelen. Wanneer ze omhoogging, kon je zo onder haar rok kijken. Schandalig gewoon.'

Ze beaamde dat dat inderdaad niet erg netjes was. 'Is dat alles wat je je kunt herinneren, Joe?' vroeg ze. 'Of was er misschien nog iets wat je opviel? Iets aan haar uiterlijk of aan haar gedrag?'

Hij schudde zijn hoofd. 'Het spijt me, Kate. Ik wilde dat ik je beter kon helpen.'

Nadat hij zijn koffie had opgedronken, stond hij op om zijn wandeling te vervolgen.

Denkend aan de informatie die hij haar zojuist had gegeven, keek ze hem na. Schouderlang bruin haar, jong, waarschijnlijk net onder de twintig. Aan dat signalement beantwoordden talloze vrouwen in de regio. De beschrijving was volgens Citywide zelfs van toepassing op Emma's biologische moeder.

Lieve help! Emma's biologische moeder...

Hoewel ze zich voorhield dat het geen zin had om in paniek te raken, rende ze zo hard ze kon naar haar kantoor. Daar draaide ze het nummer van Ellens kantoor in Citywide.

'Ellen, je spreekt met Kate Ryan.' Zelfs in haar eigen oren klonk ze gejaagd en buiten adem.

'Kate! Wat leuk om van je te horen. Hoe gaat het met je?' zei de maatschappelijk werkster. 'Hoe gaat het met je dochter?'

'Die groeit als kool. Je zou haar nauwelijks meer herkennen,' vertelde Kate. 'Gisteren is ze voor het eerst van haar rug naar haar buik gerold. Je had dat trotse snuitje moeten zien!'

'O, wat enig! Kom een keer langs, dan kunnen we haar allemaal bewonderen,' zei Ellen. 'Bel je zomaar, of wilde je me misschien iets vragen?'

'I-ik wilde iets vragen.' Opeens werd ze vreselijk zenuwachtig. Hoe kon ze dit nu het beste verwoorden? Ze wilde niet dat Ellen zou denken dat ze paranoïde was. Stel dat de maatschappelijk werkster zou denken dat ze daardoor niet meer geschikt was om voor Emma te zorgen! Maar ze móést weten of Emma's biologische moeder van gedachten veranderd was en haar kind terug wilde.

'I-ik... Ik vroeg me af of je misschien nog wat van Emma's moeder hebt gehoord,' hakkelde ze.

'Nee, niets. Waarom wil je dat weten?'

'W-we zouden haar nog steeds heel graag willen ontmoeten.'

'Het spijt me, maar dat wil de moeder nog steeds niet.'

'O.'

'Geef de moed maar niet op. Het zou best kunnen dat ze nog eens van gedachten verandert,' zei Ellen troostend.

Dat doet ze niet, dacht Kate. Als ze Emma wil zien, doet ze dat op een achterbakse manier. Of ben ik nu gek? Heb ik misschien te veel films gezien?

'Z-zou het misschien kunnen dat Emma's moeder erachter is gekomen waar wij wonen?' vroeg ze aarzelend. 'Hebben jullie haar misschien per ongeluk te veel informatie gegeven?'

'Dat is uitgesloten,' antwoordde Ellen zeer beslist. 'Waarom vraag je dat, Kate? Is er iets vervelends gebeurd?'

'Ik weet dat het idioot klinkt, maar...' Ze zuchtte. 'Ik heb steeds het nare gevoel dat... dat...'

'Dat Emma's moeder van gedachten veranderd is en haar baby terug wil stelen,' vulde Ellen aan.

'Precies!' Ze was opgelucht en verbaasd tegelijk. 'Hoe weet je dat?'

Ellen lachte. 'Ik doe dit werk al jaren, Kate. Het is een veelvoorkomende angst bij adoptiefouders, zeker als er sprake is geweest van een gesloten adoptie. De adoptiefouders kunnen zich vaak niet voorstellen hoe iemand afstand heeft kunnen doen van zo'n lief, klein wezentje als hun kind.'

Ze had zich inderdaad ook afgevraagd hoe een jonge vrouw een beeldschoon kind als Emma had kunnen weggeven.

'Voor mij is je angst alleen maar een goed teken. Het betekent namelijk dat je met hart en ziel Emma's moeder bent geworden,' vervolgde Ellen. 'Ze is zo'n onmisbaar lid van je gezin geworden, dat je je het leven zonder haar niet meer kunt voorstellen. De gedachte dat iemand haar zou kunnen weghalen, is te erg voor woorden. Maar ik kan je troosten: uit ervaring weet ik dat die angst langzaam maar zeker slijt.'

Ze lachte verlegen. Al klonk Ellens verhaal heel aannemelijk, de gedachte dat Citywide onmogelijk álles van Emma's moeder kon weten, bleef aan haar knagen.

'Heeft ze echt nooit gezegd dat ze aan de juistheid van haar beslissing twijfelde?' vroeg ze. 'Heeft ze je ook niet gebeld om te vragen hoe het met Emma gaat?'

'Nee, Kate. Je hoeft je echt nergens zorgen over te maken,' zei Ellen. 'Emma's biologische moeder staat nog steeds achter haar beslissing. Ik weet heel zeker dat ze jullie niet zal opzoeken.'

Hoewel ze wist dat ze daardoor gerustgesteld zou moeten zijn, kon ze het akelige gevoel dat Emma's moeder haar gezinnetje al had opgezocht niet van zich afzetten.

51

Het duurde niet lang voordat Kate kennismaakte met de nieuwe vaste klanten van The Bean.

De eerste was Mr. Militair, zoals Blake hem had genoemd. Tot haar ongenoegen moest ze vaststellen dat haar overdramatische werknemers deze keer niet hadden overdreven: Mr. Militair was inderdaad een ijskoude, griezelige man.

Kate was vriendelijk naar hem toe gelopen om zich voor te stellen en een babbeltje te maken. De man had haar onmiddellijk toegesnauwd dat hij alleen maar bereid was haar dure koffie te bestellen als hij in ruil daarvoor met rust gelaten werd. Natuurlijk had ze hem onmiddellijk zijn zin gegeven, maar zijn aanwezigheid zat haar erg dwars. Wat had zo'n man in haar gemoedelijke koffietent te zoeken?

De volgende met wie ze kennismaakte, was de Grateful Dead-fan. Hij kwam binnen op de derde ochtend na haar terugkeer. Hij rook hevig naar wierook en gebruikte voortdurend uitdrukkingen als 'helemaal te gek, weet je wel'.

Marilyn ontdekte in een gesprek met hem al gauw dat ze allebei fel tegen kernwapens waren, en Tess nam even een korte pauze om hem te horen vertellen over zijn dagen met The Dead.

Nadat Kate Emma in bed had gelegd, ging ze zich aan hem voorstellen. 'Dag, Steve,' zei ze, haar hand uitstekend. 'Ik ben Kate.'

Glimlachend schudde hij haar de hand. Het viel haar op dat hij zachte, mooie handen had voor een man.

'Ik dacht al dat jij Kate was,' zei hij. 'Leuke tent heb je hier. Goede sfeer.'

'Dank je wel.'

'Dat gebrandschilderde glas is echt helemaal te gek, weet je. Tess zei dat jij de kunstenares bent.'

'Dat klopt.' Ze vernauwde haar ogen tot spleetjes, want hij kwam haar op de een of andere manier bekend voor. 'Hebben wij elkaar al eens ontmoet?' vroeg ze.

'Dat denk ik niet, want ik ben hier nog maar pas.' Hij nam een slok van zijn koffie. 'Heb je The Dead wel eens live gezien?'

'Nee, maar ik heb wel een paar van hun cd's,' antwoordde ze.

Ze praatten over muziek totdat er een groep nieuwe klanten binnenkwam. Toen liep ze naar de toonbank om Blake te helpen.

'Er klopt iets niet aan die hippie,' fluisterde ze in Blakes oor.

Met gefronst voorhoofd keek hij in Steves richting. 'Hoe bedoel je?'

'Volgens mij is hij niet half zo stoned als hij ons wil laten geloven.'

'Heb je wel goed gekeken? Steve is van mening dat marihuana een eerste levensbehoefte is. Hij komt altijd binnen met een paar joints achter de kiezen.'

'Ik geloof er niets van,' hield ze vol. Ze wendde snel haar blik af toen ze zag dat Steve in haar richting keek. 'Volgens mij is het een vermomming. Die heldere, intelligente ogen van hem missen niets van wat er hier gebeurt.'

Blake wilde haar niet geloven. 'Kom nou, Kate. Wie gaat er nou voor de lol als zo'n pluizenbol door het leven?'

Ze was niet overtuigd en besloot Steve goed in de gaten te blijven houden, temeer daar ze er zeker van was dat ze hem al eens eerder had gezien.

Later die dag verscheen ook de derde nieuwe gast in The Bean. Kate werd op zijn komst geattendeerd door Tess, die praktisch kwijlde in een kop espresso. 'Kijk, daar heb je hem!' fluisterde ze ademloos.

Kate draaide zich om. 'Hallo. Jij bent zeker Nick?' zei ze. 'Ik ben Kate. Hartelijk welkom in The Uncommon Bean.'

Nick Winters leek Tess' appelflauwte nauwelijks in de gaten te hebben. Hij glimlachte naar Kate met de mooiste, onweerstaanbaarste lach die ze ooit had gezien.

Tess heeft gelijk, dacht ze verrast. Hij is inderdaad bijzonder aantrekkelijk. Ik durf te wedden dat de vrouwelijke studenten in Cleveland destijds stonden te trappelen om filosofiecolleges bij hem te mogen volgen.

'Dag, Kate,' groette hij. 'Leuk om met je kennis te maken. Je personeel heeft me al alles over je verteld.'

'Alles?' herhaalde ze met een zenuwachtig lachje. 'Ik hoop dat ze alleen maar goede dingen hebben verteld.'

'O, zeker. Ze dragen je op handen.' Zijn blik ging naar Emma. 'Ik heb ook alles gehoord over je kindje. Mag ik haar misschien even vasthouden? Ik heb al tijden geen kind meer in mijn armen gehad.'

Na een korte aarzeling voldeed ze aan zijn verzoek. Meteen zag ze dat ze niet bang had hoeven zijn, want hij hield het meisje vast alsof hij dagelijks met baby's rondliep.

'Ze is beeldschoon,' zei hij vol bewondering.

'Dank je wel,' zei ze trots. 'Dat vind ik ook.'

Hij maakte Emma met gekke geluidjes aan het lachen.

'Heb je veel ervaring met kinderen?' vroeg Kate.

'Ja zeker. Ik ben de oudste van zes kinderen.'

'Heb je zelf ook een gezin?'

'Gelukkig niet. Ik vond het al zwaar genoeg om voor vijf broertjes en zusjes te zorgen.' Hij wees naar een tafel. 'Zullen we even gaan zitten? Dan kunnen we verder babbelen.'

Opnieuw aarzelde ze, maar Blake en Tess gebaarden dat ze best kon gaan. 'Oké,' zei ze dus maar.

Ze namen plaats aan een tafeltje bij het raam, waar Nick Emma op zijn knie liet paardjerijden.

'Vertel me eens wat meer over jezelf, Kate.'

'Wat moet ik vertellen?' vroeg ze schouderophalend. 'Ik ben getrouwd en moeder van Emma. Ik maak dingen van glas en ben zo verslaafd aan koffie, dat ik er mijn brood mee verdien. Dat is alles.'

'Dat is heel wat, Kate Ryan,' zei hij langzaam. 'Ik heb bewondering voor je. Ik zie een heel mooie, getalenteerde vrouw die haar leven keurig heeft ingericht.'

Ze bloosde. 'Dank je wel.'

'En die "dingen van glas" waar je het over hebt, noem ik kunst. Ik vind ze echt prachtig.'

'Toe maar. Het regent complimentjes vandaag,' zei ze luchtig. 'Dank je wel.'

Glimlachend streek hij met zijn vingertop over Emma's wangetje. 'Waarom ben je dit koffiecafé eigenlijk begonnen? Het is zonde van je tijd. Iemand met jouw talent zou de hele dag kunstwerken moeten maken.'

Even wist ze niet wat ze moest zeggen. Moest ze zich nu beledigd of gevleid voelen? 'Ik ben een praktisch mens,' antwoordde ze uiteindelijk. 'Ik vind het niet prettig om afhankelijk te zijn van zo'n onzekere bron van inkomsten als mijn glaswerk.'

'Kunst is belangrijker dan geld,' luidde zijn mening. 'Het is zonde om je talent niet volledig te benutten.'

Ze was met stomheid geslagen. Het was een onbehoorlijke opmerking uit de mond van iemand die ze nog maar net kende, maar tegelijkertijd had hij precies het dilemma verwoord waarmee ze nu al jaren worstelde.

'Dat vind jij,' zei ze met een geforceerd lachje. Ze stond op van haar stoel. 'Wil je me nu excuseren? Ik moet weer aan het werk.

'Heb ik je beledigd? Dat spijt me. Dat was niet mijn bedoeling.' Hij gaf haar Emma terug. 'Ik vond het leuk om even met je te praten. Ik vind je een heel mooie, bijzondere vrouw.'

Ze voelde haar wangen rood worden. Met een verlegen lach nam ze afscheid, waarna ze terugliep naar de toonbank.

'Wat krijgen we nou?' vroeg Blake. 'Je bloost tot in je haarwortels, Kate. Is Mr. Nick Winters soms een beetje gek op je?'

'Doe niet zo mal, hij kent me nauwelijks! Bovendien ben ik getrouwd.'

'Sinds wanneer is dat een belemmering om gek op iemand te worden?'

Met een handgebaar wuifde ze zijn plagerijtjes weg.

De dagen daarna begon ze zich af te vragen of Blake misschien gelijk had. Elke dag vroeg Nick haar bij hem te komen zitten, en elke dag wilde hij een praatje maken. De meest uiteenlopende onderwerpen kwamen ter sprake, van adoptie tot strafrecht en van politiek tot geloof.

Ze moest toegeven dat ze zich gevleid voelde. Nick Winters was niet alleen een aantrekkelijke, maar ook een intelligente, belezen man. Sinds haar verloving met Richard had niemand haar meer zo openlijk bewonderd en gecomplimenteerd. Ze vond het bijzonder leuk om weer eens het gevoel te hebben aantrekkelijk te zijn.

52

De zaterdag erop nam ze vrij om een beetje bij te komen van de vermoeienissen van haar eerste weken in The Bean.

Op maandagmorgen was ze weer helemaal uitgerust en klaar om aan een nieuwe week te beginnen.

'Goedemorgen, Kate!' riep Blake haar vanachter de toonbank toe. 'Goed weekend gehad?'

'Uitstekend,' antwoordde ze. Ze legde Emma in haar speelhoek neer. 'Hoe heb jij –' Opeens zag ze dat haar favoriete glaswerk verdwenen was. 'Waar is dat werk met die zilverreigers?' vroeg ze.

'Dat is afgelopen zaterdag verkocht.'

'Wát?' Ze was zo gehecht aan dat werk, dat ze er een prijskaartje van vijfduizend dollar aan had gehangen, in de overtuiging dat niemand dat bedrag zou willen neertellen. 'Wie heeft het gekocht?'

'Nick Winters.'

Ze kon haar oren niet geloven. Had Nick Winters vijfduizend dollar betaald voor een van haar kunstwerken? 'Weet je het zeker?'

'Ja.' Hij tilde de la van de kassa op. 'Kijk maar, hier is je cheque. En daar komt Nick net aan, dus je kunt het hem zelf vragen.'

Ze draaide zich om.

In de deuropening stond Nick met zijn charmante lach naar

haar te kijken. 'Ik zie dat je het geld hebt gekregen,' zei hij.

'Ja.' Nog een beetje beduusd keek ze naar de cheque. 'Ik ben helemaal overdonderd.'

'Dat wil ik geloven.' Hij bestelde een dubbele espresso, waarna hij plaatsnam aan een van de tafeltjes. 'Kom even bij me zitten.'

Doordat het meer als een bevel klonk dan als een verzoek, had ze even het rare gevoel dat hij met zijn vijfduizend dollar een stukje van háár had gekocht in plaats van haar glaswerk.

'Was je verbaasd?' vroeg hij.

'Dat kun je wel zeggen, ja. Ik schrok me naar toen ik dat lege raam zag,' antwoordde ze. 'Het is mijn lievelingswerk.'

'Dat verbaast me niets, want het was het allermooiste werk dat er hing.' Langzaam bracht hij zijn kopje naar zijn mond. 'Wist je dat er culturen zijn waarin men gelooft dat een kunstenaar een stukje van zijn ziel weggeeft wanneer hij een van zijn werken verkoopt?'

Ze vernauwde haar ogen tot spleetjes. Die opmerking beviel haar niet. 'Nee, dat wist ik niet, Nick.'

'Interessant uitgangspunt, vind je niet?'

Ze fronste haar wenkbrauwen. Waarom kreeg ze nu het idee dat hij het leuk vond om haar een onplezierig gevoel te geven?

'Besef je wat dat betekent?' vroeg hij.

Langzaam schudde ze haar hoofd.

'Dat ik op dit moment een klein stukje van jouw ziel in mijn bezit heb.'

Er liep een rilling over haar rug, hoewel ze zelf niet wist waarom. Iets in zijn blik bezorgde haar kippenvel.

'Dat gaat alleen maar op als je in die onzin gelooft,' zei ze luchtig.

'Dat klopt.' Hij zette zijn kopje neer. 'Het geeft alleen maar aan dat kunst iets unieks, iets heel persoonlijks is. Sommige kunstenaars zeggen dat elk kunstwerk een aderlating is; anderen beweren dat het een gevecht is met de wilskracht of een uiting van het onderbewuste. Wat vind jij?'

Ze had helemaal geen zin om haar opvatting over creativiteit met hem te bespreken. Op de een of andere manier zou het een onaangename inbreuk op haar privacy zijn als hij van haar artistieke passies wist. Hoe had ze hem ooit aantrekkelijk of interessant kunnen vinden? Hoe had ze zich ooit gevleid kunnen voelen door zijn complimentjes? Ineens vond ze hem een bijzonder onaangename man.

'Nick, ik wil dat glaswerk graag van je terugkopen,' zei ze. 'Ik ben er namelijk nogal aan gehecht. Ik heb dat prijskaartje er alleen maar aangehangen omdat ik dacht dat niemand er vijfduizend dollar voor zou overhebben.'

'Het spijt me, maar dat gaat niet.'

'Waarom niet?'

'Ik heb het al laten inpakken en versturen naar mijn huis in Ohio.'

'O. Maar vind je het dan niet jammer dat je zo weinig thuis bent om ervan te genieten?' probeerde ze nog. 'Als je het laat terugsturen, betaal ik –'

'Sorry, Kate,' onderbrak hij haar. Zijn wrede glimlachje verraadde echter dat het hem allerminst speet. 'Ik kan er niets meer aan doen. Je bent te laat.'

53

'Hallo, Kate.' Joe stond stil bij het hek. 'Prachtige avond, vind je niet?'

'Heerlijk.' Ze zette de tuinslang uit om met hem te kunnen praten. 'Het is anders wel erg droog.'

'Ja. Ik ben blij dat je die bloemen wat water geeft. Ik dacht gisteren even dat je ze zou vergeten. Ik was bijna nog even bij je aangewipt om het tegen je te zeggen, want je hebt per slot van rekening al genoeg aan je hoofd.'

Ze glimlachte wrang. Haar dagen waren inderdaad overvol. 'Dat is aardig van je, Joe. Soms lijkt het inderdaad of er te weinig uren in een dag zitten,' verzuchtte ze. 'Nu ik je toch zie: heb jij misschien ook problemen met je telefoon? Die van ons kraakt nu al weken.'

Hij fronste zijn voorhoofd. 'Mijn telefoon? Daar is niets mis mee.'

Nu was het haar beurt om haar voorhoofd te fronsen. 'Wat raar. Die van ons begon een paar weken geleden ineens te storen,' vertelde ze. 'Er is een man van de telefoonmaatschappij langs geweest, en die vertelde dat de hele buurt er last van had. Hij is bij ons binnen geweest om onze aansluiting te controleren. Volgens hem werd het probleem veroorzaakt door wegwerkers die een aantal kabels hadden beschadigd.'

Met een achteloos gebaar haalde hij zijn schouders op. 'Misschien is net jullie aansluiting beschadigd en de mijne niet.'

'Tja, ik weet het ook niet... Ik zal ze morgen even bellen.'

Opeens sloeg ze een hand voor haar mond. Steve Byrd. Nu wist ze weer waar ze hem had gezien. Was hij niet de monteur die haar telefoonaansluiting had gecontroleerd?

Nee, dat kon haast niet. Die man had er toch heel anders uitgezien?

'Kate? Is er iets?'

Ze knipperde met haar ogen. 'Sorry, Joe, ik was met mijn gedachten even ergens anders. Het komt vast door dat lome weer.'

'Het is inderdaad raar weer,' beaamde hij, turend naar de lucht. 'Ik kan me niet herinneren wanneer we voor het laatst zo'n warme oktobermaand hebben gehad.' Zijn blik ging naar Emma, die in de schaduw in een wipstoeltje lag. 'Je dochter wordt groot. Ze is een heel mooi meisje, Kate.'

'Dank je wel. We zijn dolgelukkig met haar.'

'Tussen twee haakjes, dat mysterie met die jonge vrouw is opgelost. Ik ben er inmiddels achter dat ze een vriendin van jullie is.'

'Sorry, over wie heb je het?'

'Die jonge vrouw van de schommel,' verduidelijkte hij. 'Ik zag haar hier vanmiddag met Richard, toen ik Beauregard uitliet na het middageten. Richard zwaaide nog naar me.'

Verbluft keek ze hem aan. 'Weet je zeker dat het dezelfde vrouw was?'

'Heel zeker.' Hij keek naar Beauregard, die ongeduldig aan de lijn trok. 'Nou, ik moet er eens vandoor. Leuk je weer gesproken te hebben, Kate.'

Terwijl ze haar buurman nakeek, kreeg ze een akelige kramp in haar maag. Joe had Richard samen met de vrouw van de schommel gezien. Dat moest Julianna zijn geweest. Dat kon niet anders. Dat ze daar niet eerder aan had gedacht. Julianna was jong en ze had dezelfde haarkleur en hetzelfde kapsel als zij.

Maar als Joe gelijk had, betekende dat dat Julianna al weken voordat Richard haar had aangenomen bij hun huis was geweest. Wat had dat te betekenen? En waarom was Richard midden op de dag met zijn assistente naar huis gegaan?

Ze schrok op van het geluid van een toeterende auto. Het was Richard, die zijn auto de oprit op draaide.

Met moeite slaagde ze erin te lachen en te zwaaien. Geef hem een kans, dreunde het door haar hoofd. Waarschijnlijk heeft hij er een heel aannemelijke verklaring voor.

'Dag, schat!' riep hij nadat hij het autoportier dicht had geslagen. 'Wat ben je aan het doen?'

'Ik red de bloemborders,' antwoordde ze. Bij de gedachte aan Joes verhaal verdween de lach van haar gezicht. 'Drukke dag gehad?' vroeg ze.

'Ontzettend druk.' Hij tilde Emma met stoeltje en al op.

'Joe zegt dat hij je rond de middag heeft zien thuiskomen,' meldde ze langs haar neus weg, de tuinslang oprollend.

'Dat klopt. Ik was mijn aantekeningen over de Miller-zaak vergeten.'

'Hij zei dat je Julianna bij je had.'

'Dat klopt ook. We waren onderweg naar een zakenlunch.'

Zwijgend hield ze de keukendeur voor hem en Emma open.

Hij zette hun dochter op de grond om een glas wijn te kunnen inschenken. 'Wil jij ook een glas?' vroeg hij.

'Nee, dank je.' Het irriteerde haar dat hij meteen geen aandacht meer voor Emma had. Ze haalde hun jengelende dochter uit het zitje om haar op de arm te nemen. 'Wil je misschien een glas ijsthee voor me inschenken?'

'Ja, natuurlijk.' Hij grinnikte. 'Die bemoeizieke oude Joe toch. Heeft hij niets beters te doen dan zijn buren bespioneren?'

'Hij bespioneerde je niet. Hij was aan het wandelen met Beauregard.'

'Om vervolgens meteen aan jou te rapporteren wat hij heeft gezien. In mijn ogen lijkt dat verdacht veel op spionage.'

'Welnee.' In Emma's luiertas zocht ze naar een speentje. 'Hij begon erover omdat ik laatst weer had gevraagd naar die jonge vrouw die hier op de schommel had gezeten.'

'Wat heeft dat hiermee te maken?' vroeg hij verbaasd.

'Joe weet heel zeker dat Julianna degene was die hier toen op de schommel zat.' Bij het zien van Richards niet-begrijpende blik, slaakte ze een ongeduldige zucht. 'Vind je dat nou zelf niet vreemd, Richard? Waarom zat Julianna hier zo lang geleden al op de schommel? Je had haar nog niet eens op sollicitatiegesprek gehad.'

'Volgens mij is het allemaal onzin,' zei hij kribbig. 'Geloof je een oude bemoeial tegenwoordig eerder dan je eigen man?'

'Ik heb het nu helemaal niet over jou. Ik heb het over Julianna.'

'Ik weet zeker dat Joe zich vergist.' Geïrriteerd draaide hij zich om om weg te lopen, maar ze versperde hem de weg.

'Hoe weet je dat zo zeker?' vroeg ze. 'Ik heb je al gezegd dat ik Julianna niet vertrouw. Volgens mij houdt ze iets voor ons achter.'

'Hè, Kate, doe niet zo idioot! Julianna is een lieve, slimme meid die keihard werkt. Ik vertrouw haar volledig en ben ervan overtuigd dat ze goudeerlijk is.'

'Wat als ze nou eens dat meisje op onze schommel was? Ik begrijp trouwens niet waarom je je geroepen voelt haar te verdedigen.'

'Ik verdedig haar omdat ik denk dat je jaloers op haar bent,' snauwde hij.

'Wát?' zei ze vol ongeloof. 'Waarom zou ik jaloers zijn op jouw assistente?'

'Dat lijkt me niet zo'n moeilijke vraag. Ze is jong, mooi en ongebonden.'

De woorden waren als klappen in haar gezicht. 'Ongebonden?' herhaalde ze. 'Denk je dat ik haar daarom benijd?'

'Dat bedoelde ik niet.'

'Wat bedoelde je dan? Dat je zelf ongebonden zou willen zijn?'

'Ik heb geen zin om nog een minuut langer over dit onderwerp te praten.' Hij duwde haar zo ruw opzij, dat een deel van zijn wijn over de rand van het glas klotste.

'Waarom niet?' vroeg ze. 'Heb je soms last van schuldgevoelens?'

Langzaam draaide hij zich naar haar om. 'Waar slaat dat nou weer op?'

'Dat weet je heel goed.' Ze haalde diep adem. 'Richard, ik wil het weten. Heb je een verhouding met Julianna? Breng je daarom steeds bloemen en cadeautjes voor me mee?'

Hij rechtte zijn rug. 'Je wordt bedankt,' zei hij op koele toon. 'Het valt me vies van je tegen dat je na al die jaren zo over me denkt.'

'Je geeft geen antwoord op de vraag, Richard,' hield ze vol, haar kin in de lucht stekend. 'Heb je een verhouding met Julianna?' Ze liet een kort, bitter lachje horen. 'Of met iemand anders?'

'Ik geloof mijn eigen oren niet! Wat is er eigenlijk met jou aan de hand? Sinds we Emma hebben, ben je behoorlijk veranderd.'

'Dat is niet waar. Jíj bent veranderd.'

'O ja? Ik ben anders niet degene die altijd thuis wil blijven!' schreeuwde hij. 'Ik ben niet degene die altijd moe is of die zich verbeeldt dat er insluipers zijn die foto's pikken. Ik ben niet degene die een onschuldig, hardwerkend meisje achter haar rug om achterbaks noemt. En ik ben al helemaal niet degene die mijn partner er na tien jaar huwelijk van beschuldigt een ander te hebben!' Boos stampte hij de keuken uit.

Ze kon wel door de grond zakken. Had hij gelijk? Was ze een paranoïde, jaloerse huismus aan het worden, die overal spoken zag? Was ze veranderd in het type vrouw waarmee ze vroeger altijd medelijden had gehad?

'Richard, wacht!' riep ze met tranen in haar ogen. 'Loop nou alsjeblieft niet weg.'

Halverwege de gang draaide hij zich om. 'Vroeger was je een leuke meid, Kate. Je was blij met jezelf, met het leven dat we leidden en met mij. Vertel jij me maar eens wat er is veranderd.' Zijn gezicht vertrok tot een grimas. 'Soms weet ik namelijk amper nog wie je bent.'

54

Ze werd wakker van het geluid van onweer. Regen striemde tegen de ramen en trommelde ritmisch op het dak. Op het moment dat ze half overeind ging zitten, werd de kamer spookachtig verlicht door een bliksemflits.

Automatisch legde ze haar hand op Richards kussen, dat koud bleek te zijn. Ze had niet eens in de gaten gehad dat hij al was opgestaan. Zuchtend vroeg ze zich af of hij die dag met haar zou praten. Zou haar huwelijk deze crisis overleven of was ze hem al kwijt?

Ze had die nacht slecht geslapen, doordat ze steeds werd gekweld door de herinnering aan hun ruzie. Ze kon zelf nog nauwelijks geloven dat ze hem zulke afschuwelijke beschuldigingen naar het hoofd had geslingerd. Hoe had het ooit zover kunnen komen? Waarom liep hun leven niet meer zoals ze het wilden?

Hij had de hele nacht stijf als een plank naast haar gelegen. Elke keer dat ze haar hand had uitgestoken of had gefluisterd dat het haar speet, had hij haar botweg de rug toegedraaid. Zijn kilheid had haar vreselijk gekwetst.

Na een tijdje stond ze op en liep naar de badkamer.

Ofschoon Emma een nachtje bij Richards moeder logeerde, kon Kate niet uitslapen, want het was haar beurt om The Bean te openen en ze vermoedde dat er deze dag veel klanten zouden komen. Wanneer het regende, zochten veel mensen de beschutting van het knusse café om met vrienden te praten of een boek te lezen.

Vermoeid wreef ze over haar slapen. Ze was zo moe en zo teleurgesteld over Richards afwijzing, dat ze blij was dat ze deze ochtend niet voor Emma hoefde te zorgen. De zorg voor de baby, in combinatie met het vooruitzicht van een drukke zaterdag, zou haar op dit moment even te veel zijn geworden.

Nadat ze zich had gedoucht en aangekleed, ging ze naar beneden om koffie te zetten. Daar ontdekte ze dat Richard niet alleen was opgestaan, maar zelfs was weggegaan. Hij had niet eens een briefje voor haar neergelegd.

De tranen sprongen haar in de ogen. Dat laatste zei genoeg over zijn stemming.

Plotseling was het huis te stil, te rustig, en was het eng om alleen thuis te zijn in een onweersbui. Laat ik maar vast naar The Bean gaan, dacht ze. Hier heb ik nu toch niets meer te zoeken.

Met haar tas en regenjas holde ze naar haar auto om naar haar werk te rijden.

Het regende zo hard, dat ze de ruitenwissers op dubbele snelheid moest zetten.

Toen ze bij The Bean aankwam, besloot ze even in de auto te wachten tot het iets minder hard regende. Zodra het iets leek op te klaren, maakte ze haar portier open om naar de achterdeur van The Bean te rennen. Tot haar ongenoegen stapte ze midden in een regenplas, waardoor haar schoen en broekspijp kleddernat werden. Mopperend pakte ze haar sleutel om de achterdeur van het café te openen.

De deur bleek op een kiertje open te staan.

Ze schrok. Hoe kon dat nu? Had de deur de hele nacht opengestaan? Wie had de vorige avond moeten afsluiten?

Tess. Ze herinnerde zich dat Tess de middag ervoor had geklaagd dat ze eigenlijk geen tijd had om af te sluiten. Zonder succes had ze geprobeerd haar dienst met Beanie te ruilen. Zou ze gewoon zijn weggegaan zonder haar plicht te doen? Als dat zo was, had Kate nog een appeltje met haar te schillen. Ze begreep best dat Tess op vrijdagavond haast had om uit te gaan, maar dat betekende niet dat ze een excuus had om haar werk niet goed te doen. Stel dat er iemand had geprobeerd in te breken. Of dat de deur was open gewaaid door de onweersbui. De hele voorraadkamer had gemakkelijk onder water kunnen lopen!

Geërgerd deed ze de deur achter zich dicht. Op het moment dat ze zich omdraaide, kreeg ze de neiging te kokhalzen. Wat was dat voor een afschuwelijke lucht? Het leek wel alsof er een riool in de buurt was, of dat er iemand een open vuilniszak in de zon had gezet.

De geur werd sterker naarmate ze dichter bij de caféruimte kwam. Met een diepe rimpel in haar voorhoofd doorzocht ze haar kantoortje en de toiletten, maar daar leek alles in orde te zijn.

Verontrust duwde ze de louvredeurtjes naar het café open. Op het moment dat ze de ramen zag, ontsnapte er een kreet van schrik aan haar lippen. Al haar glazen kunstwerken waren van hun plaats gerukt en aan diggelen geslagen. De kleurige stukjes glas bedekten de vloer als een gruwelijk mozaïek.

Verbijsterd wilde ze ernaartoe rennen, maar in haar haast struikelde ze bijna over iets wat op de grond lag. Toen ze naar beneden keek, begon ze luidkeels te gillen.

Achter de toonbank lag Tess, met haar arm half over het gangpad. Haar hoofd stond in een bijzonder onnatuurlijke stand op haar schouders. Haar mond en ogen stonden wijd open, alsof ze verbaasd was of doodsbenauwd.

Kates maag draaide zich om. Met haar hand voor haar mond probeerde ze te voorkomen dat ze moest overgeven. Tot haar ontzetting hoorde ze ineens een geluid achter zich, het geluid van een paar zware voetstappen. Gillend draaide ze zich om.

Het was Blake. Godzijdank!

Snikkend liet ze zich in zijn armen vallen.

De politie arriveerde niet veel later, gevolgd door de lijkschouwer en een rechercheteam. Ze ondervroegen Kate, Blake de andere werknemers en daarna ook de gasten van The Bean.

Al gauw kwamen ze tot de conclusie dat het de insluiper niet om geld of spullen kon zijn gegaan, want het enige wat ontbrak, was Kates adressenboek.

Ze vertelden dat Tess' nek was gebroken en dat ze op slag dood was geweest. Te oordelen naar de plaats waarop haar nek was gebroken en de positie waarin ze had gelegen, had haar aanvaller haar van achteren verrast. Ze vermoedden dat Tess niet eens had beseft wat er met haar gebeurde.

Kate probeerde zich te troosten met de gedachte dat Tess in elk geval niet had geleden. Ze had in ieder geval niet hoeven smeken voor haar leven, of stervend uren in haar eentje achter de toonbank hoeven liggen, wachtend op hulp die maar niet kwam.

De volgende uren en dagen leken wel een nachtmerrie.

Ze had The Uncommon Bean voor onbepaalde tijd gesloten en sprak met de politie, de pers, Tess' vrienden en haar familie. Tussen de bedrijven door zorgde ze voor Emma en probeerde ze af en toe wat te eten en te slapen. Ze kon nog nauwelijks bevatten dat zoiets gewelddadigs was gebeurd in haar veilige, gezellige koffiecafé. 's Avonds, wanneer ze Emma in slaap wiegde, probeerde ze alle gebeurtenissen tevergeefs te verwerken.

Gelukkig bleek Richard onverwacht een enorme steun voor haar. Vreemd genoeg leek Tess' dood hen weer wat dichter bij elkaar te brengen.

Een week later werd Tess' ex-vriendje Matt gearresteerd op verdenking van de moord. Het stond niet onomstotelijk vast dat hij de dader was, maar getuigen hadden hem en Tess zien ruziemaken op de avond van de moord. Bovendien wees de lijkschouwing uit dat Tess een paar uur voor haar dood met een man gemeenschap had gehad. In afwachting van het DNA-onderzoek werd Matt vastgezet.

Pas na zijn arrestatie kon Kate zich ertoe brengen The Bean weer te openen. Tijdens de dagen daarna kwamen alle vaste klanten haar en haar personeel condoleren met hun grote verlies. Gek genoeg leken Steve Byrd en Mr. Militair opeens verdwenen te zijn.

Nick Winters was er nog wel. Een paar dagen na de heropening liep hij binnen om een kop espresso te bestellen. 'Het is niet druk vandaag,' merkte hij op.

'Dat komt door... je weet wel,' mompelde Marilyn.

'De moord?'

'Ja.' Marilyn barstte in tranen uit. 'Excuseer me even.'

Kate verwachtte dat Nick medelijden met haar zou hebben, maar in plaats daarvan nam hij onverstoorbaar een slokje van zijn koffie. Daarna keek hij op naar haar.

'Voel jij je niet aangerand na wat er is gebeurd?' vroeg hij.

Weer werd ze getroffen door de griezelige, ondefinieerbare blik in zijn mooie ogen. 'Hoe bedoel je?' vroeg ze onthutst.

'Nou, ik heb gehoord dat al je werk is vernield. Dat is toch een aantasting van een intiem deel van jezelf?'

'Ik heb amper nog aan mijn glaswerk gedacht,' antwoordde ze stijfjes. 'Glas is niet belangrijk in vergelijking met Tess' dood.'

'Dat geloof je zelf niet. Kunst is het belangrijkste wat er is.' Hij zette zijn kopje neer. 'Bovendien is de dood van Tess nu niet bepaald een groot verlies. Ze was mooi, maar er viel genoeg op haar aan te merken.'

Ze was met stomheid geslagen. Bedoelde hij soms dat Tess het niet waard was om betreurd te worden?

'Je weet heel goed wat ik bedoel,' zei hij. 'Tess had geen fatsoen. Ze was gewoon een goedkope sloerie. Ze had geen idee wat trouw of liefde was, Kate.'

'Hoe kun je dat in vredesnaam zeggen?' vroeg ze woedend. 'Tess was een lief meisje, Nick. Ze was ook aardig tegen jou.'

Nonchalant haalde hij zijn schouders op. 'Dat neemt nog niet weg dat ze een sloerie was.'

Ze wilde boos weglopen, maar zijn hand hield haar tegen.

'Hoe denk jij over trouw, Kate?' wilde hij weten. 'Wat zou jij doen als je ontdekte dat je man je bedroog? Zou je hem vergiffenis schenken? Of zou je wraak op hem nemen?'

'Laat me los, Nick.' Tranen verstikten haar stem.

Zijn vingers grepen haar nog steviger vast. 'Ik bewonder je, Kate. Je bent een sterke, eerlijke vrouw. De meeste mensen zijn niet te vertrouwen. Tess ook niet.'

Huiverend probeerde ze zich los te trekken. 'Laat me los, Nick!' beet ze hem toe.

Toen Marilyn door de louvredeurtjes binnenkwam, liet hij haar gaan. 'Je bent te goed voor hem, Katherine McDowell Ryan,' fluisterde hij. 'Het is jammer dat hij je niet meer waardeert.'

55

Ze zat achter haar bureau naar een aquarel te staren. Het was een schilderij van hun huis, dat ze ter gelegenheid van hun eerste trouwdag door een plaatselijk kunstenaar had laten maken.

Met haar vingertoppen wreef ze over haar slapen om haar hoofdpijn te verdrijven. Hoewel haar verontrustende gesprek met Nick Winters inmiddels al een paar uur geleden had plaats-gevonden, kon ze zijn woorden maar niet uit haar hoofd zetten. Al haar spanningen, achterdocht en jaloezie waren weer in alle hevigheid komen opzetten.

Ze was boos op hem omdat hij haar van streek had gemaakt en boos op zichzelf omdat ze zich op stang had laten jagen.

Peinzend verlegde ze haar aandacht van het schilderij naar Em-ma's wieg. Richard was de laatste tijd wel erg veel van huis. Elk weekend werkte hij over, en ook door de week bleef hij 's avonds vaak een paar uur extra op kantoor. Hij was altijd een harde wer-ker geweest, maar zo erg als de laatste tijd was het nog nooit ge-weest. Kwam het door zijn gooi naar die baan bij het OM, of was er meer aan de hand?

Over die vraag dacht ze even na. De post kwam pas over een jaar vrij, en hij wist zich nu al verzekerd van de steun van veel be-langrijke mensen. Waar konden Julianna en hij het dan zo druk mee hebben?

Ofschoon ze het vreselijk vond dat ze zo wantrouwig was, pakte ze haar tas. Ze wilde nú naar Richard toe om te kijken of hij niet tegen haar loog.

'Blake, Marilyn, ik moet even weg,' zei ze. 'Willen jullie alsjeblieft op Emma letten?'

'Natuurlijk,' antwoordde Marilyn. Bij het zien van de agitatie in haar ogen vroeg ze: 'Is er iets gebeurd?'

'N-nee, ik wil gewoon even iets controleren,' antwoordde ze ontwijkend. Ze zette de babyfoon op de toonbank. 'Het lijkt me het beste als ik dat nu meteen aanpak. Emma ligt te slapen. Mocht ze wakker worden, dan vind je twee flesjes in de koelkast en schone luiers in de luiertas. Ik ben zo snel mogelijk terug.' Voordat Marilyn kon doorvragen, pakte ze haar sleutels en liep naar haar auto.

Onderweg naar Richards kantoor hield ze zich voortdurend voor dat ze spoken zag. Zo meteen zou ze hem achter een grote stapel werk achter zijn bureau zien zitten, precies zoals hij had gezegd. Dan zou ze zich een dwaas voelen, snel een smoesje verzinnen waarom ze was langsgekomen en teruggaan naar The Bean, met het voornemen hem nooit meer te wantrouwen.

Hij was echter niet op kantoor. Zijn partners waren er wel, maar niemand had hem gezien.

Ze belde naar huis, waar ze haar antwoordapparaat kreeg. Op zijn mobiele nummer werd niet opgenomen, en op zijn club wist niemand waar hij was.

Met trillende handen legde ze de hoorn op de haak. Waarschijnlijk was hij toch thuis, maar knapte hij even een uiltje. Of misschien was hij net even bezig in de tuin. Ze had zijn auto niet zien staan, maar misschien waren ze elkaar onderweg gepasseerd.

Net toen ze zijn kantoor uit wilde lopen, botste ze tegen een van de secretaresses op, die met haar armen vol kopieën voorbij kwam lopen. Door de klap vlogen de blaadjes alle kanten op.

'O, sorry,' mompelde Kate. Ze boog door haar knieën om de velletjes op te rapen. 'Wat vreselijk onhandig van me. Ik had je niet gezien. Ik was met mijn gedachten ergens anders.'

'Dat geeft niet, Mrs. Ryan. Dat kan gebeuren.'

'Kennen wij elkaar?' vroeg ze verrast.

De jonge vrouw bloosde. 'We hebben elkaar vorig jaar op de kerstborrel ontmoet. Ik ben Sandy Derricks, Mr. Bedico's secretaresse.'

'O ja, dat is waar ook. Leuk je weer te zien.' Met een verontschuldigende blik gaf ze haar het laatste stapeltje papier. 'Het is al vervelend dat je op zaterdag moet werken, maar nu maak ik je werk ook nog eens extra moeilijk door tegen je op te botsen.'

'O, het geeft niet. Ik werk elke zaterdag. Wat doet u hier eigenlijk? Kan ik u misschien ergens mee helpen?'

Glimlachend keek ze Sandy aan. 'Ik hoop het. Ik ben op zoek naar mijn man. Heb jij hem misschien vandaag gezien? Ik zou hem graag even willen spreken.'

Er verscheen een triomfantelijk lachje om Sandy's lippen. 'Ik heb hem vandaag niet gezien, maar hij is de laatste tijd sowieso niet veel op kantoor,' zei ze luchtig. 'Misschien kunt u beter naar zijn assistente, Julianna, rijden. Ik denk dat u goede kans maakt dat u uw man daar vindt.'

Ze kon wel door de grond zakken, want ze begreep heel goed wat Sandy insinueerde. Bovendien zag ze aan het gezicht van de secretaresse dat het haar genoegen deed om deze informatie te kunnen geven.

Hoewel ze zin had om boos te worden, om Richard te verdedigen en tegen deze vrouw te zeggen dat ze niet wist waarover ze het had, dwong ze zichzelf kalm te blijven. 'Weet je misschien waar Julianna woont?' vroeg ze zo beheerst mogelijk.

Sandy gaf haar meteen het adres, waardoor Kate binnen tien minuten voor Julianna's appartement stond.

Daar zag ze Richards Mercedes al op de oprit staan.

Ze greep het stuur zo stevig vast, dat haar knokkels wit werden. Wat moest ze nu doen? Laf zijn en wegrijden? Doen alsof hij haar niet had bedrogen? Verdrietig liet ze haar hoofd op het stuur rusten. O, Richard, dacht ze, waarom heb je dit nu gedaan? We hadden toch alles wat we maar wilden?

Ze veegde haar tranen weg en stapte uit om op Julianna's deur te kloppen.

Toen er na een minuut nog geen reactie kwam, bonsde ze met haar vuist op de deur.

Even later ging de deur op een kiertje open. Door de smalle deuropening zag ze Julianna staan, gekleed in een flinterdunne zijden ochtendjas. Haar wangen waren rood, en haar haren zat door de war.

Daar gaat mijn laatste hoop dat ze daadwerkelijk aan het werk waren, flitste het door haar heen. Wat ben ik toch een idioot. Een naïeve, goedgelovige sufferd.

'Ik wil mijn man spreken,' zei ze met bevende stem. 'Nu.'

'Ik heb geen idee waar je het –'

'Hou op met die onzin,' onderbrak ze haar op scherpe toon. 'Ik heb zijn auto voor de deur zien staan.' Zonder zich verder om beleefdheidsnormen te bekommeren, duwde ze Julianna opzij om naar binnen te lopen.

'Hoe durf je!' riep Julianna boos uit.

In de deuropening van de slaapkamer verscheen Richard, die haastig zijn broek dichtritste. 'Julianna, wat is er aan de –' Zijn mond viel open toen hij Kate in de gaten kreeg. Als het niet zo'n tragisch moment was geweest, zou hij er komisch hebben uitgezien. 'K-Kate,' stamelde hij. 'Wat doe jij hier?'

'Dat kan ik beter aan jou vragen,' zei ze, vechtend tegen haar tranen.

'Dit is niet wat je denkt.'

'O nee? Wat is het dan?'

'I-ik...' Hulpeloos keek hij naar Julianna, die handenwringend stond te jammeren.

Kate werd bijna misselijk van haar hypocriete gedrag.

'I-ik had koffie op mijn overhemd geknoeid,' loog hij. 'Toen zijn we even naar de slaapkamer gelopen om...' Omdat hij zelf wel begreep hoe knullig zijn uitleg klonk, maakte hij zijn zin niet af.

Ineens zag ze hem in een totaal ander licht. Deze man, die op een zaterdagmiddag halfnaakt in de slaapkamer van zijn assistente naar smoesjes stond te zoeken, was gewoon een zwakkeling. Een slapjanus. Had de Richard van wie ze had gehouden eigenlijk wel bestaan?

'Kate,' zei hij op klaaglijke toon, 'ik kan alles uitleggen.'

Ze dacht terug aan hun ruzie, aan zijn gespeelde verontwaardiging toen ze het had gewaagd hem te beschuldigen. Hij had haar het gevoel gegeven dat ze zich moest schamen voor het feit dat ze zoiets van hem had gedacht.

'Wat ga je me uitleggen, Richard?' Ze sloeg haar armen over elkaar. 'Ga je me soms weer vertellen dat ik een jaloerse echtgenote ben die spoken ziet? Ga je weer boos roepen dat ik je niet genoeg vertrouw? Of ga je me weer verwijten dat ik niet leuk meer ben?'

Hij wist niet wat hij moest zeggen.

Een uniek moment, dacht ze wrang. Een advocaat die met zijn mond vol tanden staat. 'Je bent een rotzak,' beet ze hem toe. 'En dan te bedenken dat ik je heb vertrouwd! Je hoeft vanavond niet meer thuis te komen, want je bent bij ons niet langer welkom.'

56

Laat die avond stond ze bij de wieg van haar dochter.

Emma sliep zoals alleen heel jonge kinderen kunnen slapen: zonder zorgen, zonder angsten en zonder verdriet.

Kates ogen liepen vol met tranen. Ze wilde Emma heel dicht tegen zich aan voelen, maar wist dat het niet eerlijk was om haar dochters slaap te verstoren omdat zijzelf behoefte had aan wat warmte.

Wat is ze toch mooi, dacht ze ontroerd. Zo lief, zo perfect. Ze heeft ons alleen maar vreugde gebracht.

Of, nee, dat was niet waar. Ze had weinig vreugde in Richards leven gebracht. Als hij ook maar een beetje van Emma had gehouden, zou hij hun gezinsgeluk nooit hebben vergooid.

Het kostte haar moeite het niet wanhopig uit te schreeuwen. Hoe had hij hun dit kunnen aandoen? Hoe had hij haar zo kunnen verraden?

Snikkend holde ze de babykamer uit.

In de uren na haar confrontatie met Richard had ze alleen nog maar gehuild, gefoeterd en geijsberd. Hoewel de telefoon wel tien keer was gegaan, had ze niet opgenomen. Uiteindelijk had ze zelfs de stekker eruit getrokken, omdat ze ervan overtuigd was dat het Richard was, die zijn verontschuldigingen wilde aanbieden. Ze wilde niet naar hem luisteren. Ze had hem helemaal niets meer te vertellen.

Uitgeput liet ze zich op de bank in de woonkamer zakken. Hoelang zou zijn affaire met Julianna al aan de gang zijn? Zou het zijn begonnen nadat hij haar had aangenomen, of had hij haar die baan aangeboden omdat ze zijn minnares was? Was Julianna de eerste, of had hij haar al vaker bedrogen? Een maand eerder zou die akelige gedachte nooit bij haar zijn opgekomen, maar ja, toen had ze nog gedacht dat ze een goed huwelijk had.

Huilend ging ze op zoek naar een papieren zakdoekje. Had hij eigenlijk ooit echt van haar gehouden? Was hij inderdaad met haar getrouwd om Luke af te troeven? Of waren ze alleen maar getrouwd omdat zij, naïeve sufferd die ze was, hem nu eenmaal altijd zijn zin had gegeven?

Voor de komst van Emma had ze zich altijd aan zijn plannen, wensen en behoeften aangepast. Eigenlijk was ze tien jaar lang ontzettend dankbaar geweest dat ze Mrs. Richard Ryan mocht zijn.

Wat is hij toch een egoïstische rotzak, dacht ze verdrietig terwijl ze in de gang een paar papieren zakdoekjes uit haar handtas viste. Hij kon het gewoon niet verdragen me te delen met Emma.

Richard moest altijd op de eerste plaats komen, altijd het middelpunt van de aandacht zijn. Vóór Emma had ze die onhebbelijke eigenschap schouderophalend getolereerd. Ze had verwacht dat hij na Emma's geboorte volwassen genoeg zou zijn om zich aan te passen, maar kennelijk had ze zich daarin vergist.

Ze schrok op van het geluid van de bel. Toen ze zich omdraaide, zag ze door het matglas van de voordeur een man op de stoep staan, die zijn hand ophief als groet.

Nick Winters, schoot het door haar heen. Wat deed die hier? Haastig veegde ze haar tranen weg, waarna ze de deur een klein stukje opende.

'Hallo, Kate,' zei hij met een brede lach. 'Sorry dat ik je nog zo laat stoor, maar ik wilde je vragen of ik nog een van je kunstwerken kan kopen.'

Ze schudde haar hoofd. 'Het spijt me, Nick. Vanavond niet. Kun je misschien morgen terugkomen?'

'Kate, alsjeblieft.' Hij legde zijn hand tegen de deur. 'Mijn moeder is overmorgen jarig. Ik weet heel zeker dat ik haar een groot plezier doe met een van je creaties.'

Ze keek op haar horloge. Ze had nu echt geen zin in bezoek, en al helemaal niet van Nick Winters. 'Het komt me echt niet uit. Kan het niet wachten?'

'Helaas niet.' Zijn stem werd wat zachter. 'Toe nou, Kate. Alsjeblieft.'

Na enige aarzeling deed ze de deur voor hem open. 'Ik heb niet veel tijd, want ik voel me niet zo lekker vandaag.'

'Dat zie ik,' zei hij meelevend. 'Wat vervelend voor je.'

Het lijkt wel of hij precies weet waarom ik me akelig voel, dacht ze onthutst toen ze hem voorging naar haar atelier.

Zwijgend bekeek hij alle kunstwerken die ze had opgeslagen.

Na een paar minuten begon zijn stilzwijgen haar op de zenuwen te werken. Het was alsof de stilte te gespannen was, te intens.

Plotseling drong het tot haar door wat ze had gedaan. Ze had 's avonds laat de deur opengedaan voor een man die ze nauwelijks kende, die haar even daarvoor nog ongelooflijk op haar ziel had getrapt met zijn ongevoelige reactie op Tess' dood. En tot overmaat van ramp was ze alleen thuis. Ze voelde de haartjes op haar armen en in haar nek overeind komen. 'Heb je al iets gezien wat je mooi vindt?' vroeg ze.

Nog steeds zei hij niets.

Stiekem zette ze een paar stapjes achteruit, om er snel vandoor te kunnen gaan als dat nodig was. 'Ik voel me echt niet lekker, Nick. Kun je morgen alsjeblieft terugkomen?'

Hij draaide zich om, met in zijn ogen een blik die verdacht veel op medelijden leek. 'Ik weet hoe het voelt om verraden te worden, Kate. Hoe het is om gekwetst te worden door degene van wie je houdt,' zei hij. Zijn stem kreeg een zachte, haast liefkozende toon. 'Ik weet hoe pijnlijk het is.'

Zijn indringende blik en intieme toon bevielen haar helemaal niet. 'Het is al laat, Nick.' Ze slikte moeizaam. 'Ik heb nu echt liever dat je gaat.' Tot haar schrik kwam hij steeds dichterbij. 'R-Richard ligt al in bed. Ik heb hem gezegd dat ik snel naar boven zou komen. Als ik te lang wegblijf, komt hij naar beneden om te kijken of er iets is.'

Meewarig schudde hij zijn hoofd. 'Nee, Kate. Ik heb ze samen gezien.' Hij nam haar gezicht tussen zijn handen. 'Ik mag je graag. Ik wilde dat ik iets voor je kon doen.'

Ze wilde zich lostrekken, maar hij hield haar stevig vast. Het was alsof haar gezicht klem zat in een bankschroef.

'Heb je wel eens nagedacht over wraak?' vroeg hij fluisterend. 'Wil je hem laten boeten voor wat hij heeft gedaan?' Haar angstige blik leek hem nogal te amuseren. 'Het draait allemaal om vertrouwen, Kate. Als iemand je verraadt, kun je hem alleen nog maar straffen. Zelfs in de bijbel worden verraders gestraft.' Afwezig met zijn duim over haar lippen strijkend, staarde hij in de verte.

Ze was doodsbang. Wie was deze man? Wat wilde hij van haar? Een ijzingwekkende gedachte vormde zich in haar hoofd. Hij zou toch wel van Emma afblijven?

'Ik mag je graag,' herhaalde hij. Het leek wel of er spijt in zijn stem doorklonk. 'Maak je maar geen zorgen. Het is allemaal snel voorbij, veel sneller dan je denkt.' Na die woorden liet hij haar los en liep haar atelier uit.

Met trillende lippen en knikkende knieën keek ze hem na.

Even later ging de voordeur met een zachte klik dicht. Pas bij dat geluid schrok ze wakker uit haar afschuwelijke trance.

Emma! Met een gil van angst rende ze naar de kinderkamer.

Tot haar onuitsprekelijke opluchting lag Emma nog steeds rustig in haar bedje te slapen. Met een zucht van verlichting liep Kate naar beneden om de voordeur op slot te doen.

Door het raam zag ze Nick met een grijns om zijn lippen bij zijn auto staan. Hij keek recht naar haar krijtwitte gezicht, alsof hij het ontzettend grappig vond dat ze zo bang voor hem was.

Hij wil me duidelijk maken dat hij me gemakkelijk te grazen zou kunnen nemen, schoot het door haar heen. Die grijns zegt dat ik hem met geen enkel slot buiten de deur kan houden als hij Emma en mij pijn zou willen doen.

De grijns werd een brede lach.

Om ervoor te zorgen dat hij haar niet meer kon zien, knipte ze gauw het licht in de gang uit.

Dat gebaar leek hem alleen nog maar meer te amuseren. Voordat hij in zijn auto stapte, hief hij zijn hand op als groet.

In paniek rende ze het hele huis door om alle deuren en ramen te controleren. Daarna verschanste ze zich snikkend met Richards jachtgeweer en de draadloze telefoon in Emma's slaapkamer.

57

⊱✦⊰

Voordat hij wegliep, draaide Richard zich nog één keer om naar Julianna's voordeur. Hoewel hij het vervelend vond om midden in de nacht weg te sluipen, kon hij niet blijven. Hij moest nu eenmaal aan zijn reputatie en carrière denken.

Trouwens, hij kon niet eens slapen, want zijn gedachten dwaalden voortdurend af naar Kate. Ze had er intens verdrietig uitgezien toen ze hem had verteld dat hij niet meer welkom was in zijn eigen huis.

Waarom was hij toen niet achter haar aan gegaan? Waarom was hij bij Julianna gebleven?

Eigenlijk wist hij zelf het antwoord wel: Julianna had hem onmiddellijk in haar armen genomen om hem te sussen en te troosten. Haar troostende strelingen waren veranderd in liefkozingen, waarna ze samen in bed waren beland. Ze had hem zo hevig opgewonden met haar handen en haar mond, dat hij Kate en zijn kapotte huwelijk was vergeten op het moment dat ze hem in zich nam.

Nu kon hij echter niet langer om Kates bittere woorden heen. Wat moest hij tegen haar zeggen? Hoe kon hij haar onder ogen komen? Wat was hij toch een rund. Hij had een perfect leven en een perfect huwelijk gehad, maar hij had het allemaal weggegooid.

Nee, dat was niet waar. Als hij Kate terug wilde, hoefde hij haar alleen maar terug te winnen. Ze was nog altijd zijn vrouw. Als hij zijn best deed, zou ze hem wel vergiffenis schenken. Dat was ze hem ook wel verschuldigd na alles wat hij voor haar had gedaan. Het was onzin om een huwelijk te beëindigen vanwege één kleine, onbenullige misstap. Dat moest ze zelf toch ook wel inzien.

Onderweg naar zijn auto pakte hij zijn telefoon uit zijn zak om hun nummer te bellen. Er werd vrijwel meteen opgenomen.

'Hallo?' Kates stem klonk schor van de slaap, of van het huilen.

'Kate, met mij,' zei hij. 'Hang alsjeblieft niet op, ik –'

'Wij hebben elkaar helemaal niets meer te vertellen,' viel ze hem in de rede. De verbinding werd verbroken.

Hij klakte ongeduldig met zijn tong. Wat dacht ze wel? Ze was zijn vrouw! Als hij met haar wilde praten, had ze verdomme te luisteren! Opnieuw toetste hij het nummer van zijn eigen huis in.

Terwijl hij daarmee bezig was, stapte er een donkere gestalte uit de struiken.

'Jij hebt iets wat van mij is,' zei een man met zachte stem. 'Ik wil het graag terug.'

Richard draaide zich om. Hij kon het gezicht van de man niet goed zien, en de stem kwam hem niet bekend voor. 'Ik heb geen idee waarover je het hebt, vriend,' zei hij kribbig. 'Donder op.'

De man kwam nog dichterbij, waardoor het maanlicht op zijn gezicht viel. 'Je hebt mijn mooie bloesemknop verpest. Daar moet je nu voor boeten.'

Geërgerd haalde Richard adem. 'Luister, ik heb geen idee wie je bent en heb nooit met mijn handen aan een bloesemknop gezeten. Ik stel voor dat je nu naar huis gaat om je roes uit te slapen. Laat mij in elk geval met rust.'

Vrijwel geluidloos kwam de man dichterbij.

Richard zag dat hij heel licht haar en ijskoude, emotieloze ogen had. Ineens voelde hij zich niet helemaal op zijn gemak. 'Heb je me niet gehoord?' vroeg hij onvriendelijk. 'Ik zei dat je moest opdonderen. Als je dat niet doet –'

De man lachte smalend. 'Bel je dan de politie? Tegen de tijd dat er hier een politieauto arriveert, is het allemaal al voorbij.' Hij keek Richard doordringend aan. 'Zal ik je eens een verhaaltje vertellen? Het gaat over een heel mooi jong meisje en de man die van haar hield.' Zijn blik ging naar Julianna's voordeur. 'Ze was zijn oogappel, het middelpunt van zijn universum. Hij beschermde haar, koesterde haar en leerde haar alles over liefde en vertrouwen. Daarnaast gaf hij haar alles wat haar hartje begeerde.' Zijn blik zocht weer die van Richard. 'Maar het meisje kwam onder invloed van slechte mensen, die het pure licht van haar ziel doofden. Mensen die haar veranderden van een bloesemknop in een ordinaire slet.'

Opeens wist Richard dat hij het over Julianna had. Dit moest de ex-vriend zijn over wie ze hem had verteld. 'Hoor eens, vriend, Julianna wil niets meer met jou te maken hebben,' zei hij zo zelfverzekerd mogelijk. 'Het is voorbij tussen jullie. Ze wil je niet meer zien.' Hij stapte dichter naar de man toe, in de hoop dat hij hem daarmee kon intimideren. 'Ze heeft geen behoefte aan een gestoorde gek als jij. Laat haar met rust. Als je dat niet doet, zal ik ervoor zorgen dat je een straatverbod krijgt. Heb je dat goed begrepen?'

De man lachte zacht. 'Arrogante, zelfvoldane blaaskaak. Als ik naar jou kijk, word ik misselijk van je hypocrisie. Je bent een slappeling, een man zonder enige eer of fatsoen. Wie past er op dit moment op je mooie vrouw en dochter in dat grote oude huis? Wie beschermt ze terwijl jij hier ligt te rollebollen met mijn Julianna? Nou? Wie zorgt er voor ze?'

Deze man weet alles van mijn gezin, dacht Richard geschrokken. Hij weet dat Kate en Emma alleen en kwetsbaar zijn! 'Ik bel de politie,' dreigde hij, achteruitlopend en het alarmnummer intoetsend. 'Als ik jou was, zou ik –'

Er klonk een droge knal, alsof ergens vuurwerk ontplofte.

Het volgende moment voelde Richard een heftige, brandende pijn in zijn borst. In een reflex legde hij zijn hand erop, die meteen nat en warm werd.

Bloed! O, nee. Kate...

Ongelovig tilde hij zijn tollende hoofd op naar de man.

Die glimlachte naar hem en haalde de trekker nogmaals over.

58

Langzaam deed Kate haar ogen open. Haar hoofd bonsde, en haar ogen deden pijn. Geleidelijk aan herinnerde ze zich wat er de dag ervoor was gebeurd. Richard had haar verraden, en Nick Winters had haar de stuipen op het lijf gejaagd. Nu zat ze met Richards jachtgeweer in de schommelstoel op Emma's kamer.

Het gebons in haar hoofd werd steeds luider. Ineens drong het tot haar door dat er beneden iemand op de deur stond te bonzen. Kreunend kwam ze overeind, stijf van haar ongemakkelijke nacht in de schommelstoel.

Wie kon er nu zo vroeg aan de deur zijn? Richard niet; die had een sleutel en was waarschijnlijk arrogant genoeg om te denken dat hij die zomaar weer kon gebruiken.

Gelukkig werd Emma niet wakker. Kate nam zich voor om de persoon aan de deur te woord te staan en vervolgens een kop sterke koffie te zetten om weer een beetje bij haar positieven te komen.

Op de stoep stonden twee mannen met keurige pakken en donkere zonnebrillen. Ze zagen eruit als politiemensen uit een slechte televisiefilm.

'Mrs. Ryan?'

'Ja?'

'Politie van Mandeville.' Een van de mannen hield zijn penning omhoog. 'Mijn naam is rechercheur Owens, dit is rechercheur Dober. Mogen we even binnenkomen?'

Ze schudde haar hoofd, vechtend tegen de opborrelende paniek. 'Nee. Ik wil eerst graag weten waar dit over gaat.'

De mannen keken elkaar aan. 'Mrs. Ryan, kunt u ons vertellen waar uw echtgenoot is?'

Een halfuur later was ze onderweg naar het mortuarium om haar man te identificeren. Een van haar buurvrouwen was na een blik op Kates witte gezicht meteen bereid geweest zich over Emma te ontfermen.

Achter in de politieauto probeerde ze te verwerken wat Owens en Dober haar hadden verteld. Het zag ernaar uit dat Richard het slachtoffer was geworden van een beroving, want zijn portefeuille, trouwring en horloge waren verdwenen. Hij was met zijn telefoon in de hand gevonden naast zijn Mercedes. Hij was tweemaal van zeer dichtbij beschoten.

De politie had willen weten wanneer ze hem voor het laatst had gesproken. Ze hadden gevraagd wat hij deed in de buurt waar hij gevonden was, en of ze wist of hij vijanden had.

Ze had besloten volkomen eerlijk tegen hen te zijn, hoe vernederend dat ook was. Dus had ze alles opgebiecht over hun ruzies, hun verwijdering en Richards overspel.

Toen ze vertelde dat ze tegen Richard had gezegd dat hij niet meer thuis hoefde te komen, zag ze de politiemannen veelbetekenende blikken met elkaar wisselen. In een paar tellen was ze veranderd van de zielige weduwe in een potentiële verdachte. Het kostte haar moeite om niet hysterisch te gaan lachen. Richard was dood, en zij moest een advocaat gaan zoeken omdat ze een motief en geen alibi had.

In het mortuarium rook het sterk naar ontsmettingsmiddel. Een van de politiemannen maakte een deur van een koelcel open.

Ze stond met zweetdruppeltjes op haar bovenlip te wachten tot hij het witte laken zou optillen. IJskoude druppeltjes rolden tussen haar borsten en over haar rug.

Op het moment dat het laken werd teruggeslagen, ontsnapte er een geschokte, verslagen kreet aan haar lippen. Ontdaan beves-

tigde ze dat de dode man haar echtgenoot was, waarna ze zachtjes naar buiten werd geleid.

Bij de buitendeur, in de stralende herfstzon, liet ze zich op een
van de traptreden zakken en barstte in tranen uit.

De volgende achtenveertig uur waren een nachtmerrie. Ze moest
hun familie op de hoogte stellen, hun vrienden en collega's bellen, de begrafenis regelen en voor Emma zorgen. Daarnaast leek
er geen eind te komen aan de talloze achterdochtige vragen van
de politie.

Had ik Richard maar vergiffenis geschonken, dacht ze. Dan
was hij gewoon thuisgekomen en had hij nog geleefd. Hoe kan ik
ooit met die gedachte leren leven?

De politie schrapte haar als verdachte toen bleek dat Richard
een paar minuten voor zijn dood nog naar huis had gebeld. Bovendien kon de oude Joe bevestigen dat hij Kates auto de hele
avond op de oprit had zien staan.

Blake, Marilyn en Beanie waren een grote steun voor haar. Ze
namen de zorg voor The Bean volledig over, omdat ze het niet
kon opbrengen daar nu tijd in te stoppen.

Eerst Tess, en nu Richard. Als ze Emma niet had gehad, zou ze
geen reden meer hebben gevonden om uit bed te komen. Daarom weigerde ze de zorg voor haar dochter uit handen te geven.
Goedbedoelende familieleden die aanboden Emma mee te nemen tot ze weer een beetje op de been was, vertelde ze dat Emma
juist het enige was wat haar nog vreugde schonk. Na Richards
dood was Emma de enige voor wie ze nog leefde.

59

Op een koude, mistige novemberdag werd Richard begraven in het familiegraf van de Ryans in New Orleans.

Omdat Julianna geen familie, geen vriendin en geen echte collega van Richard was, stond ze buiten de kring van rouwende mensen. Eigenlijk was ze gewoon een buitenstaander, zoals altijd.

Nu ze Richard kwijt was, had ze niemand meer. Omdat ze niet wilde dat Richards naasten haar zouden zien huilen, deed ze haar uiterste best om haar tranen te bedwingen.

Om alle werknemers de gelegenheid te geven de begrafenis bij te wonen, was het advocatenkantoor gesloten. Iedereen keek haar met de nek aan sinds het als een lopend vuurtje was rondgegaan dat ze een verhouding met Richard had gehad.

Ze keek naar Sandy. Ze hoefde zich niet eens af te vragen wie het gerucht zo snel had verspreid.

Sandy was druk in gesprek met een paar van haar collega's. Gek genoeg werd ze ineens geaccepteerd nu ze Julianna's relatie met Richard aan de grote klok had gehangen.

Op de dag na de moord had Julianna een uiterst koel telefoontje gekregen van Chas Bedico, die haar had verzocht al haar spullen zo snel mogelijk uit haar bureau te komen halen. Op verzoek van Kate zou ze nog kunnen rekenen op een maand salaris, maar verder werd ze vriendelijk bedankt voor haar diensten.

Plotseling keek Sandy op van haar gesprek. Op het moment dat haar blik die van Julianna kruiste, krulden haar lippen zich in een uiterst tevreden, triomfantelijk lachje.

Meteen wist Julianna dat Sandy haar best had gedaan om het verhaal zo sappig mogelijk te maken. Dit was haar manier om het Julianna betaald te zetten dat deze haar had gebruikt om een baan bij Richard te krijgen.

Snel wendde Julianna haar blik af om te verbergen dat de tranen zich niet langer lieten beheersen. Sandy begreep er helemaal niets van. Niemand had het begrepen. Richard en zij waren veel meer geweest dan minnaars. Ze waren perfecte partners geweest, verwante zielen die bij elkaar hoorden.

En nu was hij zomaar uit haar leven verdwenen.

Nog nooit in haar leven was ze zo wanhopig geweest. Nu had ze helemaal niets meer. Geen man, geen baan... Ze keek naar Kate, die Emma stevig in haar armen hield. En geen kind.

Terwijl ze naar moeder en kind keek, verlangde ze er zo hevig naar om Emma zelf in haar armen te houden, dat het letterlijk pijn deed. Kon ik haar maar knuffelen zoals Kate haar knuffelt, dacht ze. Kon ik maar steun en kracht vinden in dat kleine lijfje en die onvoorwaardelijke liefde. Als ik Emma had, was ik nooit meer alleen. Nu heb ik helemaal niemand meer.

Alhoewel, niemand... Ze wist dat John in de buurt was. Hij wachtte ergens op, al wist ze niet waarop. Hoewel ze sinds die obscene boodschap in haar bed niets meer van hem had gehoord, voelde ze zijn nabijheid. Hij keek vanuit de schaduwen toe, wachtend op een goed moment.

Na de begrafenis stelden Richards ouders hun huis open voor mensen die wilden komen condoleren. Ze ging er niet naartoe. In plaats daarvan reed ze een poos doelloos over de snelweg, piekerend over de vraag wat ze nu moest doen.

Voor het eerst besefte ze dat ze haar hoofd in het zand had gestoken. Ze had zich laten aanpraten dat een onbekende man haar bed had bevuild en haar spullen had vernield, terwijl ze eigenlijk heel goed wist dat John dat had gedaan. Ze had erop vertrouwd dat Richard haar wel zou beschermen, dat John nooit meer in haar buurt zou kunnen komen.

Maar nu was Richard dood. Met trillende vingers omklemde ze het stuur. Niemand kon haar nog beschermen, behalve zijzelf. Ze moest vluchten. Eigenlijk had ze al vóór de begrafenis moeten weggaan, maar ze had het niet over haar hart kunnen verkrijgen om Richard niet de laatste eer te bewijzen.

Tegen de tijd dat ze thuiskwam, begon het al te schemeren. Het was nog kouder dan tijdens de ochtend, bij de begrafenis.

Los Angeles, dacht ze. Daar ga ik naartoe. Palmbomen, zeewind, een aangename temperatuur en genoeg mensen om onzichtbaar in de menigte te kunnen verdwijnen. Ze deed haar voordeur open en stapte de gang binnen.

Op een eetkamerstoel zat John, met een pistool op zijn schoot. Hij verwelkomde haar met een kille, gevoelloze glimlach, en meteen wist ze dat híj Richard had vermoord. En nu was zij aan de beurt.

'Hallo, Julianna.'

Instinctief zocht ze met haar hand naar de deurknop, hoewel ze heel goed wist dat hij haar nooit zou laten ontsnappen.

Hij gebaarde met het pistool. 'Ga eens weg van de deur. Je wilt toch niet dat we de hele buurt bang maken?'

Met het hart in de keel deed ze wat hij zei.

'Wat is er, schat? Ben je niet blij me te zien?' vroeg hij met diezelfde koude lach. 'Mijn komst kan toch haast geen verrassing zijn, want ik weet dat je mijn boodschap hebt gekregen.'

'J-je hebt Richard d-doodgeschoten,' stotterde ze.

'Dat klopt. Hij had met zijn handen van mijn bezittingen moeten afblijven, Julianna. Het was onacceptabel dat hij aan jou zat.' Hij wenkte haar. 'Kom eens hier.'

Met gebogen hoofd kwam ze naar hem toe.

'Kijk me eens aan, Julianna. Ik wil dat je op je knieën gaat zitten.'

De tranen sprongen haar in de ogen. Ze wilde niet sterven op haar knieën, maar ze had weinig keus. Wanneer zou hij schieten? Op welk lichaamsdeel zou hij richten? Zou hij haar vlug laten sterven, of zou hij haar voor straf laten lijden?

'Ik ben bijzonder teleurgesteld in je, Julianna.' Hij stond op van de stoel. 'Hoe kon je nou zo maar weglopen na alles wat ik je heb geleerd? Hoe kon je me bedriegen na al mijn lessen over liefde en vertrouwen?'

'Het spijt me, John,' fluisterde ze nauwelijks hoorbaar.

Hij schudde zijn hoofd. 'Dat is niet genoeg. Je bent ongehoorzaam geweest. Je hebt me bestolen. Je hebt mijn liefde achteloos vertrapt onder je voeten. Denk je dat dat leuk is?' Toen ze geen antwoord gaf, tilde hij met de loop van het pistool haar kin op. 'Hoe denk je dat ik me voel, Julianna?'

'Akelig,' antwoordde ze schor. 'Verdrietig.'

'Dat is nog zacht uitgedrukt,' zei hij geëmotioneerd. 'Je hebt mijn hart gebroken.'

Met moeite slikte ze een brok in haar keel weg. 'Vergeef het me, John. Het was niet mijn bedoeling om je te kwetsen. D-doe me alsjeblieft geen pijn.'

Hij deed net of hij haar niet had gehoord. Op zijn gemak liep hij om haar heen om achter haar te kunnen gaan staan. 'Ik zou je nu kunnen afmaken.' Hij boog zich voorover totdat ze zijn warme adem in haar nek voelde. 'Dat zou een heel koud kunstje zijn. Haast een prettig klusje, na alles wat je me hebt aangedaan.'

Er ontsnapte een wanhopige snik aan haar keel. Hoe had ze zichzelf kunnen wijsmaken dat Richard haar tegen deze man zou kunnen beschermen?

'Kijk eens aan, je begint het door te krijgen,' constateerde hij tevreden. 'Je begint te begrijpen hoe machtig ik ben. Ik heb de macht van de gerechtigheid.'

Bij het horen van zijn wrede, koude lach, kromp ze ineen.

'Overtreders moeten worden gestraft. Losse eindjes moeten aan elkaar worden geknoopt,' vervolgde hij kalm. 'Ik heb Clark Russell moeten straffen, net als je moeder.'

Met grote ogen keek ze naar hem op.

'Ja zeker, liefje. Je moeder ook. Ze bemoeiden zich met zaken die hun niet aangingen. Ze hebben je dingen verteld die je beter niet kon weten. Dat kon ik niet zomaar over mijn kant laten gaan.'

'Dat meen je niet,' zei ze met gebroken stem. 'Zeg alsjeblieft dat je dat niet meent.'

'O, jawel.' Met de loop van het pistool duwde hij haar hoofd zo ver naar achteren, dat haar nek er pijn van deed. 'Het heeft me geen genoegen gedaan om haar te doden, maar ik moest wel. Omwille van jou heb ik haar niet lang laten lijden.'

Ze barstte in tranen uit. Wat had ze toch allemaal aangericht? Het was haar schuld dat haar moeder, Clark en Richard dood waren.

'Hou op,' beval hij bars. 'Ze is die tranen niet waard, want ze was geen goede moeder. Ze stond nooit voor je klaar, Julianna. Ik heb voor je gezorgd. Als je om iemand wilt huilen, huil dan maar om mij.' Hij stopte het wapen achter de band van zijn broek en ging op zijn hurken voor haar zitten. Vervolgens nam hij haar gezicht tussen zijn handen om haar te dwingen hem aan te kijken. 'Je bent een jong, naïef meisje,' zei hij. 'Je vertrouwt mensen die het slecht met je voorhebben. Daar kun jij niets aan doen, dat weet ik.' Hij sprak langzaam en duidelijk, alsof hij het tegen een dom, ondeugend kind had. 'Omdat je nog zo jong bent, ben ik misschien bereid deze ene misstap door de vingers te zien. Let wel: misschien. En vaker dan één keer vergeef ik je nooit.'

Ze haalde diep adem. Hij bood haar een uitweg, een kans om aan zijn kogels te ontsnappen. Nu moest ze niet denken aan haar verdriet, maar zich concentreren op wat hij te bieden had.

'H-hoe kan ik het goedmaken, John?' vroeg ze met een klein stemmetje. 'Wat wil je dat ik doe?'

Zachtjes streek hij met zijn duimen over haar jukbeenderen. 'Ik wil mijn kleine meisje terug,' antwoordde hij. 'Ik heb haar gemist, Julianna. Ik wil dat het tussen ons weer net zo wordt als vroeger.'

Bij de gedachte alleen al moest ze bijna overgeven. Hoe kon ze hem in vredesnaam geven wat hij wilde? Hoe kon ze teruggaan naar dat jonge onschuldige meisje terwijl ze wist dat hij een monster was? Een paar tellen lang had ze zin om hem te vertellen dat ze hem haatte en dat ze van hem walgde. Heel even overwoog ze te zeggen dat ze nog liever doodging dan hun relatie te hervatten. Maar ze kon de woorden niet over haar lippen krijgen, omdat het een leugen zou zijn. Ze wilde niets liever dan blijven leven. Dit was haar enige kans.

'Ik heb jou ook gemist,' fluisterde ze, haar hoofd tegen zijn borst leggend. 'Ik heb het gemist om door jou in de watten te worden gelegd.'

Onder haar handen voelde ze zijn lichaam trillen. Hoewel ze het weerzinwekkend vond dat deze woorden al voldoende waren om hem op te winden, nam ze hem bij de hand om hem mee te nemen naar haar slaapkamer.

Daar trok hij met bevende handen al haar kleren uit, en nadat hij haar op het bed had gelegd ook zijn eigen kleren.

Ze liet al zijn strelingen en liefkozingen over zich heen komen. Ze wist precies wat hij lekker vond en wat hem opwond. Ook wist ze dat ze niet uit haar rol mocht vallen, omdat ze anders reddeloos verloren zou zijn.

Om hem niet te hoeven zien, kneep ze haar ogen stijf dicht. Ze kon echter niet voorkomen dat er tranen van ellende en frustratie uit haar ooghoeken rolden.

Hij ving een traan op met zijn vinger en likte het zoute vocht op. 'Ben je bang?' vroeg hij.

'Ja,' fluisterde ze.

'Dat hoeft niet, schatje.' Kennelijk dacht hij dat haar angst een onderdeel was van het spel. Hij genoot ervan. 'Je weet toch dat ik altijd heel voorzichtig met je ben?' Hij leidde haar hand naar zijn erectie en vertelde haar, zoals altijd, precies wat hij wilde.

Terwijl ze naar zijn afstotelijke gekreun luisterde, vroeg ze zich verdrietig af of een kogel toch geen betere optie was geweest.

Hij rolde haar op haar rug om bij haar naar binnen te dringen.

Ze schreeuwde het uit, als protest, als uiting van wanhoop en vernedering.

Haar kreet leek hem echter alleen maar meer op te winden. Met een triomfantelijke schreeuw bereikte hij zijn hoogtepunt.

'Mijn engeltje,' fluisterde hij in haar oor. 'Mijn lieve, lieve schat. Ik wist wel dat je bij me terug zou komen.'

Ze zei niets.

Hij richtte zich op tot hij op zijn ellebogen kon steunen. 'Ben je gelukkig?' vroeg hij, haar recht in de ogen kijkend.

Met moeite slaagde ze erin te glimlachen en de woorden over haar lippen te wrikken. 'Heel gelukkig, John. Ik hou van je.'

Secondelang keek hij haar zwijgend aan, alsof hij zich ervan wilde vergewissen dat ze de waarheid sprak.

Ze werd er bloednerveus van, want ze wist dat hij haar meteen zou doden als hij aan haar woorden twijfelde.

Uiteindelijk knikte hij. 'Ik vergeef je je misstap, Julianna. Maar je zult begrijpen dat ik je toch op de een of andere manier moet straffen voor wat je hebt gedaan. Door jouw ongehoorzaamheid is de zaak uit de hand gelopen. Nu zitten we met allerlei gevolgen die we niet wilden.'

Angstig vroeg ze zich af wat hij bedoelde. Hij had haar toch al gestraft door Richard, Sylvia en Clark te doden? Wat wilde hij nog meer?

'Ik heb het over de baby,' legde hij geduldig uit. 'We zullen haar moeten opruimen.'

Het was alsof haar hart even stilstond. Emma? Dat nooit!

'Jawel,' zei hij, alsof hij haar gedachten had gelezen. 'Je had haar moeten laten weghalen toen ik het zei. Nu is de zaak alleen maar ingewikkelder geworden. Nu is Kate er ook bij betrokken.'

Ze dacht aan Emma's stralende snoetje, haar maaiende armpjes en beentjes en haar schaterlach. Het was onverdraaglijk dat verrukkelijke wezentje te associëren met kogels, messen en bloed.

Ik moet hem zien tegen te houden, dreunde het door haar heen.

'Ik begrijp het niet,' fluisterde ze. 'Ze is nu toch van Kate? Ze maakt geen deel meer uit van ons leven. Ze –'

Hij legde een hand op haar mond. 'Ze is een complicatie die ik niet wil. Ik hou niet van onafgeronde zaken.' Langzaam ging hij rechtop zitten om zijn pistool te pakken. 'Ze moet uit de weg geruimd worden. Ik zou Kate graag willen sparen, maar waarschijnlijk is dat niet mogelijk.'

Sprakeloos staarde ze naar zijn rug. Hoe kon hij zo zakelijk praten over een dubbele moord? Hoe was het toch mogelijk dat ze niet eerder had doorgehad dat hij een gestoorde gek was? Hoe had ze zichzelf kunnen wijsmaken dat ze verliefd op hem was?

Nee, ze kon niet toestaan dat hij Emma doodde. Dat kon gewoon niet.

Koortsachtig liet ze haar blik door de kamer dwalen. Was er dan niets waarmee ze hem kon tegenhouden? Had ze zijn pistool maar, dan zou ze niet aarzelen het tegen hem te gebruiken.

Plotseling viel haar oog op de foeilelijke aardewerken lamp op het nachtkastje. Kon ze daar iets mee doen?

Ze kroop uit bed om een T-shirt en een slipje aan te trekken. 'Ik begrijp het,' zei ze. 'Ik wil je graag helpen.'

Met een vragende blik keek hij naar haar om.

'Ik heb de problemen veroorzaakt,' verklaarde ze. 'Het is niet meer dan normaal dat ik mijn eigen rommel opruim.'

Hij knikte peinzend. 'Wat stel je voor?' Hij boog zich voorover om zijn lange broek te pakken.

Dit is je kans, schoot het door haar heen. Je allerlaatste en enige kans.

Ze pakte de lamp en liet die met volle kracht op hem neerkomen. Het aardewerk maakte met een misselijkmakend geluid contact met zijn achterhoofd.

Verrast draaide hij zich om. Bij het zien van haar blik drong het langzaam tot hem door wat ze van plan was.

Voor de tweede maal gaf ze hem uit alle macht een klap. Deze keer brak de lamp op zijn hoofd in stukken, waardoor er scherven en bloedspetters in alle richtingen vlogen.

Als in slowmotion zakte hij op zijn knieën. Daarna viel hij plat voorover, boven op zijn pistool.

Met trillende handen hield ze het restant van de lamp omhoog. Ze had geen idee of hij nog ademde, maar ze durfde niet dichterbij te komen. Het was jammer dat hij op zijn pistool lag, want nu kon ze dat niet pakken.

Met een klap liet ze de lamp uit haar vingers vallen. 'Dat is mijn voorstel, psychopaat die je bent!' zei ze fel.

60

Met een schok schoot Kate overeind. Het duurde een paar tellen voordat ze wist waar ze was. Ze was thuisgekomen van de begrafenis, had Emma naar bed gebracht en was met een groot glas wijn op de bank gaan zitten. Daar moest ze in slaap gevallen zijn.

Ze keek naar de babyfoon om te controleren of die aanstond. Het rode lampje was een veilig baken in de verder aardedonkere kamer. Een paar tellen luisterde ze aandachtig, maar boven was het stil. Gerustgesteld liet ze zich weer achterover zakken in de kussens, en ze wreef vermoeid en vertwijfeld met haar handen over haar gezicht.

Het was voorbij. De begrafenis was de markering van het einde geweest, niet alleen van Richards leven, maar ook van het hare. Haar huwelijk, haar vertrouwde, fijne wereldje... het was voorgoed verdwenen. Ze was alles kwijt: haar geluk, haar plaatsje in de wereld en de zekerheid dat ze werd bemind.

Plotseling klonk er een klaaglijk gejammer uit de babyfoon, gevolgd door een angstige gil. Het volgende moment werd boven de stekker uit de babyfoon getrokken.

Meteen schoot de adrenaline door Kates lichaam. Ze sprong overeind van de bank, waarbij ze haar glas wijn omgooide. De rode vloeistof verspreidde zich langzaam over haar roomwitte kleed.

Zo hard als ze kon rende ze naar de babykamer. Daar zag ze tot haar schrik een vrouw bij de wieg staan, met aan haar voeten een volgepropte luiertas.

'Blijf van mijn kind af!'

De vrouw draaide zich om. Ze had Emma in haar armen en had haar hand over het babymondje gelegd om het meisje tot zwijgen te brengen.

Zelfs in het spaarzame licht van het nachtlampje herkende Kate haar. 'Julianna! Waar denk je dat je mee bezig bent?'

Julianna haalde haar hand van de mond van Emma, die met-een weer begon te huilen. 'Dit is niet wat je denkt, Kate.'

Aarzelend kwam Kate dichterbij, bang dat Julianna haar kind iets wilde aandoen. 'Geef me mijn dochter terug.'

Zodra Emma haar moeders stem hoorde, draaide ze haar hoofdje in haar richting en begon nog harder te huilen.

Hoofdschuddend stapte Julianna een paar passen achteruit. 'Je begrijpt het niet. Hij is onderweg. Hij is van plan –'

'Geef haar aan mij!' viel Kate haar in de rede. 'Je maakt haar bang.'

Julianna weifelde.

Van die paar seconden maakte Kate gebruik door Emma uit haar handen te graaien. Zodra Emma merkte dat ze weer in ver-trouwde handen was, stierf haar gejammer weg.

'Heb je nu nog niet genoeg schade aangericht?' vroeg Kate ge-emotioneerd. 'Je hebt mijn man al van me afgepakt. Wil je nu ook nog eens mijn kind hebben?'

'Je begrijpt het niet.' Handenwringend keek Julianna naar de klok met Winnie de Poeh erop. 'John is waarschijnlijk onderweg hiernaartoe.'

'Ik ken helemaal geen John. Hoe ben je binnengekomen?'

'De sleutel onder de steen bij de zijdeur.'

O nee, dacht ze. Zo is ze al die andere keren natuurlijk ook bin-nengekomen. 'Ik bel de politie,' zei ze gedecideerd.

'Nee, dat kan niet!' riep Julianna uit. Ze legde een hand op Ka-tes arm. 'Daar heb je geen tijd voor. Je moet –'

'Mijn man is dood.' Ze schudde de hand van zich af. 'Als hij ge-woon thuis was geweest, zou hij nu nog leven. Ik wil dat je weg-gaat. Laat mij en mijn kind voortaan met rust.' Ze draaide zich om en liep met Emma naar de woonkamer. Toen ze daar het licht aandeed, zag ze de donkerrode plas wijn vlak bij de telefoon.

'Emma is in gevaar,' zei Julianna.

Met een ruk draaide Kate zich om. In het lamplicht zag ze dat Julianna's gezicht betraand was en dat haar kleren vol vlekken zaten.

Rode vlekken. Bloed.

'O, lieve hemel,' fluisterde ze.

'John is onderweg hiernaartoe. Hij wil Emma doden,' zei Julianna.

Met grote angstogen deinsde ze achteruit. 'Ga weg. Laat ons met rust!' herhaalde ze, Emma dichter tegen zich aan trekkend.

Julianna strekte haar arm uit. Ook haar hand was bedekt met bloed. 'Ik moet haar beschermen!' riep ze uit.

'Je bent niet goed bij je hoofd,' fluisterde Kate met droge mond. 'Wat moet jij met Emma?'

'Ik ben haar biologische moeder.'

Een stomp in haar maag had niet harder bij haar kunnen aankomen dan deze woorden. Met bonkend hart en suizende oren staarde ze Julianna aan. 'Wát?'

'Ik ben Emma's moeder.'

'Dat kan niet!' schreeuwde ze. 'Je liegt!'

'Ik wilde een abortus,' vertelde Julianna zenuwachtig. 'Maar ik was te laat. Precies tien dagen te laat. D-de dokter liet me foto's zien van baby's in de vierentwintigste week van de zwangerschap. Ze waren al echte mensjes. I-ik...' Haar ogen smeekten om begrip. 'D-dat wist ik niet. Echt niet.' Ze wendde haar blik van Kate af en liet zich op de bank zakken. 'De dokter vroeg me om na te denken over adoptie. Hij gaf me het adres en telefoonnummer van Citywide. Het leek me een goede oplossing. De enige uitweg uit mijn situatie.'

Door een mist van tranen keek Kate naar haar kind. Wat een nachtmerrie... Richard was naar bed geweest met Emma's biologische moeder.

'W-wist Richard hiervan?' vroeg ze. 'Heb je hem verteld dat je Emma's moeder bent?'

'Nee, dat heb ik nooit gezegd.' Julianna keek naar haar handen.

'Ik was van plan de baby af te staan en niet meer om te kijken, maar ik werd verliefd op Richard toen ik jullie dossier las.'

'Wát? Werd je verliefd op een paar geschreven woorden?'

'Ja,' bekende Julianna. 'Hij was alles waarvan ik mijn hele leven had gedroomd.' Ze hief haar betraande blik op naar Kate. 'Ik werd ook verliefd op jou, op jullie leven en jullie huwelijk.'

'Was dat een excuus om alles van mij af te pakken?' vroeg ze vol ongeloof.

Julianna haalde haar schouders op. 'Ik heb je Emma gegeven en daarmee je liefste wens vervuld. In ruil daarvoor heb ik Richard van je afgenomen.'

Ze wist niet wat ze hoorde. Verwachtte deze jonge vrouw nu werkelijk dat ze daarvoor begrip kon opbrengen? Ze deed verdomme of het een eerlijke ruil was geweest!

'Hoe heb je ons gevonden?' wilde ze weten.

'Ik heb gegevens gestolen uit de dossiers van Citywide,' bekende Julianna. 'Ellen weet niet dat ik alles van jullie wist.'

Al die tijd heb ik gelijk gehad, dacht ze. De schommel, de inbraak, de foto... Het was dus toch Emma's moeder.

'Richard was niet van plan je te bedriegen, Kate,' zei Julianna zacht. 'Hij kon er niets aan doen. Hij en ik waren nu eenmaal voor elkaar bestemd.'

Kate keek naar Emma, die breeduit naar haar lachte. De liefde van dit kleine meisje maakte bijna al haar ellende goed. 'Ik wil dat je weggaat, Julianna,' zei ze vermoeid. 'Als je ons nu met rust laat, zal ik de politie niet bellen.'

'Kate, luister nou!' riep Julianna wanhopig uit. 'John is onderweg! Hij heeft Richard vermoord, en nu wil hij Emma ook doden!'

'Wie is die John toch?' vroeg ze met overslaande stem. 'Heb je me nog niet genoeg gekweld?'

'Hij is Emma's vader.'

Met open mond staarde ze Julianna aan. Kwam er dan nooit een eind aan deze gruwelijke droom? Ze was zo geschokt, dat ze even moest gaan zitten om niet om te vallen. 'Waarom wil hij Emma kwaad doen?' vroeg ze. 'Ik begrijp er helemaal niets van.'

'Om mij te straffen.'

Haar hoofd tolde. 'Ik bel de politie.'

'De politie kan je niet beschermen! John is een beroepsmoordenaar. Hij is getraind door de CIA om lastige mensen uit te schakelen. Hij zit er echt niet mee om iemand om zeep te helpen.'

'Wat een belachelijk verhaal.'

'Ik meen het! Als je de politie belt, wacht John gewoon tot ze weg zijn voordat hij toeslaat! Hij geeft nooit op, Kate. Hij heeft me zelf gezegd dat Emma eraan moet geloven.'

Nijdig pakte Kate haar telefoon.

'Ik heb foto's gezien, Kate.' Julianna pakte haar stevig bij de arm. 'Van slachtoffers van John. Mijn moeder en haar vriend, die bij de CIA werkte, hebben me voor hem gewaarschuwd.' Ze barstte in snikken uit. 'John heeft inmiddels zowel mijn moeder als die CIA-agent vermoord. Begrijp je niet hoe ernstig dit is? Hij wil Emma doden!'

Kate liet de telefoon uit haar handen vallen. 'Als dat echt waar is, wat moet ik dan nu doen?' vroeg ze radeloos.

Julianna kwam op haar hurken voor haar zitten. 'We moeten ervandoor. Nu meteen. Ik heb hem een klap met een lamp gegeven, maar ik betwijfel of ik hem heb gedood.'

'We?' herhaalde ze met een wrang, bitter lachje. 'Moeten "we" ervandoor? Je denkt toch zeker niet dat ik jou wil meenemen?'

'Ik ken hem. Ik weet hoe hij werkt en hoe hij eruitziet,' hield Julianna vol, haar bij de handen pakkend. 'Je hebt me nodig, Kate. Zonder mij heb je geen enkele kans op ontsnapping.'

'Ik heb jou helemaal niet nodig. Ik –'

De telefoon ging. Na een paar keer rinkelen sloeg het antwoordapparaat aan.

'Hallo, Kate,' zei een mannenstem na de pieptoon. 'Wil je even een boodschap aan Julianna doorgeven? Zeg maar dat ze nu haar kansen op vergiffenis definitief heeft verspeeld.' Hij zuchtte diep. 'Zij en Emma gaan er allebei aan.'

61

Urenlang reed Kate doelloos over de snelweg. Het enige waaraan ze kon denken, was dat ze de afstand tussen John Powers en hen zo groot mogelijk moest maken. Ze hield het stuur verbeten vast, alsof dat nu nog haar enige anker en zekerheid was.

Omwille van Emma dwong ze zichzelf kalm te blijven. Als ze haar hoofd er niet bij hield, waren de gevolgen desastreus. Ze was vastbesloten ervoor te zorgen dat die kille moordmachine haar dochter nooit te pakken kreeg.

Ze keek achterom naar het kinderzitje. Emma lag al urenlang lekker te slapen, ingedut door het monotone gebrom van de auto. Op de stoel naast Kate zat Julianna onderuitgezakt eveneens te slapen.

De stilte was tegelijkertijd een kwelling en een zegen. Het was prettig om niet te hoeven praten, maar het was een ramp om alleen te zijn met al die paniekerige gedachten in haar hoofd. Steeds weer hoorde ze de kille mannenstem op het antwoordapparaat, die haar verzekerde dat Julianna en Emma zouden worden gedood.

Sinds het antwoordapparaat was afgeslagen, hadden Julianna en zij niets meer tegen elkaar gezegd. Ze waren opgesprongen om de hoognodige spullen voor Emma in een tas te gooien en te vluchten.

Achteraf wist ze niet eens of ze de voordeur wel had afgesloten.

Ze kon zich alleen maar herinneren dat ze buiten adem in haar auto was gesprongen en vol gas achteruit van de oprit was gereden. Ze had die arme Joe en Beauregard zelfs nog bijna overreden. Gelukkig had ze er nog net op tijd aan gedacht om haar handtas mee te nemen, waar haar cheques, creditcards en honderd dollar in zaten.

Inmiddels was ze zo moe, dat haar ogen bijna dichtvielen. Het werd tijd om te rusten en Emma te verzorgen. Ze moesten een plekje zien te vinden waar ze de rest van de nacht konden blijven.

Een motel? Een goede oplossing voor één nacht, maar wat moesten ze daarna? Hoelang moest Emma overdag in de auto zitten en haar nachten doorbrengen in een goedkope kleine kamer? Dat was geen leven voor een kind.

Tranen brandden achter haar ogen. Zou ze haar huis, The Bean en Mandeville ooit nog terugzien? Tot wie kon ze zich wenden? Familieleden en vrienden waren uitgesloten, want dat waren de eerste mensen bij wie John Powers zou gaan zoeken.

Pas toen ze zich realiseerde dat ze in de buurt van Houston was beland, had ze het antwoord.

Luke. Natuurlijk.

Hij was al zo lang uit haar leven verdwenen, dat John Powers niets van de connectie tussen hen kon weten. Luke zou wel weten wat ze nu moesten doen. Hij zou haar toch niet zo haten, dat hij haar niet voor één nacht onderdak wilde verschaffen?

Even later stopte ze bij een pompstation om haar tank vol te gooien.

'Waar zijn we?' vroeg Julianna slaperig.

'Houston,' antwoordde ze terwijl ze haar portier opende. 'Wil je nog iets uit de winkel hebben? Ik moet even iemand bellen.'

62

～⊗～

Luke zat op zijn veranda op Kate te wachten. Doordat hij het buitenlicht niet aan had gedaan, ging hij helemaal op in de geluiden en de duisternis van de nacht. Insecten zoemden om hem heen, ergens jankte een hond, en in de verte klonk het verkeer van een stad die nooit sliep.

Met een diepe zucht leunde hij achterover. Op het moment dat Kate had gebeld, had hij achter zijn computer gezeten. Hij had met zijn hoofd zo diep in zijn boek en de wereld van zijn personages gezeten, dat hij drie keer had moeten vragen met wie hij sprak voordat het tot hem was doorgedrongen welke stem hij hoorde.

Kate. Zijn mooie Kate.

Peinzend staarde hij omhoog naar de donkere hemel. Haar stem had oververmoeid en diep wanhopig geklonken. Ze had hem alleen maar verteld dat ze in de problemen zat en dat zij, de baby en een kennis een plek nodig hadden waar ze de nacht konden doorbrengen. Het was echt een noodgeval, had ze gezegd.

Een kwestie van leven en dood.

Hoewel hij tientallen vragen had en haar verzoek het liefst had afgewimpeld, had hij haar verteld hoe ze naar zijn huis moest rijden. Later zou hij haar wel vragen wat voor problemen ze had en waar Richard was.

Met zijn handpalm veegde hij over zijn kaak, die nodig geschoren moest worden. Kate was er het type niet naar om te overdrijven of scènes te maken. Als zij dacht dat het een noodgeval was, dan was dat zo. Hij vroeg zich af wat er zo dringend kon zijn, dat het een kwestie van leven of dood was.

Toen hij een paar koplampen zag naderen, stond hij op. De auto reed langzaam, alsof de bestuurder de huisnummers bekeek. Hij deed zijn voordeur open, knipte het buitenlicht staan en ging midden in de cirkel van licht staan.

Na zijn oprit op te zijn gereden, stopte de auto. Het portier aan de bestuurderskant ging open, en Kate stapte uit. Zodra hun ogen elkaar vonden, stoof ze met een kreet op hem af.

Hij sloeg zijn armen om haar bevende schouders heen.

'Bedankt, Luke,' fluisterde ze door haar tranen heen. 'Ik ben blij dat je ons vannacht wilt opvangen.'

'Kate toch...' Hij begroef zijn gezicht in haar haren om haar heerlijke, vertrouwde geur op te snuiven. Daarna hield hij haar op armlengte afstand om haar in de ogen te kunnen kijken. 'Wat is er toch aan de hand? Waar is Richard?'

Het andere voorportier ging open. 'Kate, de baby is wakker,' zei een jonge vrouw met enige aarzeling in haar stem.

Kate knikte, maar hield zich nog een paar tellen aan hem vast voordat ze Emma uit haar kinderzitje haalde. Emma liet luidkeels merken dat ze het helemaal niet meer naar haar zin had.

'Neem haar maar mee naar binnen,' zei hij. 'Ik pak jullie tassen wel.'

'We hebben geen bagage.'

'Wat?'

'We hebben alleen maar een luiertas bij ons voor Emma.'

'Oké, dan pak ik die wel.' Gebarend naar de voordeur zei hij: 'Loop maar vast met Emma naar binnen.' Hij pakte de tas, deed de portieren op slot en liep achter hen aan de veranda op.

Kate en de vrouw stonden uitgeput en lusteloos in de gang op hem te wachten.

'Kan ik iets doen?' Hij wees naar de mokkende Emma.

'Ze heeft honger, en ik denk dat ze verschoond moet worden,' antwoordde Kate.

Zwijgend ging hij haar voor naar de keuken. Een van de redenen waarom hij dit huis had gekocht, was dat de woonkamer en de keuken samen een grote ononderbroken ruimte vormden. Een andere reden was de grote, hoge zolderverdieping met uitzicht over de hele straat. Die ruimte had hij ingericht als werkkamer.

Met Emma op haar heup maakte Kate een flesje klaar, dat ze in de magnetron zette.

Hij draaide zich naar de jonge vrouw, die er wat verloren bij stond. 'Hallo, ik ben Luke,' zei hij vriendelijk.

Nog voordat de vrouw iets kon zeggen, draaide Kate zich om. 'O, sorry, Luke. Dit is Julianna.' De manier waarop ze het zei, verraadde dat de dames niet bepaald hartsvriendinnen waren.

'Dag, Julianna.' Hij stak zijn hand uit.

'Hallo.'

Pas op dat moment zag hij dat haar kleding bedekt was met grote roodbruine spetters.

Julianna, die zijn blik volgde, sloeg meteen met een angstige blik haar armen over elkaar om de vlekken voor hem te verbergen.

Wat was hier aan de hand? Was dat bloed?

'Kate, het wordt tijd dat we even met elkaar praten,' zei hij ernstig.

Ze schudde haar hoofd. 'Straks. Oké?'

Nee, dat was helemaal niet oké. 'Waar is Richard?' vroeg hij opnieuw.

Met een bitter lachje keek ze in de richting van Julianna. 'Dood,' antwoordde ze. 'Vier dagen geleden is hij vermoord. We hebben hem vandaag begraven.'

Geschokt staarde hij haar aan. 'Wat?'

'Ik moet even naar het toilet,' zei Julianna, die opeens moeite moest doen om niet te huilen. 'Luke, kun jij me even wijzen waar het is?'

'Ik loop met je mee.' Hij wendde zich tot Kate. 'Ik zal Julianna boven haar kamer wijzen. Maak jij het je ondertussen maar gemakkelijk. Ik ben zo terug.'

Hij bracht Julianna naar een logeerkamer met een aangrenzende badkamer. 'In de badkamer vind je schone handdoeken, zeep en shampoo. Heb je schone kleren bij je?'

Mismoedig schudde ze haar hoofd.

'Dat dacht ik al. Ik leg wel een T-shirt en een broek van mij op het bed.'

Nadat Julianna in de badkamer was verdwenen, liep hij terug naar Kate. Wat zou er aan de hand zijn? Waarom kwam Kate doodsbenauwd midden in de nacht bij hem aan, samen met een vrouw die ze niet mocht en die onder het bloed zat? En waarom was Richard vermoord? Het werd tijd dat hij eens wat antwoorden kreeg.

Kate was in de woonkamer op een bank gaan zitten om haar dochter de fles te geven. Toen ze haar blik naar hem ophief, zag hij aan de kringen onder haar ogen dat ze werkelijk aan het eind van haar Latijn was.

'Je zit echt diep in de nesten, hè?'

Haar ogen liepen vol tranen. 'Dat kun je wel zeggen, ja.'

'Heb je honger? Zin in een glas wijn?'

'Een glas wijn lijkt me heerlijk,' antwoordde ze. 'Dank je wel, Luke.'

Nadat hij een glas voor haar had ingeschonken, kwam hij naast haar zitten. Zo lang Emma dronk, zei hij niets. Hij had genoeg aan de liefdevolle blik die ze het kleine meisje schonk.

Dit had mijn gezin kunnen zijn, dacht hij. Emma had mijn dochter kunnen zijn. Het verbaasde hem hoezeer hij er opeens naar verlangde om de intimiteit met Kate en haar dochter te delen. Gauw wendde hij zijn blik af om zijn pijn en spijt voor Kate te verbergen.

'Luke?'

Hij draaide zich weer naar haar om. 'Ja?'

'Ik ben je echt erg dankbaar dat je ons niet hebt weggestuurd.'

Julianna kwam naar beneden, in de kleren die hij voor haar had neergelegd.

Het viel hem op dat zij en Kate elkaars blikken ontweken, dat Julianna met opzet om Emma heen liep en dat Kate haar geen enkele keer vroeg om haar dochter van haar over te nemen. Ze lijken wel honden die om hetzelfde bot heen draaien, dacht hij. Julianna leek echter alleen maar verdrietig te zijn, terwijl Kates ogen woede en afkeer uitstraalden.

Nadat Julianna een boterham had gegeten, ging ze naar bed.

Luke schonk Kate nog een glas wijn in. 'Vertel me nu maar eens wat er allemaal aan de hand is.'

Ze stopte Emma in, die in een luie stoel lag te slapen. Daarna liet ze zich weer op de bank zakken en pakte haar glas. 'Ik weet niet waar ik moet beginnen,' verzuchtte ze. 'Mijn leven staat al zo lang op zijn kop.'

Hij besloot haar te helpen. 'Wie is Julianna?' vroeg hij.

'Emma's biologische moeder,' antwoordde ze. Ze keek naar hem op. 'Daar ben ik pas vandaag achter gekomen.'

'Lieve help.'

'Je weet nog niet de helft,' mompelde ze.

'Vertel op dan.'

Ze nam een flinke slok wijn, waarna ze achteroverleunde in de kussens en naar het plafond staarde. 'Richard bedroog me,' vertelde ze.

'Dat spijt me voor je.'

'Verbaast het je niet?'

'Nee.' Er ging hem een lichtje op. 'Bedroog hij je met Julianna?'

'Ja.' Vermoeid wreef ze met haar hand over haar ogen. 'Je had gelijk bij onze laatste ontmoeting, Luke. Richard is inderdaad met me getrouwd om jou te verslaan.'

Net op tijd onderdrukte hij een vloek. 'Kate, dat meende ik niet. Ik was boos en gekwetst. Ik zei het om je pijn te doen. Ik meende het niet echt.'

'Jawel, je meende het wel. Ondanks je woede zat er ook een kern van waarheid in je woorden.' Ze nam nog een slok van haar wijn. 'Het begon allemaal toen we Emma adopteerden.'

Hij luisterde geduldig terwijl ze hem alles over het afgelopen halfjaar vertelde. Ze vertelde dat ze waren uitgekozen door een zwangere vrouw, dat ze Emma hadden gekregen en dat ze haar geluk niet op had gekund toen haar kinderwens eindelijk was vervuld.

'Ik was zo blij, zo gelukkig met ons kind, dat ik niet meteen in de gaten had wat er met Richard aan de hand was.' Ze stond op van de bank en liep naar de openslaande deuren. Met haar gezicht naar de donkere tuin vervolgde ze haar verhaal. 'Richard was helemaal niet gelukkig. Hij hield Emma niet vast, knuffelde haar niet en speelde nooit met haar. Hij bleek jaloers te zijn op de tijd en aandacht die ik aan haar schonk.' Ze zuchtte verdrietig. 'Ik wilde dolgraag een gezinnetje, maar we konden geen kinderen krijgen. Daarom heeft Richard ons uiteindelijk ingeschreven bij een adoptiebureau. Dat deed hij puur voor mij, want zelf had hij er grote moeite mee om andermans kind te accepteren.' Langzaam schudde ze haar hoofd. 'Ik had het moeten zien, maar ik had het te druk met mijn eigen gedachten. Ik verlangde zo hevig naar een kind, dat ik mijn ogen sloot voor Richards behoeften.'

'Kate, dit kon je niet voorzien,' zei hij. 'Misschien was hij ook jaloers geworden als het jullie eigen kind was geweest. Sommige mensen zijn nou eenmaal niet zo geschikt voor het ouderschap.'

'Had ik dat maar geweten,' mompelde ze.

'Dat meen je niet. Je zou Emma toch niet meer willen missen?'

Onwillekeurig schoot ze in de lach. 'Nee, dat is waar. Ik kan me het leven zonder haar niet meer voorstellen. Het moederschap is het mooiste wat me ooit is overkomen.'

'Zie je wel.'

Ze ging weer op de bank zitten en trok haar benen onder zich op. 'Ik had Richards ontrouw moeten zien aankomen. We kregen steeds vaker ruzie. Opeens leek hij weer meer op de arrogante student van toen dan op de man met wie ik meer dan tien jaar getrouwd ben geweest. Hij deed heel egoïstisch en liep te mokken als hij zijn zin niet kreeg.'

Ze vertelde hem een lang, ietwat onsamenhangend verhaal over de groeiende problemen binnen haar huwelijk en een insluiper in haar huis die aan haar spullen had gezeten. Ze voegde eraan toe dat haar buurman een vrouw had zien zitten op hun schommel en dat die vrouw waarschijnlijk degene was geweest die binnen had rondgelopen. Daarna vertelde ze dat ze het bewijs had gekregen dat Richard haar bedroog en dat ze nog geen vierentwintig uur later hoorde dat hij vermoord was.

Huiverend wreef ze zich over de armen. 'Het ging allemaal zo snel,' fluisterde ze. 'Het ene moment had ik een goed huwelijk en was ik dolgelukkig met mijn kind, en het volgende moment was ik weduwe.' Ze sloot haar ogen, alsof haar emoties haar even te veel dreigden te worden. 'Ik weet niet hoe ik daarmee moet omgaan,' zei ze nauwelijks hoorbaar. 'Ik moet onder ogen zien dat hij dood is, terwijl ik nog niet eens heb verwerkt dat ik hem in bed heb aangetroffen met een andere vrouw.' Met tranen in haar ogen keek ze hem aan. 'Ik voel me zo schuldig. Steeds maar weer speel ik de film van de afgelopen maanden in mijn hoofd af. Als ik sommige dingen anders had gedaan, zou hij nu nog leven. Misschien had ik niet zo hevig naar een kind moeten verlangen. Misschien had ik beter naar zijn motieven moeten kijken toen hij uiteindelijk zelf over adoptie begon. Ik had oog moeten hebben voor zijn behoeften en hem vergiffenis moeten schenken toen hij me bedroog. Als ik hem gewoon thuis had laten komen, was dit allemaal niet gebeurd.'

Hij schudde zijn hoofd. 'Het klinkt hard, maar soms heeft een mens gewoon domme pech, Kate. Richard heeft de pech gehad om op het verkeerde moment op de verkeerde plaats te zijn. Daar had jij niets aan kunnen veranderen.'

'Dit was geen domme pech, Luke. Dit was niet zomaar een roofmoord. Hij is met voorbedachten rade doodgeschoten door een gek die het hem kwalijk nam dat hij het hield met Julianna.'

Hij fronste zijn voorhoofd en dacht aan de bloedspetters op Julianna's kleren. 'Wat bedoel je?' vroeg hij.

Ze vertelde hem alles wat ze eerder die avond had gehoord. Ze legde uit dat Julianna hen had gevonden via het adoptiebureau, dat het meisje verliefd op Richard was geworden bij het lezen van zijn dossier en dat ze daarna een plan had bedacht om hem te verleiden.

'Ze volgde ons tot ze alles van ons wist. Ze deed haar uiterste best om op mij te lijken en aantrekkelijker te worden in Richards ogen.' Even dreigde haar stem te breken. 'Ze wilde een jongere versie van mij zijn, maar dan mooier, opwindender en ongebonden.'

'Niemand kan aan jou tippen,' zei hij zacht. 'Geloof me, ik ben al langer dan tien jaar op zoek.'

Sprakeloos staarde ze hem aan, met ogen die opnieuw dreigden over te lopen van tranen.

'Het verhaal wordt nog veel erger,' zei ze toen ze haar stem had hervonden. Zo kalm mogelijk vertelde ze hem alles over John Powers, die Richard, Julianna's moeder en zijn eigen voormalige collega van de CIA had vermoord toen die had geprobeerd Julianna te helpen.

'Geloof je zulke verhalen?' vroeg hij verbaasd. 'Kom nou, Kate. Dat meisje is volgens mij nogal labiel. Het zou me niets verbazen als ze alles heeft verzonnen.'

'Ik geloofde haar ook niet, totdat er bij mij thuis werd gebeld. Die man zei op mijn antwoordapparaat dat Julianna en Emma eraan gingen.'

Daar was hij even stil van. 'Zei hij dat letterlijk?' vroeg hij toen.

'Ja, daar was geen twijfel over mogelijk. Er zit een gek achter ons aan, een beroepsmoordenaar die Julianna en Emma uit de weg wil ruimen. En als ik hem voor de voeten loop, doodt hij mij ook. Als hij er ooit achter komt dat jij ons hebt geholpen...' Haar stem werd schor. 'Ik had hier niet moeten komen. Ik had jou er niet bij mogen betrekken.'

'Je had geen keus.'

'Jawel, ik had ook door kunnen rijden tot ik niet meer verder kon. M-maar ik was bang en wist dat ik me bij jou veilig zou voelen.' Ze barstte in snikken uit. 'In plaats daarvan heb ik jou in gevaar gebracht. Het spijt me ontzettend, Luke.'

Troostend nam hij haar in zijn armen tot ze weer een beetje tot rust was gekomen.

'We blijven niet lang,' zei ze toen ze zichzelf weer een beetje onder controle had. 'We moeten op de vlucht blijven om hem een stap voor te blijven. Ik moet alleen bedenken waar we naartoe zullen gaan. Ik heb nog helemaal geen plannen gemaakt.'

'Je mag zo lang blijven als je wilt, Kate.'

'Nee, dat kan niet. Ik wil dit niet nog gevaarlijker voor je maken. Hoe sneller we weg zijn, hoe beter. Dan is er een kans dat John Powers jou nooit ontdekt.'

'Ik kan wel op mezelf passen, Kate,' zei hij op bestraffende toon. 'Ik maak me alleen maar zorgen om jou en Emma.'

Ze legde haar hoofd op zijn schouder. Ze was zo moe, dat ze niet kon verhinderen dat ze met haar volle gewicht tegen hem aan leunde. 'Kon ik op dit moment maar helder nadenken,' fluisterde ze. 'Er móét een manier zijn om John Powers te bestrijden.'

Hij sloeg zijn arm om haar heen. 'Zullen we het er morgen-ochtend verder over hebben?' stelde hij voor. 'Samen vinden we wel een manier om dit op te lossen. Dat beloof ik je.'

63

Hij kon niet slapen. Starend naar zijn computerscherm, dacht hij na over Kates ongelooflijke verhaal. Haar relaas hield hem zo bezig, dat hij zich niet eens meer kon concentreren op zijn boek. Normaal gesproken ging hij zo op in zijn werk, dat hij alles en iedereen om zich heen vergat, maar ditmaal dwaalden zijn gedachten steeds af naar haar.

Na een tijdje zette hij zijn computer uit en ging bij het donkere raam staan. Als haar verhaal klopte, had ze alle reden om zich zorgen te maken. Die John Powers was net zo'n man als Condor. Hij kreeg nog kippenvel bij de herinnering aan die dag op de schietbaan. Haast liefkozend had Condor zijn handen over zijn wapen laten glijden, terwijl hij dingen had verteld waarvan bij Luke de rillingen over de rug hadden gelopen.

Ja, John Powers was precies als Condor, maar dan zonder het plichtsbesef en de ethische regels. Dit was het type nietsontziende moordmachine waarover Condor het had gehad.

Hij moest er niet aan denken dat deze kerel Kate te pakken kreeg. In gedachten zag hij haar in een grote plas bloed liggen, met een dode Emma naast zich...

Langzaam wendde hij zich af van het raam. Stel dat Powers haar hiernaartoe gevolgd was. Hij had haar gemakkelijk kunnen bellen vanuit een telefooncel bij haar huis, of vanuit zijn auto. In dat geval had hij zich waarschijnlijk tranen gelachen bij het zien van Kates meelijwekkende poging om aan zijn klauwen te ontsnappen.

Met bonzend hart haalde hij zijn .44 uit zijn bureaula. Wat had Condor ook al weer gezegd? Zo'n zwaar wapen was prima voor iemand die geen precisieschutter was. Als amateurs als Luke een insluiper in huis hadden, waren ze al lang blij als ze de man konden raken.

Hij glimlachte grimmig. Tegenover een man als John Powers zou hij daar zeker blij mee zijn. Als hij al de kans kreeg om op Powers te schieten, wilde hij zeker weten dat de kogel zo veel mogelijk schade aanrichtte.

Hij laadde het wapen en liep naar Kates kamer, waar zij en haar dochter rustig lagen te slapen.

Emma lag heerlijk ontspannen tussen haar lakentjes, met haar armpjes boven haar hoofd. Ze zag er beeldschoon en engelachtig uit.

Geen wonder dat Kate zo van haar houdt, dacht hij. Geen wonder dat ze haar leven voor dit kleine wezentje zou geven. Hoe was het mogelijk dat Richard niet voor dit meisje was gevallen? Hijzelf hield nu al bijna van de kleine Emma Ryan.

Je moet Kate helpen, Luke, dacht hij. Je moet het doen voor haar en Emma. Iemand moet die engerd tegenhouden.

'Luke? Is er iets?'

Verdorie, nu had hij Kate wakker gemaakt. 'Nee, ik kwam alleen maar kijken of jullie lekker lagen,' fluisterde hij. 'Ga maar weer slapen.'

Vrijwel meteen viel ze weer in slaap. Ze zag er zo lief uit, dat hij zich moest inhouden om haar niet over haar gezicht te aaien.

Zachtjes sloop hij de kamer uit, waarna hij alle ramen en deuren controleerde. Nadat hij zich ervan had vergewist dat alles veilig dicht was, zette hij een pot sterke koffie, waarmee hij op de bank ging zitten.

Iemand moest de wacht houden. Deze nacht, en verder elke nacht tot het probleem John Powers was opgelost.

64

Ze werd wakker van de verrukkelijke geuren van koffie en gebakken spek. Genietend strekte ze zich uit, in de wetenschap dat
er een heerlijk ontbijt voor haar werd klaargemaakt. Hoelang was
het geleden dat ze zo in de watten was gelegd? Niet meer sinds ze
Emma had. Daarvoor was het trouwens ook lang niet meer gebeurd. Richard had geen zin om 's morgens verse koffie te zetten
en beweerde dat gebakken spek alleen maar ongezonde rommel
was.

De gedachte aan hem maakte haar opeens weer klaarwakker.
Ze dacht nog helemaal niet aan hem in de verleden tijd. Ze kon
nog helemaal niet verwerken dat hij er nooit meer zou zijn.

Tranen rolden over haar wangen. Ze miste hem vreselijk. Niet
de man die hij de afgelopen maanden was geweest, met al zijn
fouten en zwakke kanten, maar de man met wie ze al die tijd getrouwd was geweest. De Richard die haar over de drempel had
gedragen, haar aan het lachen had gemaakt, haar had aangemoedigd een eigen bedrijf te beginnen en haar had geleerd wat liefde
was.

Ik heb nu geen tijd om te huilen, dacht ze, de tranen van haar
wangen vegend. Ik kan mijn energie beter gebruiken om mijn
dochter te beschermen. Ik móét die gek een paar passen voor
zien te blijven.

De herinnering aan de gebeurtenissen van de dag ervoor was

voldoende om een stoot van angst door haar heen te jagen.

Terwijl ze haar benen over de rand van het bed zwaaide, zag ze op het klokje op haar nachtkastje dat het al na tienen was. Met haar handen wreef ze even stevig over haar ogen. Ze moest zorgen dat ze fit was, want al over een paar uur zouden Julianna en zij met Emma vertrekken. In de tussentijd moest ze een plan zien te bedenken.

Opeens drong het tot haar door dat het wel erg stil in de kamer was. Waarom had Emma haar niet wakker gemaakt? Waarom hoorde ze haar niet? In paniek draaide ze zich om.

Emma was weg.

Met een luide angstkreet stoof ze naar de deur. 'Luke!' riep ze. 'Luke, waar ben je?'

'In de keuken!'

Half hysterisch holde ze naar de keuken. John Powers had hen gevonden. Hij was die nacht het huis binnen geslopen en had Emma meegenomen. Ze durfde er niet aan te denken wat hij met haar zou kunnen doen...

In de deuropening van de keuken bleef ze stomverbaasd staan. Aan de eettafel zat Luke haar dochter op zijn gemak een flesje te geven.

Glimlachend keek hij op toen hij haar hoorde naderen. 'Goedemorgen, Kate.'

'Wat krijgen we nou?'

Hij keek naar Emma's gezichtje voordat hij Kate antwoord gaf. 'Ze werd vanmorgen om half zeven met een lege maag wakker,' legde hij uit. 'Toen heb ik haar een flesje gegeven, omdat jij je slaap hard nodig had. Dit is al de tweede fles van vandaag.'

Dus hij heeft Emma bij me weg kunnen halen zonder dat ik het in de gaten had, dacht ze ontzet. Met bibberige passen liep ze naar de eettafel. 'Sinds wanneer kun jij met baby's omgaan?' vroeg ze.

Hij keek op met de vrolijke, jongensachtige grijns waarvan haar hart altijd sneller ging kloppen. 'Zo ingewikkeld is het nou ook weer niet, Kate,' zei hij plagend. 'Je neemt een flesje, vult het met babyvoeding, maakt het warm en geeft het aan de baby. Simpel, toch?'

Ze lachte; een onnatuurlijk hoog, nerveus geluid.

Onderzoekend keek hij haar aan. 'Kate, gaat het nog?'

'Jawel, ik...' Met haar hand op haar hart ademde ze hoorbaar uit, waarna ze zich op een eetkamerstoel liet zakken. 'Ik schrok me naar toen ik haar niet naast me zag liggen. I-ik dacht meteen het ergste.'

Prompt verdween de glimlach van zijn gezicht. 'O, sorry, Kate, daar had ik niet bij nagedacht. Misschien had ik je toch beter kunnen wekken.'

Ze hief haar hand op. 'Je hoeft je niet te verontschuldigen. Ik vind het juist erg lief van je dat je me hebt laten slapen. Richard zorgde nooit...' Ze maakte haar zin niet af. 'Je mag haar wel weer aan mij geven, hoor.'

'Nou, eigenlijk vind ik het heel leuk om haar te voeden,' zei hij. 'Vind je het erg als ik ermee doorga?'

'N-nee, natuurlijk niet.' Ze slikte een brok in haar keel weg. 'Is er koffie?'

'In de thermoskan. Bekers staan in het kastje erboven.'

'Dank je wel.' Ze haalde een mok uit de kast, die overduidelijk was bedoeld als reclamemateriaal voor Dead Drop. Het handvat had de vorm van een pistool, en Lukes naam, de titel van zijn boek en de publicatiedatum stonden op de metaalgrijze buitenkant gedrukt. 'Leuke mok,' merkte ze op.

'Dank je. Met de groeten van de uitgever.'

Ze schonk zichzelf een kop koffie in. 'Mmm, lekker,' zei ze na de eerste slok. 'Dit is Kona, toch?'

'Heel goed,' zei hij grinnikend. 'Ik ben eraan verslaafd geraakt toen ik op Hawaï was om onderzoek te doen voor Last Dance. Heb je zin in gebakken spek? Het staat klaar op het fornuis. Op die plank daar vind je mijn zelfgebakken rozijnenbrood.'

Tot haar verbazing merkte ze dat ze trek had. 'Sinds wanneer ben jij zo'n nijvere huisman?' vroeg ze terwijl ze opstond om een bord te pakken.

'Als je jaren alleen woont, krijg je op een gegeven moment genoeg van hamburgers en afhaalpizza's,' antwoordde hij schouderophalend. 'Ik ben niet overal even goed in, maar ik dacht dat je wel trek zou hebben.'

'Ik rammel.' Ze droeg een vol bord naar de tafel en ging weer zitten. Daarna nam ze een flinke hap van het brood. 'Zalig! Heb je een broodmachine?'

'Ja.' Hij haalde de speen uit Emma's mond, keek hoeveel er nog in de fles zat en stopte het speentje terug. Meteen begon Emma weer gretig te zuigen. 'Cadeau gekregen met Kerstmis, van mijn jongste zus.'

Ze kon nauwelijks bevatten dat ze hier aan de eettafel over broodmachines en koffiebonen zat te babbelen terwijl ze een paar minuten daarvoor nog doodsbenauwd was geweest dat John Powers haar kind had gestolen.

'Heb je lekker geslapen?' vroeg hij.

'Verrassend goed.' Tijdens de nacht hadden haar nachtmerries tot haar eigen verbazing plaatsgemaakt voor een rustige, vredige slaap, waarin ze zich veilig en beschermd had gevoeld. 'Jij ook?'

'Als een blok.'

Lawaaierig slurpte Emma haar laatste restjes melk naar binnen.

Hij zette de fles weg, hield haar tegen zijn schouder en klopte haar zachtjes op de rug.

Kate was aangenaam verrast door zijn behendigheid en vertelde hem dat ook.

'Ik heb vijf jongere broers en zusjes,' zei hij. 'Drie van hen hebben inmiddels zelf kinderen. Ik heb al heel wat baby's tegen mijn schouder laten boeren.'

'Ik was vergeten dat je uit zo'n groot gezin komt.'

Emma liet een stevige, harde boer horen waar een dronken matroos trots op zou zijn geweest.

Luke en Kate schoten tegelijkertijd in de lach.

'Mooi geluid, jongedame,' zei hij. 'Bijzonder charmant.'

'Ja, het is een echte dame.' Ze stak haar armen naar Emma uit. 'Ze kan ook zo schaamteloos winden laten. Nu ik het daarover heb: ik mag haar weleens verschonen. Haar luier zal wel doorweekt zijn.'

'Ze is allang schoon.' Hij legde Emma in haar armen.

'Echt waar?'

'Ja zeker. Ik heb haar verschoond voordat je opstond.' Hij stond op om zichzelf nog een kop koffie in te schenken. 'Kate, wat ons gesprek van gisteren betreft, ik heb nog eens over jullie probleem nagedacht,' zei hij ernstig. 'Ik denk dat jullie het anders moeten aanpakken.'

Verwachtingsvol keek ze naar hem op. Zou hij een oplossing weten?

'Ik denk dat jullie niet op de vlucht kunnen blijven. Dat lost niets op.'

'Wat moeten we dan doen?'

'Dat weet ik niet. Nog niet.' Hij kwam weer bij haar aan tafel zitten. 'Ik ken dit type man, Kate. Door het onderzoek voor mijn boeken heb ik met hem kennisgemaakt. Hij is een jager, een man die vindt dat hij boven de wet staat. Hij zit er niet mee om mensen te doden. Iemand ombrengen is voor hem net zo'n routineklusje als de vuilnisbak buitenzetten.'

'Je wordt bedankt, Luke,' fluisterde ze. 'Moet ik me daar nu beter van gaan voelen?'

'Ik ben nog niet klaar,' zei hij op sombere toon. 'Vluchten is geen optie, want hij zal jullie nooit met rust laten. Hij is op een persoonlijke wraakmissie en hij zal jullie blijven volgen tot hij zijn doel bereikt heeft, al kost hem dat jaren. En wanneer hij jullie vindt –'

'Maakt hij ons af.'

'Inderdaad.' Hij ging op zijn hurken voor haar zitten. 'We moeten dus een manier zien te vinden om hem tegen te houden. Anders zul je de rest van je leven over je schouder moeten blijven kijken.'

'We?' herhaalde ze hoofdschuddend. 'Dat kan ik je niet aandoen, Luke. Ik heb je al lang genoeg aan gevaar blootgesteld.'

'Kate, kijk me aan. Je denkt toch niet dat ik jou en Emma in de steek laat als er zo'n gevaarlijke man achter jullie aan zit?'

Ze had zin om in zijn armen te kruipen en hysterisch te gaan huilen. Wat moest ze nu doen? Ze wilde dolgraag geholpen worden, maar ze zou het zichzelf nooit vergeven als hem dat zijn leven zou kosten.

Luke, die haar tweestrijd zag, streelde haar zachtjes over haar gezicht. 'Je hebt geen keus, Katie,' fluisterde hij. 'Nu ik van de situatie op de hoogte ben, zit je met me opgescheept.'

'Wat moeten we doen?' vroeg ze met een door tranen verstikte stem.

'Ik ken een paar mensen bij de CIA. Ik zal ze wel om advies vragen. En in de tussentijd kunnen jij en Julianna hier een beetje uitrusten en op adem komen.'

'Nee,' zei Julianna vanuit de deuropening.

'Julianna –'

'Nee! Jullie weten niet waartoe John allemaal in staat is!' riep ze uit. 'Jullie hebben geen foto's gezien van zijn slachtoffers.'

'Ik weet precies waartoe hij in staat is, Julianna.' Hij kwam weer overeind. 'Daarom denk ik juist dat het zinloos is om voor hem te vluchten.'

'Luke heeft gelijk. We moeten een ander plan bedenken,' zei Kate. 'Jij mag natuurlijk doen wat je wilt, maar ik blijf bij Luke.'

Julianna bleef hen een paar tellen aankijken, waarna ze knikte. Uit haar tas haalde ze een plastic zakje te voorschijn. 'Misschien heb je hier iets aan,' zei ze tegen Luke.

Hij maakte het zakje open. Er zaten een vliegticket, een gebruikte envelop en een klein zwartleren notitieboekje in. 'Wat zijn dit voor spullen?'

'Die zijn van John. Ik heb ze meegenomen voordat ik uit Washington vertrok,' vertelde Julianna.

Hij bladerde door het notitieboekje heen.

'De aantekeningen zijn allemaal gemaakt in een soort geheimschrift,' vertelde ze. 'Het boekje lag verstopt in de vriezer, dus het leek me wel belangrijk.'

'Dit zou weleens heel nuttig kunnen zijn,' mompelde hij.

Nieuwsgierig kwam Kate achter hem staan. 'Wat zijn die andere dingen?'

'Een vliegticket op naam van Wendell White en een envelop gericht aan David Snow,' antwoordde hij. 'Ik durf er iets onder te verwedden dat dat Powers' pseudoniemen zijn. Het adres op de envelop is vast een vals adres, een zogenaamde *dead drop*.'

'*Dead drop*?' herhaalde Kate. 'Zoals de titel van je boek?'

'Precies.' Hij glimlachte. 'Een *dead drop* is een vals postadres, dat niet te traceren is naar de gebruiker, in dit geval John Powers. CIA-agenten hebben vaak tientallen van dit soort adressen in binnen- en buitenland.'

'Waarmee ze hun werk kunnen doen zonder te worden opgespoord,' mompelde Kate.

'Inderdaad,' beaamde hij. 'Een paar jaar geleden heeft een goede privé-detective me geholpen bij een van mijn boeken. Ik zal hem eens bellen en vragen of hij onderzoek kan doen naar de namen Wendell White en David Snow.'

'Wat doen we ondertussen met dat boekje?' vroeg ze.

'Dat wil John terug,' zei Julianna. 'Dat weet ik heel zeker. Hij was woedend dat ik het uit zijn huis heb gestolen.'

'Mooi zo,' zei hij.

'Mooi zo?' echode Kate. 'Ben je blij dat hij woedend is?'

'Nee, ik ben blij dat het boekje belangrijk is,' legde hij uit. 'Dat betekent dat we het tegen hem kunnen gebruiken.'

'Hoe dan?'

Peinzend wreef hij over zijn ongeschoren kaak. 'Daar moet ik nog even over nadenken. Ik ga eerst overleggen met mijn contacten bij de CIA. Misschien hebben zij nuttig advies voor ons.'

'Luke, je weet niet half hoe blij ik ben met je hulp,' zei Kate ontroerd. 'Ik weet niet wat we zonder je hadden gemoeten.'

'Hoho, we hebben die engerd nog niet te pakken,' zei hij grinnikend. 'Bedank me maar als we het probleem hebben opgelost.'

65

Binnen achtenveertig uur reageerde Condor op Lukes boodschap. Ze spraken 's avonds af in een goedkoop eettentje vlak bij het vliegveld.

Luke was er al vroeg. Hij nam plaats achter in de zaak op een kunstleren bankje waarvan de zitting was gebarsten.

Zijn bestelling werd opgenomen door een serveerster die al minstens zestig moest zijn. In het licht van de tl-buizen had haar grijze haar een akelig groene kleur en haar huid een vale teint. Nadat ze zijn koffie ongeïnteresseerd op het tafeltje had gezet, liep ze meteen weer weg.

De bittere, aangebrande lucht die uit het kopje omhoog walmde, vertelde hem dat de koffie waarschijnlijk al uren oud was.

Hij keek de zaak rond. De enige andere klanten waren een dikke man in een overall en twee jonge vrouwen, die gulzig genoten van hun cheeseburgers, patat en cola.

Op exact de juiste tijd kwam Condor binnenlopen. Hij kwam meteen naar Luke toe en ging naast hem op het bankje zitten, met zijn rug tegen de muur.

Nadat ze een praatje hadden gemaakt en de serveerster nog een kop ondrinkbare koffie had gebracht, kwam Luke ter zake.

'Een vriendin van mij zit in de problemen,' vertelde hij. 'Ik heb je hulp nodig.'

'Je weet wat voor werk ik doe, Luke. Waar kan ik je mee helpen?'

'Ik wil graag wat advies van je.'

Condor knikte. 'Vertel maar eens.'

In het kort vertelde hij hem het hele verhaal. 'De man heet John Powers,' besloot hij. 'Zegt die naam je misschien iets?'

Het duurde even voordat Condor antwoord gaf. 'Ik heb wel eens van hem gehoord, ja,' antwoordde hij uiteindelijk.

'Maar je kent hem niet persoonlijk?'

'Nee.' Condor nam een slok van zijn koffie, kennelijk niet gehinderd door de afgrijselijke smaak. 'Het is in ons vak niet gebruikelijk om contact te hebben met collega's.' Een flauwe glimlach speelde om zijn lippen. 'Het wordt ook niet bepaald aangemoedigd door onze werkgever, want die wil natuurlijk niet dat we bij een borrel sterke verhalen met elkaar uitwisselen. Maar de naam John Powers is me wel bekend.'

'Wat weet je van hem?'

'Dat hij een van de beste en gevaarlijkste agenten was,' vertelde Condor. 'Hij was gespecialiseerd in zeer delicate klusjes.'

'Delicaat? Bedoel je politiek gevoelige klussen?'

'Ja. Hij heeft verstand van allerlei soorten wapens, is levensgevaarlijk in een gevecht van man tot man en weet ook om te gaan met gif en explosieven. Hij had een glanzende carrière totdat hij een paar jaar geleden voor zichzelf begon.'

'Voor zichzelf? Wat bedoel je?'

'Hij heeft zich onttrokken aan de beroepsethiek en de controle van de CIA. Hij is een huurling geworden die door iedereen in dienst kan worden genomen. Het maakt hem niet uit voor wie hij werkt, zolang hij maar wordt betaald.'

'Staat de CIA dat toe?'

'Tot op zekere hoogte.'

'Hoever mag hij gaan?'

Op die vraag gaf Condor geen antwoord. 'Zijn codenaam was Ice, omdat hij zo ongelooflijk koelbloedig is,' vertelde hij. 'Het schijnt dat hij zes kinderen van een Colombiaanse drugsbaron heeft vermoord terwijl hun moeder toekeek.'

'Lieve hemel.' Lukes gezicht vertrok. 'Was dat met de goedkeuring van onze regering?'

'Ice was naar Colombia gestuurd om te onderhandelen, met de

mededeling dat hij de drugsbaron onder druk mocht zetten,' antwoordde Condor. 'Het verhaal over de moorden is overigens nooit officieel bevestigd.'

Ja, de groeten, dacht Luke. Jij en ik weten allebei dat er waarschijnlijk geen woord van gelogen is. Hij had gehoopt dat Kate en Julianna John Powers gevaarlijker hadden afgeschilderd dan hij was, maar nu wist hij dat ze niet hadden overdreven.

De twee jonge vrouwen hadden hun patat en cola op. Ze schoven hun stoelen achteruit en stonden op om weg te gaan.

'Ik benijd je vriendin niet,' zei Condor, die de vrouwen nakeek. 'Jou trouwens ook niet, nu je erbij betrokken bent geraakt. Als ik in jouw schoenen stond, zou ik zorgen dat ik er zomin mogelijk mee te maken had.'

'Dat kan niet.'

'Tja, dat kun jij alleen bepalen.'

'Er moet toch een manier zijn om hem tegen te houden?' zei hij. 'Kunnen we niet naar de politie gaan om alles uit te leggen?'

Condor schudde zijn hoofd, daarmee bevestigend wat Luke eigenlijk al wist. 'Als je naar de politie gaat, maak je het hem alleen maar gemakkelijker jullie te vinden,' zei hij. 'In dat geval zijn jullie al dood voordat de politie een potloodje heeft gepakt om aantekeningen te maken.' Condor keek naar hem opzij. 'De politie heeft hem nog nooit kunnen pakken voor een moord, Luke. Je weet precies hoe het gaat. Zonder wapen of getuigen staan ze met lege handen.'

Luke knikte. Wat moest hij nu tegen Kate zeggen? Ze was zo hoopvol geweest toen hij was vertrokken.

'Je hebt misschien een klein kansje, maar dat zal niet meevallen,' zei Condor peinzend.

Lukes polsslag versnelde. 'Wat dan?' Een klein kansje was beter dan niets.

'Ik krijg de indruk dat Powers zijn beroepsmatige afstandelijkheid aan het verliezen is. Hij is boos en wil jullie uitschakelen uit haat. Dat kan hem slordig en onvoorzichtig maken.'

'Maar ook extra fanatiek,' verzuchtte hij.

'Dat klopt, maar daarmee moeten jullie je voordeel doen.' Condor ging nog zachter praten. 'Van de CIA kun je geen hulp verwachten, tenzij ze ervan overtuigd zijn dat Powers een gevaar voor ze vormt, of voor hun operaties of de nationale veiligheid. Per slot van rekening is hij een van hun eigen mensen. Als jullie zwart op wit kunnen bewijzen dat Powers over de schreef gaat, zijn ze misschien bereid hem tegen te houden. Maar dan zul je met namen, data en plaatsen moeten komen waaruit blijkt wat hij allemaal heeft gedaan.'

Het notitieboekje, flitste het door hem heen. 'Ik heb zijn aantekeningenboekje,' vertelde hij triomfantelijk. 'Hij heeft een soort geheimschrift gebruikt, maar ik ben ervan overtuigd dat in dat boekje de benodigde informatie staat.'

Dat bericht leek Condor hevig te interesseren. 'Ben je er al in geslaagd de code te ontcijferen?' wilde hij weten.

'Nee. Kun jij ons daarmee helpen?' vroeg Luke hoopvol. 'Het is onze enige kans.'

Met spijt schudde Condor zijn hoofd. 'Ik mag je graag, Dallas, maar dat kan ik niet doen. Ik wil niet eens weten wat er in dat boekje staat. Ten eerste zou ik daardoor zelf gevaar lopen, en ten tweede zou ik daarmee een beroepsregel overtreden.'

'Wat moet ik dan doen?'

'Zorg dat je een van de aantekeningen ontcijfert en gebruik die kennis om de rest van het boekje door te lopen,' adviseerde Condor hem. 'Neem daarna contact op met Tom Morris. Hij zal eerst doen of hij niet weet wie Ice is, maar hij weet alles over Powers' dossier. Leg hem het probleem voor en vraag hem of hij Powers wil uitschakelen als jij hem het bewijs levert dat die man gevaarlijk is. Zorg dat Tom je belóóft dat hij er iets aan zal doen. Dat laatste is belangrijk, want dit is de echte wereld, niet een van jouw spannende boeken. Je hebt hier geen garantie dat de held uiteindelijk overwint.'

Condor stond op, betaalde hun koffie en vroeg hem mee naar buiten te lopen. Daar krulde de koude natte nacht zich om hen heen als een wurgslang.

'Dit gesprek heeft nooit plaatsgevonden, oké?' zei Condor. 'Ik ben hier niet bij betrokken geraakt.'

'Afgesproken.'

'Nog een goed advies: geef dat notitieboekje nooit uit handen,' zei Condor ernstig. 'Als Tom Morris en de CIA dat boekje in handen krijgen, breken ze de code en kunnen ze zelf achterhalen wat Ice allemaal heeft uitgespookt. Dat betekent dat ze jullie niet meer nodig hebben en dat ze jullie ook niet zullen helpen. Als Powers zelf dat boekje weer in handen krijgt, hebben jullie niets meer om mee te onderhandelen.'

'Dan zijn we ten dode opgeschreven.'

'Precies.'

Condor keek hem indringend aan, waardoor hij het gevoel kreeg dat de man hem veel meer wilde vertellen dan hij met deze paar woorden kon zeggen.

'Ik weet zeker dat Tom Morris je om het boekje zal vragen,' vervolgde Condor. 'Zorg dat je het niet aan hem geeft, wat hij je verder ook belooft. Begrijp je wat ik wil zeggen, Luke? Geef het onder geen enkele voorwaarde aan hem af. Dat boekje is je levensverzekering. Onthou dat goed.'

Hij knikte.

Het volgende moment was Condor verdwenen.

66

Toen hij thuiskwam, bleken Kate en Julianna nog wakker te zijn. Ze wachtten hem met zulke verwachtingsvolle gezichten op, dat hij zich er bijna niet toe kon zetten om hen aan te kijken. Als ze een wondertje van hem verwachtten, wachtte hun een teleurstelling.

'We hebben een kansje,' vertelde hij. 'Het zal moeilijk en gevaarlijk worden, maar we maken een kans.'

Bij een kop koffie bespraken ze wat Condor hem had verteld. Naarmate het gesprek vorderde, werd Kates blik steeds somberder.

'Hoe kunnen we nou een van de aantekeningen in Powers' boekje ontcijferen?' vroeg ze. 'We weten niet hoe dat moet!'

'Daar heb ik over nagedacht,' antwoordde hij, zichzelf nog een kop koffie inschenkend. 'Misschien is het eenvoudiger dan we denken. De data in het notitieboek zijn niet in geheimschrift opgeschreven. Als we nu een van die data kunnen verbinden aan een plaats waarvan we weten dat Powers er op dat moment is geweest, kunnen we kijken of er op dat moment ook een misdaad is gepleegd.'

Haar blik was sceptisch. 'Dat is zoeken naar een naald in een hooiberg.'

'Dat klopt, maar het zou iets kunnen opleveren,' meende hij.

'Dit wordt niets,' zei Julianna treurig. 'Wat een ongelooflijke puinhoop.'

'Zeg dat wel!' viel Kate opeens fel naar haar uit. 'Tot voor kort had ik een normaal leven, Julianna. Ik was gelukkig totdat jij besloot me mijn man af te pakken en mijn leven te ruïneren. Alsof dat nog niet genoeg was, stuur je me nu ook nog eens een gewelddadige psychopaat op mijn dak!'

'Dat heb ik niet expres gedaan!' protesteerde Julianna. 'Ik wist dat hij boos was op mij, maar ik had nooit gedacht dat hij zich zou wreken op Richard, jou en Emma.' Haar ogen werden vochtig.

'Dat is nou net het probleem, Julianna. Je hebt niet nagedacht,' snauwde Kate. 'Je hebt alleen maar aan jezelf gedacht.'

'Het spijt me,' mompelde Julianna snikkend. 'Ik had dit echt niet verwacht.' Mistroostig sloeg ze haar handen voor haar gezicht. 'Ik ben zo bang. Ik wil naar huis.'

'Dacht je dat ik niet naar huis wilde?' Kates handen trilden van woede. 'Ik wil niets liever. Maar door jouw toedoen kan ik niet terug naar Mandeville. Door jouw toedoen is mijn man vorige week doodgeschoten. Door jouw toedoen zit er een gevaarlijke gek achter me aan!'

'Ik weet dat je kwaad bent, Kate.' Hij legde zijn hand op haar arm. 'Je hebt ook alle reden om boos te zijn. Maar ruziemaken helpt ons niet om Powers te verslaan. Integendeel, verdeeldheid maakt ons alleen maar kwetsbaarder. Als we tegen hem willen vechten, zullen we dat samen moeten doen.' Zijn ogen zochten de hare. 'Dat weet je toch zelf ook wel?'

Ze stond op en liep naar het raam.

Aan haar stijve houding en stramme kaak zag hij dat ze haar best deed om haar emoties onder controle te krijgen.

Na een paar tellen draaide ze zich om naar Julianna, haalde diep adem en zei: 'Luke heeft gelijk: we kunnen Powers niet blijven ontlopen. Er komt een moment waarop hij ons inhaalt. Als jij denkt dat weglopen een optie is, heb je mijn zegen om te gaan. Maar ik denk dat ik beter naar Luke kan luisteren.'

Vragend keek hij naar Julianna. 'Wat zeg jij ervan? Wil je weg, of blijf je bij ons?'

'Bij jullie,' fluisterde ze, haar tranen wegvegend. 'Ik blijf hier bij jullie.'

'Goed, maar dan hebben we je hulp nodig.' Hij kwam recht voor haar staan. 'Is er iets wat je ons nog niet over Powers hebt verteld? Denk goed na. Dingen die in jouw ogen misschien onnozel zijn, kunnen voor ons van groot belang zijn. Heb je iets aan hem opgemerkt, of flarden van een vreemd gesprek gehoord? Heeft hij je wel eens iets verklapt in bed, of vertelde hij dingen in zijn slaap?'

'Nee,' antwoordde ze. 'Ik heb jullie alles verteld.'

'Denk nog even heel goed na,' drong hij aan. 'Het is belangrijk.'

'Nee, ik zou niets weten. We hadden een soort afspraak. Hij vertelde me nooit iets over zijn zakenreizen, en ik mocht hem niet vragen naar zijn werk. Dat heeft me ook nooit kunnen schelen, tot ik me begon te vervelen en in zijn spullen ging snuffelen.'

'Zo heb je ook dat notitieboekje gevonden, hè?'

'Ja.'

'Nam hij wel eens cadeautjes voor je mee?' vroeg Kate.

Julianna knikte.

'Wat voor soort cadeautjes?' wilde Kate weten. 'Waren het wel eens presentjes waaraan je kon zien waar ze gekocht waren? Bijvoorbeeld chocola uit Zwitserland of parfum uit Parijs? Heb je wel eens zoiets gehad?'

Julianna bracht haar handen naar de diamanten knoppen in haar oren. De stenen schitterden in het licht van de lamp.

De oorknoppen waren hem al eerder opgevallen. De diamanten waren ook zo groot, dat hij ze moeilijk over het hoofd kon zien.

'Nee, ik kan me niets specifieks herinneren,' antwoordde ze met een zucht van frustratie. 'Ik heb deze oorknoppen van hem gekregen, maar ik heb geen flauw idee waar ze vandaan komen. Soms bracht hij weleens een pop voor me mee, of een speld voor in mijn haar. Hij kocht boeken voor me, bloemen die hij in een stalletje op het vliegveld had gekocht. Allemaal spullen die overal vandaan hadden kunnen komen.' Ze keek van hem naar Kate en weer terug. 'Echt, jullie moeten me geloven. Zelfs in zijn appartement was niets van zijn reizen terug te vinden. Het was er zo kaal als in een hotelkamer, zonder persoonlijke bezittingen of snuisterijen. Er stonden meubels, er was een badkamer, een volledig ingerichte keuken, maar dat was ook alles. Begrijpen jullie wat ik bedoel?'

Kate keek hem aan. 'Denk jij nu hetzelfde als ik?' vroeg ze.

'Ik denk het wel. Volgens mij denk jij aan Powers' appartement.'

Ze knikte.

'Heb je nog een sleutel van dat appartement?' vroeg hij aan Julianna.

'Ja, al begrijp ik zelf niet waarom ik die nog niet heb weggegooid,' antwoordde ze. 'Ik ben niet van plan daar ooit nog naartoe te gaan.'

'Zeg nooit "nooit", meisje.' Vergenoegd wreef hij zich in de handen. 'Het laatste wat Powers nu van ons verwacht, is dat we overgaan tot de aanval. Ik ben van mening dat we nu een begin hebben om een offensief op te zetten.'

Bij die woorden werd Julianna wit om haar neus. 'Dat meen je niet,' fluisterde ze.

'Ik ben het met Luke eens,' zei Kate met een grimmige blik in haar ogen. 'Luke, weet je zeker dat de CIA zal meewerken om Powers uit te schakelen?'

'De man met wie ik heb gesproken, was ervan overtuigd dat ze ons zullen helpen zodra we onomstotelijk kunnen bewijzen dat Powers over de schreef is gegaan,' antwoordde hij, van de ene vrouw naar de andere kijkend. 'Ik denk dat er voor ons niets anders opzit dan bewijsmateriaal verzamelen.'

Kate knikte. 'Ben jij het daar ook mee eens, Julianna?' vroeg ze.

Even aarzelde Julianna, maar toen knikte ze.

'Goed.' Op zijn horloge zag hij dat het inmiddels twee uur in de nacht was geweest. 'Dan stel ik voor dat we vandaag nog vertrekken naar Washington.'

67

Kate dwong zichzelf nog een paar uur te rusten, maar er ging zo veel door haar hoofd, dat ze de slaap niet kon vatten. In het donker luisterde ze naar Emma's rustige ademhaling, biddend dat Powers' missie kon worden gestopt.

Het ene moment was ze hoopvol, het volgende moment doodsbang. Er flitsten gruwelijke beelden door haar hoofd van een vreselijk mishandelde Emma, die het uitgilde van de pijn.

Stel dat ik haar niet kan beschermen, dacht ze. Stel dat ik haar niet kan troosten en redden uit handen van dat monster. Ik heb nog liever dat hij mij doodt dan haar. In het uiterste geval zal ik hem daar zelfs om smeken.

Er klonk een zachte klop op haar deur.

Na een blik op Emma's slapende snoetje liep ze ernaartoe. 'Wat is er?' fluisterde ze.

'Ik ben het,' zei Luke zacht. 'Mag ik binnenkomen?'

Ze deed de deur open en legde haar wijsvinger op haar lippen om hem te vertellen dat Emma sliep.

'Ik wilde alleen maar even kijken of alles goed met jullie ging,' zei hij.

'Het gaat wel,' fluisterde ze. 'Ik ben nog nooit in mijn leven zo bang geweest, maar dat is de laatste dagen niets nieuws.'

'Probeer er maar op te vertrouwen dat alles goed komt. Ik beloof je dat ik alles zal doen om jou en Emma te beschermen.'

Automatisch dacht ze aan al Richards beloften en geruststellende opmerkingen. Wat waren zijn woorden uiteindelijk waard geweest?

'Ik ben Richard niet, Kate,' fluisterde hij, alsof hij haar gedachten had gelezen. 'Vergeet dat niet. Ik ben anders.'

Ze wist dat hij gelijk had. Luke Dallas was de man die Richard graag had willen zijn.

Dat besef maakte opeens heel veel dingen duidelijk. Geen wonder dat Richard altijd had willen winnen van Luke. Geen wonder dat hij altijd zo lelijk had gedaan over Luke en dat hij jaloers op hem was geweest. Hij had Lukes succes beschouwd als een persoonlijk falen.

Ze slikte krampachtig. 'Bedankt dat je ons niet in de steek hebt gelaten, Luke. Ik vind het lief dat je voor me klaarstaat na... na alles wat er is gebeurd.'

Zachtjes streelde hij met zijn vingers over haar gezicht.

Voordat ze besefte wat ze deed, draaide ze haar hoofd om een kus in zijn handpalm te drukken.

Hij hield hoorbaar zijn adem in. 'Kate, ik...'

Ze hief haar gezicht naar hem op. In zijn blik zag ze verlangen en spijt. Hoewel ze haar mond opende, wist ze niet goed wat ze moest zeggen.

'Ga maar lekker slapen,' fluisterde hij. Hij trok zijn hand terug. 'Het wordt morgen een vermoeiende dag.' Na die woorden deed hij haar kamerdeur achter zich dicht.

De volgende dag bleek inderdaad doodvermoeiend te zijn. Kate en Julianna hadden kleren en toiletartikelen nodig om op reis te kunnen gaan, en Emma had nog een halve babyuitzet nodig, variërend van luiers tot speelgoed en poedermelk. Daarom holden ze door drogisterijen en warenhuizen heen, onderwijl stapels spullen in hun karretjes gooiend. Stresswinkelen, noemde Julianna het.

Luke stond erop alles te betalen met geld dat hij die ochtend had opgenomen. Aan de protesterende dames legde hij uit waarom: creditcards en cheques lieten sporen achter die zelfs door een amateurdetective konden worden gevolgd, en John Powers was allesbehalve een amateur. Om dezelfde reden wilde hij met de auto naar Washington reizen. Hoewel vliegmaatschappijen hun klanten verzekerden dat hun persoonsgegevens werden beschermd, waren hun beveiligingssystemen niet waterdicht. Bovendien had een vliegreis het nadeel dat ze vanaf hun landing in Washington aangewezen waren op taxi's of huurauto's. Ook die twee opties waren allesbehalve veilig.

Het liep al tegen drieën toen Kate haar laatste spullen eindelijk in Lukes auto legde.

Hij was in gesprek met een privé-detective toen ze naar binnen kwam om hem te halen.

'Hoe gaat het, Frank?' hoorde ze hem aan de telefoon vragen. 'Goed zo, fijn dat je het een spannend boek vond. Luister eens, wil je nog iets voor me doen? Ik heb drie namen voor je: John Powers, Wendell White en David Snow.' Hij spelde de namen, zodat de man ze kon opschrijven. 'Ik heb reden om aan te nemen dat de laatste twee namen pseudoniemen zijn voor de eerste. Ik wil graag alles weten wat je over die namen kunt vinden. Adressen, telefoonrekeningen, creditcardafrekeningen, reisbestemmingen, noem maar op.'

De man aan de andere kant van de lijn stelde een vraag, waarop Luke knikte en zei: 'Ja, ik heb er een paar.' Hij gaf de man Johns adres, het adres op de envelop en de naam van het reisbureau waar het vliegticket was geboekt. 'Dat is alles. Oké? Ik ga nu een poosje de stad uit, maar ik zal een cheque naar je sturen voordat ik hier wegga.'

De man maakte kennelijk een grapje, want Luke moest lachen.

'Ja, ik garandeer je dat er genoeg op mijn rekening staat. Succes, Frank. Ik heb helaas geen nummer waarop je mij kunt bereiken, maar ik bel jou wel.'

Pas op het moment dat hij ophing, drong het tot haar door dat ze haar adem al die tijd had ingehouden. 'Ik weet niet wat ik hoor,' zei ze verrast. 'Hoe komt het dat jij zoveel verstand hebt van dit soort zaken? Ik krijg bijna het gevoel dat ik met James Bond optrek.'

'Dat komt door mijn werk,' legde hij glimlachend uit. 'Als je tien jaar onderzoek doet tussen spionnen, criminelen en politieagenten, pik je ongemerkt wat informatie mee. Tijdens het schrijven van mijn boeken heb ik me al in aardig wat helden moeten verplaatsen.'

'En nu ben je zelf een held,' zei ze zacht. 'Vind je dat niet erg? Helden lopen gevaar. Ik zou het niet kunnen verdragen als...' Als ik jou verloor. 'Beloof je me alsjeblieft dat je voorzichtig bent?'

'Maak je maar geen zorgen om mij,' zei hij sussend. 'Ik ben kerels als John Powers al wel tien keer te slim af geweest.'

Dat was echter in boeken, wilde ze zeggen. Schrijvers kunnen zelf bepalen hoe hun verhalen eindigen. In fictie kan de auteur ervoor kiezen dat de held altijd wint, maar dit is de werkelijkheid. In werkelijkheid gaan er mensen dood die niet dood hadden moeten gaan.

'Ik weet wat je denkt, Kate.' Met zijn wijsvinger tilde hij haar kin op. 'Maar ik ben ervan overtuigd dat we die geschifte kerel te pakken krijgen.'

'Was ik daar maar net zo zeker van als jij.' Haar stem trilde. 'Ik ben ontzettend bang.'

Troostend sloeg hij zijn armen om haar heen.

Even wilde ze tegenstribbelen, maar uiteindelijk liet ze zich tegen zijn borst aan zakken. Ze klampte zich aan hem vast alsof ze zonder zijn steun zou omvallen.

'Leun maar op mij, Kate,' fluisterde hij, haar over haar haren strelend. 'Ik ben er om je te helpen.'

Ze haalde diep adem. Hoewel ze blij was met zijn steun, wist ze dat ze zelf ook sterk moest zijn. 'Bedankt, Luke,' zei ze, zich losmakend uit zijn armen. 'Ik zal zelf ook mijn best doen om overeind te blijven. Emma heeft me nodig. De zorg voor haar laat ik aan niemand anders over, ook niet aan jou.'

Hij knikte, met genegenheid en respect in zijn ogen. 'We moeten weg.' Hij drukte een vederlichte kus op haar lippen.

Twintig minuten later zaten ze op de snelweg.

Ze probeerde zich vast te houden aan Lukes optimisme en zijn overtuiging dat John Powers verslagen kon worden. Daarom deed ze haar uiterste best om zo opgewekt en zelfverzekerd mogelijk te blijven.

Toch was ze in haar hart nog niet gerustgesteld. Naarmate ze verder van Houston af kwamen, keek ze steeds vaker over haar schouder, in de wetenschap dat een confrontatie met John Powers steeds dichterbij kwam.

Gelukkig was het reizen met Luke heel aangenaam. Ze voerden gezellige gesprekken en voelden precies aan wanneer de ander even behoefte had aan rust, stilte of eten.

Julianna's gezelschap was een heel ander verhaal. Nog steeds kon Kate niet naar haar kijken zonder witheet van woede te worden. Als Julianna zich nergens mee had bemoeid, zou ze nu niet hoeven vluchten voor een moordenaar. Als zij Richard en haar met rust had gelaten, zou Richard nu nog leven.

Af en toe ving ze de verlangende blikken op waarmee Julianna naar Emma keek. Die blikken maakten angsten in haar los die niets met Powers te maken hadden. Stel dat Julianna haar kind terug wilde. Stel dat ze er midden in de nacht met Emma vandoor ging... Ze besloot voortdurend dicht bij haar dochter in de buurt te blijven en haar niet aan Julianna te geven, want ze kon het zich niet veroorloven risico's te nemen.

Halverwege de tweede dag bleek dat de reis een extra dag zou moeten duren, door Emma. Het meisje had er meer dan genoeg van om voortdurend in haar kinderzitje te hangen en begon steeds vaker en langer te huilen.

'We moeten stoppen,' zei Kate nadat Emma zelfs haar favoriete rammelaar boos had weggeduwd. Via de achteruitkijkspiegel zocht ze oogcontact met Luke. 'Emma is bekaf. Als we haar niet een beetje rust gunnen, kan ze het ons de rest van de reis bijzonder onaangenaam maken.'

Alsof Emma haar had gehoord, zette ze een enorme keel op.

Kate wiegde haar zitje ritmisch heen en weer en probeerde haar te troosten door zachtjes tegen haar te zingen. Na een minuutje had dat het gewenste effect. Emma's gegil nam af tot een zacht gesnik, waarna Kate haar een speentje in de mond kon stoppen.

'Hoe kun je dat toch opbrengen?' wilde Julianna weten. 'Hoe kun je zo rustig blijven terwijl ze de hele boel bij elkaar krijst? Ik zou er gek van worden.'

'Ik hou van haar,' antwoordde ze schouderophalend. 'Ik ben haar moeder.'

'Over vijf kilometer krijgen we een afslag met een restaurant, een motel en een pompstation,' meldde Luke. 'Zullen we daar stoppen?'

Ze bereikten het eerstvolgende motel zonder gekrijs van Emma. Omdat het motel, een keurige La Quinta Inn, helaas niet veel kamers meer overhad, moesten ze een suite met één slaapkamer en een slaapbank boeken. Julianna zou op de bank slapen, en Luke, Kate en Emma in de slaapkamer.

Tot Kates genoegen had het motel een overdekt zwembad met een peuterbadje. De rest van de middag dronken ze margarita's en spetterden ze in het water, lachend om Emma's verrukte gezicht.

De ingelaste pauze deed iedereen goed, vooral Emma. Het ongelukkige kind van even daarvoor veranderde op slag in het kleine meisje van wie Kate zoveel hield. Zelfs Kate was aan het eind van de dag weer helemaal ontspannen.

Terwijl Julianna naar een film op de televisie keek, keek Kate naar Luke, die plat op zijn rug op de grond lag, met Emma in zijn gestrekte armen.

'Vliegtuigbaby!' zei hij. Hij maakte motorgeluiden en bewoog Emma heen en weer in de lucht.

Het meisje gilde van pret.

Kate werd helemaal warm vanbinnen. Zou zij de enige vrouw zijn die een man met een baby sexy vond, of zouden alle vrouwen smelten als ze Luke zo lief met Emma zagen spelen? Het had iets liefs, iets onweerstaanbaars om al die mannelijke kracht naast zo'n klein kwetsbaar wezentje te zien. Ze keek naar de spieren van zijn bovenarmen, die zich spanden terwijl hij Emma door de lucht liet vliegen. Terwijl haar ogen afdwaalden naar zijn gespierde buik en de fijne haartjes op zijn gebronsde bovenarmen, merkte ze dat de aanblik van zijn lichaam haar zelfs opwond.

Hij zag haar kijken. 'Wat is er?' vroeg hij met een brede grijns.

Een vuurrode blos steeg naar haar wangen. 'Ik voel me gewoon weer even... gelukkig,' bekende ze.

'Gelukkig?' Hij keek naar Emma, die maar niet genoeg kon

krijgen van het spelletje. 'Heb je daarom zo'n diepe blos op je wangen?'

Snel keek ze naar Julianna, maar die ging zo op in haar film, dat ze het gesprek nauwelijks leek te horen.

'Ik denk dat ik te lang in de zon heb gezeten,' mompelde ze.

'In een overdekt zwembad?' vroeg hij plagend. 'Volgens mij...' Hij maakte zijn zin niet af, want er viel een grote klodder spuug van Emma op zijn neus. 'Kijk nou eens! Je dochter slijmt me onder!' riep hij uit.

Lachend liep ze naar de badkamer om een washandje te pakken. 'Hare koninklijke hoogheid prinses Kwijltje,' grapte ze. 'Soms denk ik weleens dat ze geen baby is, maar een puppy van een sint-bernard.' Ze gooide het washandje naar Luke. 'Gelukkig is het maar onschuldig babyspeeksel.'

'Jij hebt gemakkelijk praten.' Nadat hij zijn gezicht had afgeveegd, gooide hij het washandje terug.

'Hou het nog maar even bij je.' Ze wees naar Emma, die nu bellenblies van spuug. Een dun straaltje speeksel liep al van haar kin op Lukes korte broek.

'O nee!' Hij schoot in de lach. 'Geef dat washandje eens terug!'

'Het wordt tijd om haar naar bed te brengen,' zei ze na een blik op haar horloge. 'Ik zal haar nog een flesje geven, maar ik denk dat ze slaapt voordat ze het opheeft.'

Ze bleek gelijk te krijgen: tegen de tijd dat de bodem van de fles in zicht kwam, lag Emma al tevreden te slapen.

Even later gingen de volwassenen ook naar bed.

Luke maakte met Julianna de slaapbank op terwijl Kate de deur controleerde. Om er nog zekerder van te zijn dat er niemand binnen kon, zette ze een rechte stoel onder de deurknop.

'Welterusten, Julianna,' zei Luke. 'Als je iets nodig hebt, zijn we vlakbij.'

'Dank je wel.' Julianna wilde Kate goedenacht wensen, maar leek zich op het laatste moment te bedenken.

Hij deed de deur tussen de zitkamer en de slaapkamer dicht. 'Ik zal wel een bed opmaken op de grond,' zei hij, naar de kast lopend om een paar dekens te pakken.

'Nee, ik slaap wel op de grond,' zei Kate.

'Helemaal niet. Ik ga op de grond.'

'Jij zit het merendeel van de reis achter het stuur. Je hebt je rust hard nodig.' Ze zette haar vuisten op haar heupen.

'Jij hebt je rust ook nodig.'

'Blijf je nu zo koppig?'

'Ja. Jij ook?'

Ze hief haar handen in de lucht. 'Laten we er maar over ophouden. Dit bed is gigantisch. We passen er best samen in.' Bij het zien van zijn bedenkelijke gezicht voegde ze plagerig eraan toe: 'Of vertrouw je me soms niet? Ben je bang dat ik vannacht te dicht naar je toe kruip?'

Een paar tellen keek hij haar aan. 'Ik vertrouw mezelf niet, Kate,' legde hij ernstig uit. 'Is dat een probleem voor je?'

'Natuurlijk niet,' reageerde ze luchtig. 'We zijn toch oude vrienden?'

'Als jij het zegt.'

Ze deed of ze zijn sarcastische toontje niet hoorde. Nadat ze naast hem in het grote bed was gestapt, deed ze het licht uit.

Al gauw had ze door dat hij net zo klaarwakker was als zij. En na hun gesprekje wist ze ook hoe dat kwam.

Plotseling ontsnapte er een zenuwachtig giecheltje aan haar keel.

'Wat is er?' vroeg hij.

'Ik moet lachen om ons.' Ze draaide haar hoofd naar hem toe. 'Er zit een beroepsmoordenaar achter ons aan, en wij kibbelen over een slaapplaats omdat we bang zijn dat de ander zijn handen niet kan thuishouden.'

'Ben je bang dat ik je probeer te verleiden?' vroeg hij glimlachend.

'Bang is niet het juiste woord.' Ze ging nog zachter praten, omdat Emma zich omdraaide in haar bedje. 'Maar ik vroeg me wel af of je toenadering zou zoeken.'

Hij draaide zich op zijn zij. 'Zou je me afwijzen als ik dat deed?'

'Ik weet het niet. Misschien zou ik er wel voor openstaan,' bekende ze. 'Luke...'

'Ja?'

'Wat die ene nacht op Tulane betreft... De nacht waarin ik met je naar bed ben geweest...'

'Wat is daarmee?'

'Ik heb je toen niet gebruikt. Ik had het allemaal niet gepland.' Met haar vingers streek ze over zijn lippen. 'Je moet me geloven.'

Hij krulde zijn vingers om de hare. 'Dat weet ik. Ik was gewoon gekwetst. Teleurgesteld.'

'Het spijt me.'

'Ach, dat ligt allemaal achter ons.'

'Is dat zo?' vroeg ze. 'Ik weet hoe diep sommige wonden kunnen zijn. Sommige littekens helen nooit.'

'Dat gevoel heb ik inderdaad jaren gehad. Inmiddels gaat het een beetje beter.'

Zuchtend draaide ze zich op haar rug. 'Ik heb veel domme fouten gemaakt in die tijd,' zei ze. 'Tijdens ons gesprek na je lezing sloeg je de spijker op de kop. Niet alleen wat Richards redenen betrof om met mij te trouwen, maar ook over mijn redenen om hem te kiezen.'

'Vertel eens.'

'Ik hield van hem, maar om de verkeerde redenen. Destijds zag ik het niet, maar nu besef ik dat ik van hem hield omdat hij me een veilig gevoel gaf. Hij kon me een zekere toekomst geven.'

'En ik niet?'

'Nee. Bij jou wist ik niet wat ik van de toekomst moest verwachten,' bekende ze glimlachend. 'Aan de andere kant gaf jij me het gevoel dat ik de hele wereld aankon. Jij gaf me het idee dat ik iets bijzonders was, dat de hele wereld voor me openlag.'

'Ik heb altijd in je geloofd, Kate. Dat doe ik nog steeds.'

De tranen sprongen haar in de ogen. In al die jaren had Richard dat niet één keer tegen haar gezegd. 'Je weet niet hoe fijn het is om dat te horen. Het probleem is alleen dat ik er zelf niet in geloofde. Ik geloofde in jou, in je karakter en al je talenten, maar ik had geen vertrouwen in mezelf.'

Hij opende zijn mond om iets te zeggen, maar ze legde haar vingers weer op zijn mond. 'Ik wilde dolgraag kunstenares worden, maar ik durfde het niet. Ik was bang dat ik net zo arm zou worden als mijn ouders en dat mijn kinderen in afdankertjes naar school zouden moeten, net als ik. Die gedachte was gewoon afschuwelijk. Weet je dat ik karton in mijn schoenen moest doen om de gaten te verbergen? Ik beloofde mezelf dat ik mijn kinderen dat niet zou aandoen, en mezelf ook niet.'

'O, Kate toch...' Teder streelde hij door haar haren.

'Ik was bang,' fluisterde ze. 'Te bang om mijn droom na te jagen en te bang om mijn gevoelens voor jou een kans te geven. Dat spijt me, en het spijt me nog veel meer dat ik je pijn heb gedaan.'

Hij richtte zich op om haar te kussen.

Met een zucht verwelkomde ze zijn lippen. Hij smaakte naar een verrukkelijke wijn, die haar in een paar tellen dronken maakte. Opeens was ze niet langer een zakenvrouw, moeder, bedrogen echtgenote of weduwe, maar een vrouw. Een vrouw die werd betoverd door de man in haar bed. Ze sloeg haar armen om hem heen om hem nog dichter naar zich toe te trekken.

Hij fluisterde haar naam en drukte zijn lichaam tegen haar aan.

Ineens moest ze denken aan de laatste keer dat ze met Richard naar bed was geweest. Ze hoorde zijn gefluisterde woorden, voelde zijn lippen op de hare... De liefkozingen die even daarvoor nog heerlijk hadden geleken, voelden nu opeens aan alsof ze haar man bedroog.

Met neergeslagen ogen maakte ze zich van Luke los. 'Het spijt me, Luke. H-het is...'

'Het is allemaal nog te vers.'

'Ja.' Ze legde haar hand op zijn wild kloppende hart. 'Ik wil dolgraag met je naar bed, maar ik ben zo lang met Richard samen geweest, dat het voelt als overspel.'

'Ik begrijp het.'

Aan zijn toon hoorde ze dat hij het helemaal niet begreep. 'Ik wil dat het perfect is als ik met je naar bed ga, Luke,' fluisterde ze. 'Ditmaal mogen we er geen van beiden spijt van krijgen.'

'Ik heb er nooit spijt van gehad, en jij en ik waren hoe dan ook de perfecte combinatie.' Met een kreun van frustratie liet hij haar los. 'Voor jou gaat het nu te snel, maar ik heb meer dan tien jaar gewacht.'

Ze beet op haar lip. Wat moest ze nu doen? In haar hart voelde ze er veel voor haar verstand te negeren en zich onder te dompelen in de roes van passie. Het leek haar heerlijk om met hem te vrijen en hun nachtmerrie even te vergeten.

'Kijk me nou niet zo aan.' Teder gaf hij haar een kusje op haar mond. 'Ik wacht al tien jaar, dus ik kan echt nog wel een poosje langer wachten.'

68

Luke verspilde geen minuut. Zodra ze in Washington arriveerden, nam hij contact op met Tom Morris. Gelukkig was Tom op dat moment in Washington en had hij tijd om Luke die middag in een park te ontmoeten.

Om Tom duidelijk te maken dat de CIA niet de touwtjes in handen had, liet hij hem met opzet een poosje wachten. Hij wilde dat Tom heel goed begreep dat er alleen maar werd onderhandeld op zíjn voorwaarden.

Met een strak gezicht liep hij over het gras naar het eendenvijvertje, waar Tom op een bankje stukjes brood in het water zat te gooien. 'Hallo, Tom.'

Tom keek op. 'Hallo, Luke. Leuk je weer eens te zien.'

'Bedankt dat je de tijd hebt genomen voor deze afspraak,' zei hij. 'Zullen we een eindje gaan wandelen?'

Verbaasd trok Tom zijn wenkbrauwen op, maar hij zei niets. Met het restant van het brood in zijn zak, stond hij op van de bank.

'Mooie dag vandaag,' merkte hij tijdens het wandelen op. 'Ik hou van de herfst. Beetje kou in de lucht, feestdagen in het vooruitzicht... Veel aangenamer dan de zomer.' Hij keek naar Luke opzij. 'Maar ik neem aan dat je me niet hebt uitgenodigd om over het weer te praten.'

'Dat klopt.' Hij besloot er geen doekjes om te winden. 'Een van jouw mannen heeft de echtgenoot van een dierbare vriendin vermoord. Nu zit hij achter haar aan om haar en haar kind om zeep te helpen.'

'Klinkt als de plot van een thriller. Zulke verhalen kan ik niet zomaar van je aannemen.'

Toms reactie kwam zo snel, dat Luke vermoedde dat Tom al precies wist waar het gesprek over zou gaan. 'Zegt de naam John Powers je iets?' vroeg hij.

'John Powers,' herhaalde Tom nadenkend. 'Ik geloof het niet.'

'Hou me niet voor de gek, Tom. Daar heb ik geen tijd voor,' zei hij bits. 'Codenaam Ice. Een van de beste moordenaars van de CIA. Is een paar jaar geleden voor zichzelf begonnen.'

Met een mengeling van verbazing en respect in zijn ogen keek Tom hem aan. 'Misschien heb ik die naam toch wel eens gehoord,' zei hij. 'Maar dat was niet in verband met de CIA.'

'Oké, als je aan dat verhaal wilt vasthouden, heb ik ook een verhaaltje voor jou.' In het kort legde hij uit wat er allemaal met Kate was gebeurd.

Tom stopte zijn handen in zijn zakken. 'Waarom vertel je me dit? Stel dat dit hele ongeloofwaardige verhaal klopt, wat wil je dan van mij?'

Hij aanvaardt geen enkele verantwoordelijkheid, dacht Luke. Hij kaatst de bal gewoon terug, de rotzak.

'Ik wil jouw woord dat je hem opruimt als ik je kan bewijzen dat hij niet alleen een bedreiging vormt voor ons, maar ook voor de CIA,' zei hij.

'Hem opruimen?' echode Tom met opgetrokken wenkbrauwen. 'Lieve help, Luke, je klinkt nou net als een van de personages uit je eigen boeken.'

'Tom, ik heb geen tijd voor spelletjes,' snauwde hij ongeduldig. 'Heb ik je woord, of niet?'

'Hoe denk je aan bewijsmateriaal te komen?' wilde Tom weten.

'Ik heb een notitieboekje in mijn bezit. Het is Powers' aantekeningenboek. Vol met interessante namen, data en locaties.'

'In geheimschrift, neem ik aan.'

'Inderdaad. Anders stond ik hier nu niet met je te praten.'

'Zijn jij en je vrienden van plan die geheime code te ontcijferen?'

'Ja zeker.'

Toms ogen vernauwden zich een fractie. 'Bespaar je de moeite, Luke. Geef dat boek maar aan ons. Wij hebben mensen die gespecialiseerd zijn in dit soort dingen.'

'O nee, daar peins ik niet over. Je krijgt dat boek pas als Powers is uitgeschakeld.'

'Luke, kom nou. Je weet niet eens of dat boekje echt waardevol is. Geef het maar aan mij, dan kan ik kijken of het belangrijk is. Mijn mensen –'

'Tom, maak me nu niet kwaad,' viel hij Tom scherp in de rede. 'Ik ben misschien wel een nieuweling in dit spelletje, maar ik ben niet achterlijk. Zonder dat boekje hebben wij niets meer. Dat weet je heel goed.' Hij stak zijn hand naar hem uit. 'Kunnen we nu zakendoen, of niet? Heb ik je woord?'

Tom knikte en schudde hem de hand. 'Ik zeg nog steeds niet dat ik iets weet van deze man of van zijn activiteiten, maar als jij me zwart op wit kunt bewijzen dat hij een gevaar vormt voor het land of voor de CIA, haal ik hem van de straat. Dat beloof ik je.'

69

'Wilt u misschien een glaasje champagne, Mr. Winters?'

'Nee, dank u.' John glimlachte naar de stewardess. 'Alleen maar een glas jus d'orange, alstublieft.'

'Alstublieft.' De jonge vrouw zette een glas voor hem neer en ging weer rechtop staan. Aangezien er maar drie passagiers in de eerste klas van deze vlucht naar Washington zaten, had ze geen haast. 'Gaat u voor zaken of voor uw plezier naar Washington?' vroeg ze.

'Allebei.' Hij nam een slokje van zijn sap. 'Hoe laat landen we precies? Ik heb een afspraak met een paar mensen die ik liever niet wil mislopen.'

'Om tien over half elf,' antwoordde ze. 'Als u nog iets nodig hebt, roept u me maar.'

'Dat zal ik zeker doen. Dank je wel, Allison.'

Met een koket lachje liep ze weg.

Hij liet zijn hoofd tegen de stoel rusten. Zijn timing was perfect. Hij had helemaal geen haast om zijn plannen uit te voeren. Als je iemand achtervolgde, had je meer aan zorgvuldigheid dan aan haast. Je moest een goede planning maken en zorgen dat je timing klopte. Zodra hij Julianna en haar reisgezellen had gevonden, zou hij hen snel en efficiënt afmaken. En dan mochten ze nog blij zijn, want dat was beter dan ze eigenlijk verdienden.

Hij bracht zijn hand naar zijn achterhoofd, waarin vijftien

hechtingen zaten. Julianna's werk. Haar manier om hem te laten zien hoe ze over hem dacht.

Om zichzelf tot kalmte te dwingen haalde hij een paar keer diep adem. Sinds dat voorval had hij al zijn kalmte, zelfdiscipline en professionaliteit moeten aanwenden om zich op zijn klus te concentreren. Het kostte hem moeite om de woede en de haat te blijven beheersen.

Hij glimlachte geamuseerd. Hij had Julianna en haar maatjes allang in de gaten. Het was zelfs belachelijk gemakkelijk geweest om hen te traceren. Uit de gefluisterde gesprekken tussen Blake en Marilyn in The Bean had hij opgevangen dat Kate naar haar vriend Luke Dallas in Houston was gegaan. Daarna was het een klein kunstje geweest om in het adressenboek dat hij van Kate had gestolen Dallas' adres en telefoonnummer op te zoeken. De vliegreis van New Orleans naar Houston had hem een uurtje gekost, en het tochtje van het vliegveld naar Dallas' huis minder dan drie kwartier.

Helaas waren de vogels toen net gevlogen. Ook dat was echter geen probleem geweest, want Dallas' uitgever had hem met alle plezier doorverwezen naar Dallas' agent toen hij haar had gebeld met de mededeling dat hij werkte voor People Magazine en dat hij Dallas graag wilde interviewen. Bij Dallas' agent had het smoesje ook uitstekend gewerkt. De man had het interview voor Dallas zo graag willen regelen, dat hij hem had toevertrouwd dat Mr. Dallas op vakantie was in Washington, maar dat hij elk moment contact kon opnemen.

Daarna had hij alleen nog maar hoeven achterhalen waar ze logeerden. Na een tiental telefoontjes had hij een adres gehad: The Holiday Inn, Capitol Hill. Luke Dallas had kamers gereserveerd onder zijn eigen naam.

Het was allemaal zo gemakkelijk geweest, dat hij bijna medelijden had met het groepje voortvluchtigen. Hoewel het hem had verbaasd dat ze naar Washington waren gereisd, was hij er eigenlijk ook wel blij mee. Het had wel iets rechtvaardigs dat Julianna zou worden terechtgesteld op de plaats waar ze hem voor het eerst had verraden.

Hij keek door het raampje naar de wolken en de blauwe lucht.

Luke Dallas had hier niet bij betrokken moeten raken. Nu had hij geen andere keuze dan ook hem terechtstellen.

Hij kon nog begrijpen waarom Kate op de vlucht was geslagen. Sterker nog, hij had zelfs respect voor een moeder die haar kind op die manier probeerde te beschermen. Het was jammer dat hij haar moest doden, want hij bewonderde haar om haar eerlijkheid, loyaliteit en karakter. In andere omstandigheden zou hij zelfs op een vrouw als zij verliefd hebben kunnen worden. Hij besloot haar eerder te doden dan Emma, om haar het verdriet te besparen haar kind te moeten zien sterven.

Genietend nam hij nog een slokje van zijn vruchtensap. Hij had zin in het komende klusje, zin om Julianna en haar vrienden een kopje kleiner te maken. Hij kon haast niet wachten tot hij de ontzette blikken op hun gezichten zag. Vooral naar Julianna's ogen keek hij uit. Hij sloot zijn ogen en zag in gedachten haar hoofd getroffen worden door een kogel.

70

❦

Julianna's beschrijving van Johns appartement bleek griezelig accuraat te zijn.

Het was een onpersoonlijk, bloedeloos en kil huis, constateerde Kate. Zielloos, net als de man. Ze liet haar blik over de leren bank, eetkamerstoelen, boekenplanken en nietszeggende schilderijen gaan. Dit was geen woning waarin werd geleefd. Dit was een toonzaal vol dure en klassieke voorwerpen, maar zonder enige persoonlijke sfeer, die van een kamer vol meubels een thuis maakte. De enige uitzondering was een ingelijste foto op een salontafeltje.

'Julianna,' zei Luke, 'jij hebt dit al eens eerder gedaan. Waar kunnen we volgens jou het beste beginnen met zoeken?'

Julianna schudde haar hoofd. Ze was nog niet verder gelopen dan de voordeur.

'Waar moeten we naar zoeken?' vroeg Kate terwijl ze het kinderzitje met een slapende Emma erin neerzette.

'Correspondentie,' antwoordde hij. 'Telefoonrekeningen, creditcardafrekeningen en alles wat hem verbindt met bepaalde plaatsen of gebeurtenissen. Het zou natuurlijk helemaal mooi zijn als we de code voor het boek vonden, maar ik vermoed dat hij die veilig in zijn hoofd heeft opgeslagen. Als jij en Julianna in de woonkamer en de keuken beginnen, doorzoek ik zijn slaapkamer.'

'Oké.' Vragend keek ze naar Julianna, die nog steeds geen voet had verzet. Ze zag eruit alsof ze er het liefst vandoor wilde gaan. 'Julianna, gaat het?' vroeg ze bezorgd.

'Wat?'

'Gaat het?'

Julianna knipperde met haar ogen. 'Jawel. Zullen we beginnen?'

'Goed. Neem jij de keuken? Dan begin ik hier.'

Met een knikje liep Julianna in de richting van de keuken.

Ze keek haar met gefronste wenkbrauwen na. Julianna liep als een robot, alsof haar benen niet wilden meewerken. Daarnaast waren haar wangen krijtwit, alsof ze elk moment in elkaar kon zakken. Misschien hadden ze hier beter niet met haar kunnen komen. Weifelend keek ze in de richting van de slaapkamer. Moest ze dit bespreken met Luke, of was dat overdreven? Ze besloot gewoon aan de slag te gaan. Hoe sneller ze weer konden vertrekken, hoe beter. Het appartement werkte ook haar vreselijk op de zenuwen.

Ze begon met de fauteuil die het dichtst bij haar stond. Ze keek onder alle kussens en legde de stoel op zijn kop om te kijken of er een geheim vakje zat aan de onderkant. Toen dat niets opleverde, ging ze door met de volgende stoelen en de boekenplanken.

In de keuken hoorde ze Julianna kasten openen en in de vriezer kijken. Af en toe hoorde ze haar iets mompelen, maar ze kon niet verstaan wat ze zei.

Even later kwam Luke uit de slaapkamer, met een krant in zijn hand. 'Kate, moet je dit eens zien,' zei hij.

Het was een lokale krant uit New Orleans van twee maanden daarvoor.

Onthutst keek ze ernaar. 'O nee... D-dat betekent dat...'

'Dat John Powers al twee maanden geleden wist waar Julianna was en dat hij toen al een reisje naar New Orleans voorbereidde.'

Ze kreeg overal kippenvel. Hoelang hield Powers hen al in de gaten? Hoelang wachtte hij al geduldig vanaf de zijlijn tot hij zijn slag kon slaan?

'Heb je verder nog iets gevonden?' wilde ze weten.

'Helaas niet. Ik heb nog nooit zo'n Spartaans ingericht huis gezien. Heb jij iets ontdekt?'

'Nee,' antwoordde ze. 'Laten we kijken of Julianna iets heeft gevonden.'

Ook Julianna had nog niets interessants aangetroffen.

Luke slaakte een geïrriteerde zucht. 'Kijken jullie wel in alle dozen en blikken? Halen jullie alle spullen van hun plaats?'

'Er valt niet veel weg te halen. Kijk maar.' Julianna opende een keukenkastje, waarin slechts vier borden en wat glazen en schaaltjes stonden. In de koelkast stond alleen een fles champagne. Ook de andere kasten, vriezer en voorraadkast waren praktisch leeg.

'Heeft het er altijd zo uitgezien?' vroeg Kate, kijkend naar de witte keukenkastjes, witte tegels en witte vloer. Alle oppervlakken waren zo schoon, dat ze glommen.

'Niet zo leeg, nee,' antwoordde Julianna. 'Maar John wil wel dat het altijd zo netjes opgeruimd is. Hij haat rommel.'

'Zelfs de vuilnisbakken zijn brandschoon,' merkte Luke op nadat hij de bak onder de gootsteen had bekeken. 'Wat zou dat betekenen?'

'Dat hij deze klus als een kamikazemissie beschouwt?' opperde Kate.

Hij schudde zijn hoofd. 'Dat denk ik niet. Zou het een teken zijn dat hij zijn controle dreigt te verliezen? Dat zijn voorkeur voor netheid een dwangneurose dreigt te worden?'

'Interessant,' zei Kate droog. 'Een beroepsmoordenaar die niet tegen rommel en viezigheid kan. Wat doet hij als hij bloed aan zijn handen krijgt?'

De andere twee gaven geen antwoord.

Na een paar tellen stilte hief Julianna haar handen ten hemel. 'We kunnen net zo goed gaan, want hier is toch niets te vinden.'

'Dat weet je niet,' wierp Luke tegen. 'Nu we er toch zijn, kunnen we maar beter ons werk afmaken.'

Ze gingen terug naar de kamers waaraan ze eerder waren begonnen.

Kate doorzocht de hele woonkamer, maar tot haar frustratie leverde dat niets op.

Plotseling viel haar oog op de ingelijste foto. Zou Powers iets hebben verstopt achter het kiekje? Ze pakte het lijstje op om het beter te kunnen bekijken. Het was een foto van een veel jongere Julianna, die naast een man stond wiens gezicht deels schuilging onder een pet. Ze vermoedde dat het John Powers was, en gek genoeg kwam zijn gezicht haar bekend voor.

Opeens wist ze waarom. John Powers was Nick Winters.

Geschrokken zette de foto neer en deed ze een paar passen achteruit. Powers had haar in zijn vermomming van Nick Winters al wekenlang in de gaten gehouden. Hij had met haar geflirt en Emma op zijn knie gezet. Hij was zelfs in haar huis geweest. Op de avond dat Richard was vermoord, had ze hem binnengelaten. De avond dat híj Richard had vermoord...

In één klap begreep ze alles wat hij die avond had gezegd. Ze herinnerde zich dat hij had gezegd dat het allemaal snel voorbij zou zijn...

Hij had haar en Emma toen al kunnen vermoorden, want hij had geweten dat er verder niemand thuis was geweest. Waarom had hij dat niet gedaan? Het zou zo gemakkelijk zijn geweest.

Hij heeft het niet gedaan omdat hij graag systematisch werkt, dacht ze. Alles moet volgens plan en op de juiste tijd gebeuren. De Nick Winters die ze had leren kennen, had zijn zaakjes altijd keurig voor elkaar.

Met bibberende handen pakte ze het lijstje weer op. Terwijl ze naar zijn gezicht keek, herinnerde ze zich ook wat hij had gezegd over vertrouwen, eer en fatsoen.

Tess.

Ze had geen idee wat trouw of liefde was, Kate...

Ontdaan liet ze zich op de bank zakken. Tess' vriendje had altijd volgehouden dat hij onschuldig was. Hij had toegegeven dat hij ruzie met haar had gehad, maar had eraan toegevoegd dat hij haar op de parkeerplaats van The Bean had achtergelaten. Dat was de laatste keer geweest dat hij haar had gezien.

Destijds had Kate, net zoals de meeste andere mensen, aangenomen dat de jongen loog, al had ze zich wel afgevraagd wat Tess' vriendje er aan had om al haar glaswerk kapot te slaan. In haar ogen was dat een hatelijke daad geweest die puur tegen háár gericht was in plaats van tegen Tess.

Ze herinnerde zich dat ze de middag voor Tess' dood had geprobeerd het door Nick gekochte kunstwerk terug te krijgen. Nick had haar toen de rillingen over haar rug bezorgd met zijn opmerkingen over kunst. Hij had haar gevraagd wat ze ervan vond dat hij een stukje van haar ziel in zijn bezit had.

Plotseling begreep ze dat hij haar met opzet had getreiterd. Hij had met haar gespeeld zoals een kat met een muis speelt. Daarbij had hij zich rot gelachen dat die arme muis er geen flauw benul van had hoe gevaarlijk de kat eigenlijk was.

John Powers had Tess vermoord; dat wist ze zeker. Ook had hij haar glaswerk vernield. Ze wist echter niet waarom. Wat kon hij nu tegen Tess hebben? Had Tess hem misschien betrapt bij een activiteit die het daglicht niet kon verdragen? Had ze hem zien rondsnuffelen in The Bean?

Plotseling wist ze het. Haar adressenboek.

Ze sprong zo abrupt overeind, dat de foto uit haar handen viel. Het lijstje barstte, en glas spatte alle kanten op.

Met dat adressenboek kon hij iedereen vinden die ze kende. Hij wist waar al die mensen woonden en wat hun telefoonnummers waren. Door haar aantekeningen in de marge wist hij zelfs wie van hen vrienden, familieleden of zakelijke relaties waren.

Lukes adres staat er ook in, dreunde het door haar hoofd. John Powers is van Lukes bestaan op de hoogte. En als Nick Winters heeft hij het vertrouwen van mijn werknemers...

Ze kneep haar ogen dicht en probeerde zich te herinneren wat ze tegen Blake en Marilyn had gezegd. De dag na haar aankomst in Houston had ze naar The Bean gebeld om te zeggen dat ze voorlopig niet kwam werken. Ze had haar werknemers verteld dat ze in Houston bij een goede vriend logeerde, omdat ze het te pijnlijk vond om thuis te zijn. Aan het slot van het gesprek had ze hun gevraagd om met niemand over haar vertrek te praten.

Er borrelde een zenuwachtig lachje bij haar op. Dat had ze net zo goed niet kunnen vragen, want Blake en Marilyn hadden nog nooit hun mond kunnen houden. Hoelang zou het duren voordat John Powers erachter was waar ze was, en met wie?

Of wist hij alles al?

Angstig draaide ze zich om naar de deur, alsof ze hem elk moment in de deuropening verwachtte.

'Kate? Wat is er?' vroeg Julianna, die de keuken uit kwam lopen.

'We zitten in de nesten,' zei ze gejaagd.

'Wat bedoel je?'

'Volgens mij weet John Powers waar we zijn. Hij weet dat we bij Luke zijn.'

Met gefronste wenkbrauwen liep Julianna om de bank heen. Bij het zien van de glasscherven op de grond bleef ze als aan de grond genageld staan.

'We moeten hier weg.' Kate haalde een hand door haar haren. 'Ben je klaar in de keuken?'

Julianna gaf geen antwoord.

'Julianna, ben je klaar?'

'Die foto heb ik aan hem gegeven,' zei Julianna effen, alsof ze de vraag niet eens had gehoord. 'Ik wilde de kamer er een beetje mee opfleuren.'

'Het spijt me,' zei ze. 'Het was niet mijn bedoeling het lijstje kapot te maken.'

Langzaam liet Julianna zich op haar knieën zakken om de scherven met haar blote handen op te rapen. De scherpe stukjes sneden rode striemen in haar handen.

'Je doet jezelf pijn.'

Julianna leek haar echter helemaal niet meer te horen. 'Hij nam me hier altijd mee naartoe,' vertelde ze. 'Mama vond het goed, want ze wist niet wat hij deed.'

'Hou alsjeblieft op, Julianna.' Ze ging naast Julianna zitten. 'Je handen bloeden.'

Zwijgend sloeg Julianna haar handen weg en raapte het lijstje op. Ze haalde de foto eruit en zette het lijstje, al was het in tweeën gebroken, voorzichtig terug. Met haar hand streek ze trillend over de foto, alsof ze eventuele glassplinters wilde verwijderen. Het enige wat ze bereikte, was dat ze de foto onder het bloed smeerde.

'Luke!' riep Kate, overeind komend, 'kun je alsjeblieft even komen?'

'Ik zag er leuk uit, vind je niet?' Met haar hoofd een beetje schuin bestudeerde Julianna het kiekje. 'Was ik hier nou tien of elf? Weet jij het, Kate?'

Tien of elf...

Het arme kind.

'Het maakt niet uit,' zei Julianna. Met haar wijsvinger raakte ze de foto aan. 'Ik zag er leuk uit, hè?'

'Je was beeldschoon,' fluisterde Kate, die nu wel een vermoeden begon te krijgen van wat voor een relatie John Powers met haar had gehad. 'Dat ben je nog steeds.'

'Nee,' zei Julianna met een hoog, kinderlijk stemmetje. 'Mama is mooi, en Julianna ziet er leuk uit. Ik moet onthouden dat ik lief moet zijn.' Haar stem brak. 'Ik moet Johns lieve kleine meisje zijn.'

'Luke!' riep Kate wat harder, zonder haar blik van Julianna af te wenden.

'Ik ben er al.' Hij legde een hand op haar schouder. 'Ik denk dat je Emma maar beter even naar de slaapkamer kunt brengen.'

Angstig keek ze naar hem om. 'Waarom? Denk je dat –'

'Ik weet niet waar ze toe in staat is. Doe het maar even.'

Haastig bracht ze het kinderzitje naar de slaapkamer. Ze had het echter net zo goed kunnen laten, want Julianna leek niet eens meer te weten waar ze was.

Toen ze terugkwam in de woonkamer, had Julianna de foto en een stuk glas tegen haar borst gedrukt. De sneeën in haar handen bloedden zo hevig, dat ze haar gezicht en kleren had besmeurd. Ze neuriede zachtjes een liedje en wiegde op de maat heen en weer.

'We moeten iets doen,' fluisterde Kate tegen Luke. 'Dat glas haalt haar hele hand open.'

Hij knikte en hurkte naast Julianna op de grond. 'Kom, Julianna. Geef dat maar aan mij. Je doet jezelf pijn.'

'Dit ben ik,' vertelde ze, hem de foto tonend. 'Samen met John.'

'Dat zie ik.' Voorzichtig legde hij zijn hand op haar elleboog om haar overeind te helpen. 'Je mag die foto wel mee terug nemen naar ons hotel, als je wilt.'

'Ik begrijp er niets van.' Ze hief haar betraande gezicht naar hem op. 'Hoe kon hij me dat nou aandoen? Ik was nog maar een kind. Een klein meisje.'

'Ik weet het, lieverd,' zei hij sussend. 'Nu is het voorbij. Hij is hier niet meer.'

Ruw schudde ze zijn hand van haar elleboog, waarna ze haar blik weer op de foto richtte. Ze haalde diep en bibberig adem. Toen liet ze zich snikkend op haar achterwerk zakken en trok haar knieën op tot onder haar kin. Haar verdrietige gejammer vulde het vertrek. De lange gierende uithalen leken uit het diepst van haar ziel te komen.

'Kom, meisje,' zei Luke toen ze weer wat rustiger werd. 'Sta op. Je doet jezelf pijn.'

Even leek het erop dat ze zich gewillig overeind liet helpen, maar plotseling keerde ze zich krabbend en gillend tegen hem. Als een kat in het nauw bleef ze tegen hem vechten tot hij haar uiteindelijk verbijsterd losliet.

Julianna liet haar blik op een van Johns schemerlampen vallen, die naast de bank op een salontafeltje stond. Met een oerkreet van woede pakte ze het ding op en gooide het met volle kracht tegen de muur kapot. 'Ik was nog maar een klein kind!' schreeuwde ze. In haar razernij trok ze ook de telefoon uit de muur en gooide het toestel aan diggelen. 'Hoe kon hij me dat aandoen? Ik was nog maar een kind, en ik hield van hem!'

Haar blik viel op de foto, die uit haar handen was gegleden. Snikkend en tierend liet ze zich weer op de grond zakken om het papier in honderden kleine snippertjes te scheuren. 'Ik vertrouwde hem!' schreeuwde ze met schorre stem.

Hijgend en kreunend van de inspanning hees ze zichzelf weer omhoog. Het volgende doelwit van haar razernij was de keurige boekenkast. Alle boeken moesten het ontgelden. Ze pakte ze een voor een op en smeet ze zo hard als ze kon door de kamer.

De woedeaanval verdween even plotseling als hij gekomen was. Uitgeput viel ze op de vloer, piepend en jankend als een gewond dier.

Meteen schoot Kate op haar af. Ze knielde naast haar neer en sloeg haar armen om haar heen, onderwijl troostende geluiden makend, alsof ze de kleine Emma moest troosten.

Julianna draaide haar gezicht naar Kates borst, als een klein meisje dat steun zoekt bij haar moeder. 'Ik was nog maar een klein meisje,' bracht ze snikkend uit. 'Hoe kon hij me nou zoiets vreselijks aandoen?'

'Ik weet het niet, meisje. Ik weet het niet. Maar nu ben je veilig,' zei Kate sussend. Ze hief haar blik op naar Luke. Ondanks haar afkeer van wat Julianna allemaal had gedaan, had ze medelijden met haar. 'We zullen er wel voor zorgen dat hij nooit meer in je buurt komt.'

71

❧

Luke doorzocht de rest van het appartement terwijl Kate Julianna hielp. Ze maakte Julianna's wonden schoon, plukte alle stukjes glas eruit en desinfecteerde de sneetjes met alcohol die ze in de badkamer had gevonden.

Tijdens de behandeling hing Julianna als een lappenpop op de bank. Hoewel de alcohol toch moest prikken, gaf ze geen krimp. Het was alsof ze al haar energie had verbruikt tijdens de emotionele woede-uitbarsting.

Kon ik maar iets voor haar doen, dacht Kate. Ze had verschrikkelijk veel medelijden met het kleine meisje dat destijds zo wreed was misbruikt, maar wist dat ze de schade niet ongedaan kon maken en dat er heel wat voor nodig zou zijn om Julianna's geestelijke wonden te genezen.

'Blijf maar even rustig zitten, dan kijk ik of Luke al klaar is,' zei ze, het dopje op het flesje alcohol draaiend.

Julianna leunde achterover op de bank. Ze deed haar ogen niet dicht, maar bleef met een lege blik naar het plafond staren.

Na een laatste bezorgde blik op haar liep Kate naar de keuken, waar Luke alle kasten nog eens systematisch naliep. 'Heb je iets gevonden?' vroeg ze.

'Nee, niets.'

'We hebben er nog een probleem bij.' Ze vertelde hem dat ze de man op de foto had herkend als Nick Winters, een vaste klant van

The Bean. 'John Powers en Nick Winters zijn dus één en dezelf-de man. Ik denk dat hij degene is die Tess heeft vermoord en mijn adressenboek heeft gestolen. Als dat klopt, heeft hij ook jouw naam en adres.'

Hij vloekte hardop. 'In dat geval is hij er inmiddels misschien al achter dat je bij mij bent.'

'Dat dacht ik ook.'

'Verdomme, dan hebben we inderdaad een probleem. Ik heb onze hotelkamers gereserveerd onder mijn eigen naam. Ik dacht dat dat veilig was, dat hij nooit kon achterhalen dat je bij mij was. Wat ongelooflijk stom van me, zeg.'

'Ik dacht ook dat we veilig waren, Luke. Als ik had geweten dat John Powers Nick Winters was, was ik nooit naar jou toe gehold.'

Een paar tellen keken ze elkaar wanhopig aan.

'We moeten zo snel mogelijk een ander motel zoeken,' zei hij.

'Ik weet niet of Julianna dat aankan. Ze is behoorlijk van de kaart.'

In de woonkamer hoorden ze Julianna weer zachtjes snikken.

'Ik haat die kerel, Kate. Als hij nu binnenkwam, zou ik hem naar de keel vliegen. Ik had nooit gedacht dat ik dat nog eens zou zeggen, maar ik meen het.'

Ze legde een hand op zijn arm. 'Hou oud zou ze zijn geweest toen hij haar begon te misbruiken?'

'Ik weet het niet, maar als ik haar zo zie, moet ze nog erg jong zijn geweest.'

Ze dacht aan haar eigen dochter en aan het meisje dat Julianna had kunnen zijn. 'Denk je dat ze er bovenop komt? Ze heeft on-gelooflijk veel meegemaakt.'

'De menselijke geest is veerkrachtig, Kate. Met therapie kan ze veel bereiken.'

'Misschien wel.' Door de deuropening keek ze naar de verdrie-tige jonge vrouw op de bank. 'Ik vind het zo zielig voor haar. Gek, hè? Vierentwintig uur geleden kon ik haar bloed nog wel drin-ken. Na alles wat ze Richard en mij heeft aangedaan, dacht ik niet dat ik dit ooit nog zou zeggen.'

'Ze heeft je Emma gegeven.'

'Ja, dat is waar,' zei ze peinzend. 'Ondanks alle ellende zal ik haar daar altijd dankbaar voor zijn. Wat zegt dat over mij?'

'Dat je veel van je dochter houdt.'

'Of dat ik niet genoeg van mijn echtgenoot hield.'

'Ga nou niet lopen piekeren, Kate. Daar heb je niets aan.'

Ofschoon ze wist dat hij gelijk had, kon ze het onderwerp nog niet afsluiten. 'Julianna zei dat ze me Emma heeft gegeven in ruil voor Richard. Richard was de prijs die ik moest betalen om mijn liefste wens in vervulling te laten gaan.' Met vochtige ogen keek ze hem aan. 'Ben ik te ver gegaan in mijn wens moeder te worden?' Met haar hand wreef ze over een eenzame traan die langzaam over haar wang rolde. 'Ik heb mezelf die vraag wel honderd keer gesteld. Zelfs nu ik Richard en mijn oude leven ben kwijtgeraakt, ben ik blij dat we haar hebben geadopteerd. Stel dat ik de klok kon terugdraaien en Richard terug kon krijgen door afstand van Emma te doen, dan weet ik niet of ik dat zou doen. Daarvoor hou ik te veel van haar. Is dat erg? Ik voel me daar erg schuldig over.'

Hij nam haar in zijn armen. 'Nee, dat is niet erg. En je hoeft je niet schuldig te voelen, want jij bent niet verantwoordelijk voor Richards dood. En Julianna ook niet. De enige die schuld heeft, is John Powers.'

'Ik haat hem,' mompelde ze gesmoord. 'Ik heb nog nooit zo'n slechte, kille man gezien. Ik weet dat ik het niet mag denken, maar ik wilde dat hij dood was.'

'De CIA rekent met hem af, Kate. Wij hoeven alleen maar bewijsmateriaal te leveren. Laten wij ons maar concentreren op onze taak.'

Ze knikte en maakte zich los uit zijn armen. 'Wat doen we nu?'

'We bezorgen hem een onaangename verrassing,' antwoordde hij op grimmige toon. 'Heb je toevallig lippenstift bij je?'

Ze viste er eentje uit haar tas. 'Is deze goed?'

Vergenoegd keek hij naar de donkere, dieprode kleur van de stift. 'Perfect.'

'Wat ga je doen?'

'Ik schrijf hem een briefje.' Met de lippenstift liep hij naar de smetteloos witte keukenkastjes. 'Dan kan Mr. Powers zelf eens ondervinden hoe het is om belaagd te worden.'

72

⌣

Trillend van woede bekeek John de ravage in zijn appartement. Hoe durfden ze zijn huis binnen te dringen? Hoe durfden ze zijn persoonlijke bezittingen te vernielen? Begrepen ze soms niet wie ze tegenover zich hadden?

Hij liep tussen de rommel in zijn woonkamer door naar de keuken. Op de drempel bleef hij stokstijf staan. Op zijn maagdelijk witte kastjes was met bloedrode letters een zin geschreven.

WE KRIJGEN JE WEL, ROTZAK.

Zijn bloed begon in zijn oren te suizen. Zijn handen trilden, en zijn ademhaling ging met korte, boze stoten. Terwijl hij zijn handen tot vuisten balde, liet hij al zijn zelfbeheersing varen.

Hier zouden ze voor boeten. Hier moesten ze voor lijden. Al was het het laatste wat hij deed, hij zou ze een langzame pijnlijke dood bezorgen.

73

Die nacht kon Kate niet slapen.

Gelukkig was Julianna direct na hun terugkeer in het motel in slaap gevallen. Telkens wanneer Kate ter controle haar hoofd om de deur van Julianna's kamer stak, bleek ze in diepe rust.

De volgende ochtend meed Julianna haar blik.

'Goedemorgen, Julianna,' zei ze. 'Hoe gaat het met je handen?'

Julianna stak haar handen uit, die eruitzagen alsof ze door een gehaktmolen waren gehaald. 'Ze doen pijn.'

'Kom even bij me zitten, dan kunnen we praten,' zei ze, met Emma tegen haar schouder. Al de hele ochtend was het meisje hangerig en huilerig.

Zwijgend deed Julianna wat ze had gevraagd. 'Waar is Luke?'

'Die is koffie en broodjes halen. Na het ontbijt gaan we hier weg.'

'Heeft hij al een ander motel gevonden?'

'Ja. Het is niet veel soeps, want de meeste motels vragen om een creditcard. Luke heeft ons moeten inschrijven onder een verzonnen naam.'

Julianna keek naar Emma, die weer begon te jengelen. 'Wat is er met Emma? Het lijkt wel of haar iets dwarszit.'

'Ja. Ze heeft slecht geslapen.'

'Ik ben blij dat ik haar aan jou heb gegeven,' zei Julianna zacht.

'Blij dat ik te laat was voor die abortus.'

Kate had er ook niet aan moeten denken dat Emma er niet was geweest. 'Ik ook,' zei ze. 'Ze is een heel bijzonder kind.'

Zacht streek Julianna over Emma's donzige haartjes. 'Het spijt me dat ik gisteren zo door het lint ging.' Ze boog haar hoofd. 'Ik begrijp niet dat ik niet eerder zag hoe verkeerd onze relatie was. Ik heb het allemaal toegelaten, dus mij valt net zo veel te verwijten als hem.'

'Welnee. Jij was een kind, hij een volwassene. Hij heeft misbruik gemaakt van je onschuld en je vertrouwen,' zei Kate ernstig. 'Wat hij deed, was strafbaar.'

'Ik had moeten weglopen of hem moeten tegenhouden,' fluisterde Julianna. 'Ik ben zwanger geworden omdat ik een normale verhouding met hem wilde. Ik wilde een relatie zoals andere vrouwen die hadden.'

Zoals Richard en ik, dacht Kate. Ondanks de woede die ze weer heel even voelde opvlammen, legde ze haar hand op Julianna's schouder. 'Ik denk dat je er goed aan doet om een psychiater op te zoeken. Die kan je helpen om te verwerken wat John Powers je heeft aangedaan en je leren begrijpen waarom je bepaalde beslissingen hebt genomen.'

Julianna stond op. 'Ik ga me aankleden. Luke zal zo wel terugkomen.'

'Julianna, wacht. Beloof me alsjeblieft dat je hulp zoekt wanneer dit allemaal voorbij is.'

Met een flauw glimlachje draaide Julianna zich naar haar om. 'Oké, Kate. Ik beloof het je.'

74

Luke arriveerde net op het moment dat Julianna met haar tas uit haar kamer kwam. Haar haren waren nat van het douchen, en haar ogen dik van het huilen.

Hij zag haar rode ogen, maar zei er niets van. 'McDonald's was de enige plaats waar ik zo vroeg terechtkon,' zei hij. 'Ik heb een paar broodjes en een paar muffins. Kies maar uit.'

Kate zette Emma op haar heup om een kop koffie te kunnen pakken. Meteen begon Emma weer te huilen. 'Meisje toch. Wat is er met jou aan de hand vandaag?' vroeg Kate.

'Ik hou haar wel vast als jij wilt eten,' bood Julianna aan. 'Tenminste, als jij het goedvindt.'

Na een korte aarzeling gaf Kate haar dochter aan Julianna. Ze kon wel een kleine pauze gebruiken, want ze liep nu al uren met een mokkende, huilerige baby rond. Ze was inmiddels ook niet bang meer dat Julianna er met Emma vandoor zou gaan.

'Ik heb daarnet die privé-detective gebeld,' vertelde Luke terwijl hij het dekseltje van zijn plastic koffiebeker haalde. 'Hij heeft adressen en reserveringen gevonden van David Snow en Wendell White. De adressen blijken alleen maar postbussen en boodschappendiensten te zijn, maar de reserveringen die hij heeft gemaakt bij de reisbureaus, zouden weleens een nuttig kunnen zijn.' Hij glimlachte wrang. 'White en Snow hebben de afgelopen jaren heel wat exotische locaties bezocht: Colombia, Mexico,

Israël, Engeland... Ik heb Frank gevraagd of hij de naam Nick Winters ook wil natrekken.'

Kate legde haar broodje weg. 'Wat schieten we er precies mee op als we weten waar hij is geweest?'

'Met behulp van de data en de locaties kunnen we proberen de aantekeningen in zijn boekje te ontcijferen,' legde hij uit. 'Misschien helpt zijn reisschema ons om de code te breken.'

Aan haar gezicht en dat van Julianna zag hij dat ze hem niet helemaal begrepen.

'Als we eenmaal een notitie hebben ontcijferd, kunnen we die gebruiken om de andere aantekeningen leesbaar te maken,' verduidelijkte hij. 'Het is in feite net een soort omgekeerd alfabet. Ik heb al even in het boekje gekeken. Volgens Frank is David Snow vorig jaar op 4 juni naar Mexico gereisd. In het boekje staat een aantekening op 14 juni.'

'Dan hebben we hem!' riep Kate uit.

'We moeten niet te vroeg juichen,' waarschuwde hij. 'Het zou kunnen dat Powers de data ook heeft gecodeerd, of dat hij in Mexico was voor een legale klus. Ik stel voor dat we met alle reisdata naar een bibliotheek gaan en alle relevante kranten nazoeken op berichten over aanslagen op politici of andere vooraanstaande personen. Pas daarna kunnen we kijken of we daarmee iets kunnen doen.' Hij keek van de een naar de ander. 'Ook dit is weer zoeken naar een naald in een hooiberg, maar het is onze enige kans. Het is in elk geval beter dan hier werkeloos afwachten tot Powers ons vindt.'

Ze knikten en kwamen overeind. Ze hadden geen moment meer te verliezen, want tijd was iets wat John Powers hun niet zou gunnen.

Hun nieuwe motel was een treurig stemmend onderkomen dat gedecoreerd was in een middeleeuws ridderthema.

De vrouw achter de receptie had geen flauw idee waar de dichtstbijzijnde bibliotheek was, maar had wel een telefoonboek voor hen om er een op te zoeken.

De Martin Luther King Jr. Memorial Library was een bibliotheek die niet zo ver van hen vandaan bleek te liggen en die ook nog eens de Washington Post en de New York Times op microfilm had.

Het navorsen van de kranten bleek een doodsaai, tijdrovend karwei te zijn. Met elk verstrijkend uur raakte Kate er meer van overtuigd dat ze hun tijd verdeden en dat John Powers steeds dichterbij kwam.

Ze werden ook nog eens gehinderd door Emma, die steeds kribbiger en huileriger werd. Om beurten wandelden Julianna en zij met haar door de gangen, maar het kindje was ontroostbaar.

Tegen tweeën besloten ze een punt achter hun werk te zetten.

Kate had inmiddels een knallende hoofdpijn en pijn in haar armen en schouders. Voor het eerst sinds dagen dreigde ze de hoop op een goede afloop te verliezen.

Ook Julianna was stiller dan anders.

Luke, daarentegen, bleef maar ijsberen door hun motelkamer. Hij was gefrustreerd, kribbig en snauwde tegen Kate.

Ondertussen probeerde Kate tevergeefs Emma te voeden. 'Wat is er toch, schatje?' vroeg ze toen Emma haar hoofd weer van de fles afwendde. 'Je hebt de hele dag nog niet gedronken.'

Emma nam de speen even in haar mond, maar begon na een paar slokken heel hard te huilen, alsof ze pijn had.

Kate schrok. Wat was dit nu? Dit had niets meer met oververmoeidheid of een slecht humeur te maken. Ze legde haar hand op Emma's voorhoofdje, dat erg warm aanvoelde.

'Wat is er?' vroeg Luke.

'Ik weet het niet. Volgens mij heeft ze koorts,' antwoordde ze.

Voorzichtig legde hij zijn hand op het kleine hoofdje. 'Ze voelt inderdaad warm aan. Kan het zijn dat ze honger heeft of moe is?'

'Ze wil niets drinken,' zei Kate. 'Ik maak me zorgen, Luke. Ze is nog nooit eerder ziek geweest.'

'Je weet niet of ze ziek is. Misschien is het wel iets heel onschuldigs.'

'Wat moet ik nu doen?' vroeg ze hulpeloos. 'Ik kan niet naar onze huisarts, en al mijn babyboeken liggen thuis.' Even dreigden de waterlanders te komen. 'Ik had haar nooit moeten meenemen. Dit is allemaal veel te veel voor haar.'

'Kate, denk nou eens na. Wat was het alternatief?' vroeg hij on-geduldig. 'Thuis zou ze in haar bedje zijn vermoord.'

Vechtend tegen haar tranen klemde ze haar dochter dicht te-gen zich aan.

Berouwvol sloeg hij zijn armen om haar heen. 'Sorry, Kate. Dat had ik niet mogen zeggen.'

'Nee, je hebt gelijk,' zei ze gesmoord. 'Ik ben alleen zo bang dat het allemaal geen zin heeft. Volgens mij is onze vlucht alleen maar uitstel van executie.'

'Zo mag je niet denken. We hebben al heel wat vooruitgang ge-boekt.'

'Niet waar. We staan nog steeds met lege handen, net als in Houston.'

'Oké, het valt niet mee, maar dat is toch nog geen reden om bij de pakken neer te gaan zitten? We hebben nog wat tijd nodig, dat is alles.'

'We hebben geen tijd!' riep ze wanhopig uit. 'En als Emma ziek is, wordt onze situatie helemaal hopeloos. We kunnen niet met haar blijven slepen.'

'Kate, luister.' Er was hem heel wat aan gelegen om haar rustig te krijgen. 'Je weet nog niet eens zeker dat Powers de link tussen ons heeft gelegd. En zelfs als hij weet dat je bij mij bent, weet hij niet dat we naar Washington zijn vertrokken.'

'Jawel, dat weet hij wel. Daar ben ik van overtuigd.' Huilend maakte ze zich los uit zijn armen. De kleine Emma begon van de weeromstuit ook weer te snikken. 'Ik vóél zijn aanwezigheid. Hij is vlakbij, dat weet ik zeker. Hij houdt ons in de gaten. Waar-schijnlijk lacht hij zich rot om onze zielige pogingen hem te ont-vluchten. En nu Emma...'

'Kate, maak je nu niet zo van streek,' zei hij sussend, haar ge-zicht tussen zijn handen nemend. 'Ik bel de receptie wel. Zij we-ten vast wel een dokter of een eerstehulppost voor Emma.'

'En dan?' vroeg ze. 'Gaan we daarna weer naar een ander mo-tel? Je weet net zo goed als ik –'

'Kate, hou op!' onderbrak Julianna haar scherp. 'Ik kan er niet meer tegen!'

Verbluft keken Luke en zij in haar richting. Zelfs Emma was even te verbaasd om te huilen.

'Zien jullie niet dat het juist hierdoor fout kan gaan?' vroeg Julianna smekend. 'We moeten op één lijn blijven. Als we een kans willen maken hem te verslaan, moeten we elkaar steunen. We moeten zorgen dat we positief blijven denken.' Abrupt sloeg ze haar hand voor haar mond. 'O, wat stom! Er schiet me ineens iets te binnen. Ik heb het! Ik weet hoe we John kunnen pakken! Wat dom dat ik daar niet eerder aan heb gedacht!' Ze sprong overeind van de bank. 'Senator Jacobson. Clark Russell. Het antwoord heeft al die tijd voor het oprapen gelegen!'

'Senator William Jacobson?' vroeg Kate. 'Is die niet vorig jaar vermoord?'

Julianna knikte. 'Ik las in de bibliotheek het krantenartikel over zijn dood, maar ik had het gevoel dat er iets niet klopte. Volgens de krant is hij dood gevonden in een hotelkamer in Washington. Dat kan niet, want hij logeerde altijd bij mijn moeder als hij in de stad was.'

'Je moeder?' vroeg Luke.

'Ja, mijn moeder was zijn minnares,' legde Julianna uit.

'Ik begrijp waar ze naartoe wil,' zei Kate nadenkend. 'John heeft tegen Julianna gezegd dat hij haar moeder heeft vermoord. Als de senator die nacht bij haar was –'

'Dan heeft Powers hem ook vermoord,' vulde Luke aan. 'Dat betekent dat de ware toedracht van de moord is verdoezeld om de familie van de senator te beschermen. Zulke dingen gebeuren wel vaker. Wie was die andere naam die je noemde?'

'Clark Russell, een ex-minnaar van mijn moeder,' antwoordde Julianna. 'Hij heeft ook voor de CIA gewerkt. Hij was degene die mijn moeder vertelde wat John voor de kost deed. Mijn moeder had al die jaren geen flauw idee dat John een moordenaar was. Clark en mijn moeder hebben me foto's laten zien van een aantal van Johns slachtoffers. Bij het zien van die foto's heb ik mijn koffers gepakt en ben ik gevlucht.'

'Clark Russell heeft de fout gemaakt er persoonlijk bij betrokken te raken,' mompelde Luke. 'Hij heeft de grens overschreden.'

'Dus als ik het goed begrijp, heeft je moeder met al die drie mannen een verhouding gehad,' zei Kate.

'Dat klopt.'

'En nu zijn twee van de drie mannen dood.'

'Ja. John heeft me verteld dat hij Clark ook heeft vermoord.'

Luke ging op de bank zitten. 'Als we kunnen bewijzen dat Powers een senator heeft vermoord, hangt hij.'

'Hebben we nu nog niet genoeg informatie?' vroeg Kate. 'Kunnen we niet naar Morris gaan met wat we weten?'

'Nee, we hebben nog geen bewijs dat Powers achter deze moorden zit,' antwoordde hij.

Ze lachte ongelovig. 'Zelfs niet met de wetenschap dat Sylvia Starr iets heeft gehad met al die mannen? Zelfs niet als we melding maken van Powers' telefoontje aan Julianna? Wat willen ze nog meer? Moeten we de hele zaak soms waterdicht en in cadeaupapier bij de CIA afleveren?'

'In feite wel, ja,' zei hij. 'Ze willen dat we hun een waterdichte zaak tegen John Powers geven. Het enige wat we nu hebben, is giswerk en wat toevalligheden.' Hij dacht even na. 'Maar als we kunnen bewijzen dat er met de omstandigheden rond Jacobsons dood is gerotzooid, hebben we misschien een begin. Ik stel voor dat we Emma laten nakijken door een dokter en dat we daarna eens een bezoekje gaan brengen aan de politie.'

75

❦

Nadat hij Kate, Julianna en Emma bij hun motel had afgezet, ging Luke door naar de afdeling Moordzaken van de Metropolitan Police. Omdat hij wist dat hij zijn auto niet kwijt zou kunnen in het centrum, nam hij een taxi naar het grote flatgebouw van de politie. Hij betaalde de taxichauffeur en liep langs de agenten in uniform en de metaaldetector bij de ingang. De afdeling Moordzaken was op de tweede verdieping.

Terwijl hij door de gangen van het gebouw liep, bedacht hij dat politiemensen vaak op elkaar leken. Of ze nu op het platteland werkten of in de grote stad, ze bezaten allemaal een zekere hardheid. Hij vermoedde dat dat kwam doordat de politie anders leefde dan de meeste andere mensen. Politiemensen werden regelmatig geconfronteerd met de dood, en dat veranderde iemands karakter.

Wrang bedacht hij dat een mens ook veranderde als hij achterna werd gezeten door de dood. Als hij dit avontuur overleefde, zou dat ongetwijfeld ook invloed hebben op zijn karakter.

Zodra hij in de lift stond, wierp hij een blik op zijn horloge. Het was bijna vijf uur. Het bezoek aan de dokter had langer geduurd dan ze hadden verwacht, maar het was goed dat ze waren gegaan. Tegen de tijd dat ze in de spreekkamer waren gearriveerd, had Emma's gezichtje gegloeid van de koorts.

Tijdens het onderzoek was gebleken dat ze een dubbele oorontsteking had. De dokter had haar een antibioticum en een koortsverlagend middeltje gegeven. Verder had hij gezegd dat ze zoveel mogelijk rust moest hebben.

De deuren van de lift gingen open. De afdeling Moordzaken lag achter gesloten deuren, die alleen met een code geopend konden worden. Voor de deuren was een balie, waarachter een agent zat.

Luke haalde een exemplaar van Dead Drop uit zijn zak, dat hij gauw nog even in een boekhandel had gekocht. Hij hoopte dat zijn bekendheid en een gratis gesigneerd exemplaar van het boek de politie zouden kunnen overhalen hem te helpen. Door de politiemensen van Houston werd hij altijd met open armen ontvangen, alsof hij een van hun collega's was. Ze hielden hem op de hoogte van allerlei zaken en vertrouwden hem hun theorieën toe, omdat ze wisten dat hij zijn mond niet voorbij zou praten, nooit onzin opschreef in zijn boeken en hun namen in zijn dankwoord opnam als hij hun verhalen kon gebruiken voor zijn romans. Hij vermoedde echter dat het heel wat meer moeite zou kosten om tot de politie van Washington door te dringen.

De dienstdoende agent was een vrouw.

'Hallo, ik ben Luke Dallas, de schrijver.' Hij schonk haar zijn charmantste glimlach.

De vrouw vertrok geen spier.

'Ik ben in Washington om onderzoek te doen voor mijn volgende boek,' vervolgde hij. 'Ik vroeg me af of ik een van de rechercheurs van Moordzaken kon spreken.'

'Dan zult u op zoek moeten naar agent Peterson op de derde verdieping,' zei ze. 'Hij is verantwoordelijk voor p.r. en communicatie.'

Dan is hij waarschijnlijk niet degene die ik zoek, dacht hij. Zulke lui houden zich meestal overdreven keurig aan de regeltjes. 'Ik ben alleen vandaag nog in de stad,' zei hij. 'Kan ik niet iemand spreken die momenteel aan een moordzaak werkt?'

'Nee,' antwoordde ze. 'Sorry, maar dat zijn de regels.'

Hij legde het boek op de balie.

'Hoe was uw naam ook alweer?' vroeg ze met een schuine blik naar de titel.

'Luke Dallas. De schrijver van Dead Drop.' Hij hield het boek omhoog.

Haar gezicht lichtte op. 'O wacht, dan weet ik wie u bent. Was u laatst niet in dat praatprogramma? Ik ben dol op de presentator. Vindt u hem ook niet geweldig?'

Hij glimlachte zuur. Zo beroemd was hij dus kennelijk ook weer niet.

'Hij is inderdaad erg aardig,' beaamde hij. 'Hij is een goede vriend van me.' Een leugentje om bestwil kon geen kwaad. 'Zal ik zorgen dat u een handtekening krijgt? Ik tennis elke week met hem.'

'Echt waar?' vroeg ze opgetogen. 'Dat lijkt me geweldig! Weet u wat, ik vraag wel of rechercheur Sims even tijd voor u heeft. Hij kan u vast wel verder helpen.'

Vijf minuten later liep hij het kantoor van rechercheur Sims binnen, met in zijn zak het volledige adres van de politieagente aan de balie. Meteen begreep hij waarom de vrouw deze collega had uitgekozen om met hem te praten. Sims was een jonge keurige man, die er niet uitzag alsof hij alle politiegeheimen zou verraden.

'U bent schrijver, hoorde ik?' vroeg Sims.

'Dat klopt. Luke Dallas.' Luke gaf hem het boek. 'Alstublieft, die is voor u. Met een handtekening.'

De mond van de jonge politieman viel open. 'Bent u dé Luke Dallas?'

Gelukkig, hij kent me, dacht Luke opgelucht. 'Inderdaad.'

'Ik ben gek op uw boeken.' Sims' toon werd vertrouwelijk. 'Ik schrijf zelf ook, moet u weten. Er is nog niets van mijn werk uitgegeven, maar dat komt nog wel. Kunt u misschien eens een blik op mijn manuscripten werpen?'

Eerst die presentator en nu dit, dacht hij wrang. 'Helaas ben ik maar één dag in Washington,' antwoordde hij met spijt in zijn stem. 'Maar als u me helpt, kan ik u wel het nummer van mijn agent geven. Stuurt u uw werk daar maar naartoe, dan zal ik een goed woordje voor u doen.'

Sims glom van trots. 'Geweldig! Wat kan ik voor u doen?'

'Ik werk momenteel aan een verhaal over een invloedrijke senator,' loog hij. 'Hij wordt vermoord, maar de politie besluit bepaalde omstandigheden rond zijn dood niet openbaar te maken.'

'Wat gebeurt er precies?'

'De senator wordt vermoord wanneer hij in bed ligt met zijn minnares,' legde hij uit. 'Hij is keurig getrouwd en wordt alom gerespecteerd. Niemand weet dat hij die minnares had.'

'Klinkt goed,' oordeelde Sims waarderend.

''s Nachts dringt er een huurmoordenaar het appartement van de minnares binnen. Eén schot is voldoende om de senator om te brengen.'

'Wat is de verrassing?' wilde Sims weten. 'In uw verhalen zit altijd een onverwachte wending.'

'De moordenaar blijkt het niet op de senator te hebben gemunt, maar op diens minnares,' antwoordde hij. 'De senator heeft gewoon de pech dat hij op het verkeerde moment op de verkeerde plaats is. De vrouw van de senator komt uit een rijke familie en is dikke maatjes met de president. Daarom besluit de politie bepaalde feiten rond de moord te verdoezelen.'

'O, ik begrijp het al!' riep Sims uit. 'Ze willen de president en de familie van de vrouw de schande van de buitenechtelijke affaire besparen.'

'Precies.' Hij glimlachte. 'Ik zie wel dat u een geboren schrijver bent.'

Sims glunderde.

'Bent u wel eens zo'n geval in de praktijk tegengekomen?' vroeg hij.

'Nog niet, maar zoiets zou best kunnen gebeuren.'

'Ook niet bij senator Jacobson?'

De rechercheur staarde hem aan. 'Senator Jacobson?'

'Ja zeker. De omstandigheden rond zijn dood roepen vraagtekens op.'

'U hebt deze informatie helemaal niet nodig voor een van uw boeken, hè?' vroeg Sims.

'Nee, dat klopt. Ik zal eerlijk tegen u zijn. Ik zou het als een persoonlijke gunst beschouwen als u het dossier van die zaak voor me opzoekt. Het gaat inderdaad niet om een boek, maar om een kwestie van leven of dood.'

Nerveus beet Sims op zijn lip. Na enig aarzelen besloot hij kennelijk dat Luke te vertrouwen was, want hij zei: 'Ik hoef dat dossier helemaal niet voor u op te zoeken, want ik ken dat verhaal nog uit mijn hoofd. Het gebeurt tenslotte niet elke dag dat er een senator wordt vermoord. Zodra bekend werd dat Jacobson dood was, stond de federale politie hier op de stoep. Het onderzoek werd ons uit handen genomen en al het bewijs- en forensisch materiaal werd in beslag genomen. Veel van mijn collega's waren daar erg boos over, maar we kregen instructies te zwijgen over de zaak.'

Luke knikte. 'Zegt de naam Sylvia Starr u iets? Zij is ook het slachtoffer geworden van een moord. Kunt u haar dossier voor me bekijken?'

Sims toetste wat gegevens op zijn computer in. 'Vorig jaar op 16 november vermoord in haar bed. Tijdstip van overlijden: drie uur in de ochtend. Gevonden met onbekende man naast haar. Allebei van dichtbij neergeschoten met een vuurwapen. Zaak onopgelost.'

'Is dat alles?'

'Ja, gek genoeg wel.' Sims fronste zijn wenkbrauwen. 'Er staat niets over forensisch materiaal, getuigenverklaringen of verdachten. Wilt u dat ik dit verder uitzoek?'

'Nee, zo is het wel goed. Wilt u nog één ding voor me doen?'

'Ja zeker.'

'Kunt u me vertellen wanneer Jacobson precies is vermoord?'

Sims tikte op zijn toetsenbord. 'Vorig jaar op 16 november. Tijdstip van overlijden: drie uur in de ochtend. Denkt u dat er een verband is? Is Starr de minnares?'

'Heel goed.' Hij schreef het telefoonnummer en het adres van zijn agent op. 'Hartelijk bedankt voor uw hulp, rechercheur Sims. Stuurt u uw laatste manuscript maar hiernaartoe, dan zal ik vragen of mijn agent het leest.'

Sims was verguld met het briefje. 'Dank u wel, Mr. Dallas!'

'Eén ding nog,' zei hij. 'U zei net dat de federale politie het onderzoek van de Metropolitan Police heeft overgenomen. Weet u toevallig nog welke afdeling dat was?'

'Niet uit mijn hoofd, maar ik kan het voor u opzoeken.'

'Graag,' zei hij. 'Ik wacht wel even.'

76

⚜

Kate keek naar het slapende gezichtje van haar dochter. Ze was doodmoe en voelde zich vreselijk schuldig. Hoe was het in vredesnaam mogelijk dat ze niet eerder had gezien dat Emma niet lekker was? Emma had alle tekenen vertoond van een ziek kind: ze was kribbig geweest, had geen trek gehad en had niet kunnen slapen, maar totdat Emma's temperatuur was gestegen, had zij niets opgemerkt. Wat zei dat over haar kwaliteiten als moeder?

Zuchtend veegde ze met de rug van haar hand over haar voorhoofd. De dokter had haar verteld dat oorontstekingen vaak voorkwamen bij kinderen. Als de ontsteking goed werd behandeld, hoefde het kind er niets aan over te houden en hoefden de ouders niet bang te zijn voor een permanente gehoorbeschadiging. Hij had haar ook verzekerd dat ze niets had kunnen doen om deze nare ontsteking te voorkomen.

Hoewel ze dat graag wilde geloven, bleef ze zich schuldig voelen. Voor haar gevoel was het allemaal net iets te toevallig dat Emma nu ziek werd. Zes maanden lang had ze nog geen snotneusje gehad, en nu haar leven en dagritme een puinhoop waren, kreeg ze prompt een dubbele oorontsteking.

Vermoeid sloot ze haar ogen. Ik hoop dat je de informatie vindt die we nodig hebben, Luke, dacht ze.

Het schrille gerinkel van de telefoon maakte een eind aan haar gepeins. Emma's gezichtje vertrok, omdat ze half wakker werd van het akelige geluid in haar oren.

Kate dook naar de telefoon om te voorkomen dat deze nog een keer overging. 'Hallo?' zei ze zacht. Ik hoop maar dat Emma blijft slapen, dacht ze.

'Kate, met Luke.'

'Luke?' Omdat er nogal wat achtergrondlawaai op de lijn klonk, duwde ze de hoorn wat dichter tegen haar oor. 'Waar ben je? Ik kan je haast niet verstaan.'

'Ik heb wat onverwachte probleempjes gekregen hier.'

'Wat voor soort problemen? Wat is er aan de hand?'

De lijn kraakte. Hij zei iets, maar nu kon ze hem echt nauwelijks meer horen.

'Luke, kun je misschien wat harder praten?' vroeg ze. 'Er is zo veel lawaai daar, dat ik je echt niet kan verstaan.'

Julianna kwam in de deuropening tussen de motelkamers staan. Vragend keek ze Kate aan, maar Kate haalde haar schouders op.

'Ik denk dat we hem hebben, Kate,' zei Luke met een stem die afwisselend zacht en iets harder klonk. 'Maar we hebben geen moment meer te verliezen. Hoe snel kun je hier zijn?'

'Hier?' herhaalde ze. Haar hart begon zenuwachtig te bonken. 'Wat bedoel je? Waar moet ik precies naartoe?'

'Kate, nu ben jij bijna niet te verstaan,' zei hij. De lijn kraakte weer verschrikkelijk. 'Ik heb je hier nodig, op de afdeling Moordzaken van de Metropolitan Police. Het adres is 300 Indiana Avenue NW. Het is een groot flatgebouw, het Henry J. Daly Municipal Center. Ik zit op de tweede verdieping. Heb je dat, Kate? Je moet echt zo snel mogelijk komen.'

'Ja, ik heb het. Ik begrijp alleen nog steeds niet wat er aan de hand is, Luke,' zei ze. 'Waarom heb je zo'n haast? Wat moet ik precies doen?'

'Dat leg ik je wel uit zodra je hier bent,' antwoordde hij. 'Kom alsjeblieft vlug. Elke minuut telt.'

Het volgende moment werd de verbinding verbroken.

Julianna kwam met grote bezorgde ogen naast haar staan. 'Wat is er aan de hand?' wilde ze weten.

'Ik heb geen flauw idee.' Nog een paar tellen staarde ze naar de telefoon voordat ze de hoorn neerlegde. 'Luke zegt dat we Powers kunnen pakken, maar dat er een probleempje is en dat ik zo snel mogelijk naar hem toe moet komen.'

'Heeft hij het bewijs?'

'Ik denk het wel. Ik moet meteen naar hem toe.'

'Waarom dan?'

'Dat vertelt hij me straks.' Ze pakte de luiertas. 'Het was een heel slechte verbinding, dus ik kon hem amper verstaan.' Ze keek naar haar dochter, die dankzij de medicijnen eindelijk weer eens lekker kon slapen. 'Ik vind het vervelend om haar wakker te moeten maken. Ze ligt net zo lekker te slapen.'

'Laat haar dan liggen,' stelde Julianna voor. 'Ga jij maar, dan pas ik wel op haar. Zonder haar ben je veel sneller, en ondertussen kan Emma lekker rusten.'

Hoewel ze wist dat Julianna gelijk had, aarzelde ze. Als ze Emma meenam, moest ze haar eerst verschonen en een fles klaarmaken voor onderweg. Daarnaast had de dokter het meisje rust voorgeschreven.

'Ik pas wel op haar,' zei Julianna nogmaals. 'Ik denk dat ze niet eens wakker wordt.'

Besluiteloos beet ze op haar lip. Wat moest ze nu doen? Ze vond het vervelend om Emma achter te laten, maar Lukes verzoek had bijzonder dringend geklonken. Als Emma werd gestoord in haar slaap, was ze bovendien het eerste halfuur niet te genieten. Moest ze naar het advies van de dokter luisteren?

'Je kunt me vertrouwen, Kate,' zei Julianna. 'Ik zou Emma nooit kwaad doen.'

Ze wist dat Julianna gelijk had. Als Julianna niets om Emma had gegeven, zou ze uit Louisiana zijn gevlucht nadat ze Powers die klap met die lamp had gegeven. In plaats daarvan had ze haar eigen leven in de waagschaal gesteld om Emma te redden.

Uiteindelijk besloot ze het erop te wagen. Per slot van rekening kon ze binnen een uurtje al weer terug zijn. 'Goed, maar doe dan wel alle deuren op slot,' zei ze. 'Laat alsjeblieft niemand binnen.'

'Misschien doe ik niet eens voor jullie open,' grapte Julianna.

In een opwelling omhelsde Kate haar. 'Ik bel je wanneer ik er ben,' beloofde ze. 'Zul je goed voor mijn dochter zorgen?'

Het was vreemd om dat tegen Julianna te zeggen. In het begin had Julianna haar immers de zorg voor háár dochter toevertrouwd.

'Ja, daar kun je van op aan. Maak je maar geen zorgen.'

Kate knikte, trok haar jas aan en liep naar buiten om een taxi aan te houden.

77

Twintig minuten later zette de taxi haar af voor het gebouw van de Metropolitan Police. Ze betaalde, holde naar binnen en keek of ze Luke ergens zag. Toen dat niet het geval bleek, liep ze door de metaaldetectoren naar de liften.

In de lift probeerde ze diep adem te halen om rustig te blijven. Luke had het benodigde bewijs bemachtigd, maar hij zat ook in de problemen. Wat had hij daarmee bedoeld?

De lift stopte op de tweede verdieping. Ze keek naar de gesloten deuren van de kantoorafdeling en naar de balie voor de deur.

Een politieagente met donker haar keek op van haar werk. 'Goedemiddag. Wat kan ik voor u doen?'

'Ik had hier een afspraak met een vriend van me, Luke Dallas,' antwoordde ze. 'Als ik het goed heb, heeft hij gesproken met een van uw collega's.'

'Dat klopt,' zei de vrouw. 'Hij heeft een gesprek gehad met rechercheur Sims. Maar Mr. Dallas is al weer vertrokken.'

'Vertrokken?' echode ze geschrokken. 'Weet u dat zeker?'

'Heel zeker. Rechercheur Sims werd tien minuten geleden weggeroepen.'

Tien minuten geleden. Een eeuwigheid. Hier klopte iets niet.

Met bonkend hart liep ze achteruit. 'D-dan is er waarschijnlijk sprake van een misverstand,' hakkelde ze. 'Hij zal beneden in de hal wel op me wachten. D-dank u voor de informatie.'

Ze holde terug naar de liften, waar het oneindig lang leek te duren voordat de deuren opengingen. Er stonden twee politiemannen in uniform in.

De langste van de twee ving haar geagiteerde blik op. 'Alles goed, *ma'am*?' vroeg hij.

Ze keek hem aan. Ze had zin om hun haar hele verhaal te vertellen en hun te smeken haar te helpen. Nog net op tijd herinnerde ze zich echter wat Julianna haar had verteld over John en de politie: John zou rustig afwachten tot de politie weer verdwenen was voordat hij zou toeslaan. Ze kon zich trouwens ook niet voorstellen dat de politie haar relaas zou geloven. In gedachten zag ze de vragende blikken en de sceptische wenkbrauwen al voor zich. Als ze er al in slaagde iemand ervan te overtuigen dat ze hulp nodig had, zouden Emma, Luke en Julianna dood kunnen zijn tegen de tijd dat ze bij het motel aankwamen.

'Ja hoor, er is niets,' loog ze met onnatuurlijk hoge stem.

'Weet u het zeker?' vroeg de agent. 'U lijkt nogal nerveus.'

'Nee, hoor.' Ze schraapte haar keel. 'Ik had hier afgesproken met een vriend, maar ik kan hem nergens vinden. Meer niet. Bedankt voor uw bezorgdheid.'

Zodra de liftdeuren open gleden, rende ze de lift uit en speurde wederom de hal af naar Luke. Hij was nergens te bekennen.

Met het hart in de keel liep ze naar buiten, waar ze links en rechts keek of ze hem misschien ergens op de stoep zag. Intuïtief wist ze dat er iets verkeerd was gegaan. Was John hen gevolgd? Had hij al toegeslagen?

Ze stak haar hand uit naar een taxi, die met piepende banden voor haar voeten tot stilstand kwam.

'Kate! Wacht!'

Met een ruk draaide ze zich om.

Luke kwam uit het gebouw naar haar toe rennen.

'Luke! Godzijdank!' Opgelucht sloeg ze haar armen om hem heen. 'Na je telefoontje ben ik zo snel gekomen als ik kon. Toen ik je niet kon vinden, dacht ik meteen het ergste.'

'Ik heb je niet gebeld, Kate.'

Geschrokken staarde ze hem aan. 'Wat zeg je?'

'Ik heb Julianna net gesproken,' zei hij. 'Ik heb jullie niet gebeld. Als ik Julianna niet aan de lijn had gehad, zou ik hier niet eens meer op je hebben gewacht.'

Al het bloed trok weg uit haar gezicht.

John. O, nee... Bevend bracht ze een hand naar haar mond. Ze had Emma in het motel achtergelaten! Julianna kon haar niet beschermen tegen John Powers. Ze wist niet eens of Julianna het wel zou proberen.

Het was alsof Luke haar gedachten kon lezen. 'Geen paniek, Kate,' zei hij rustig. 'Julianna vertelde me net dat er niets aan de hand is. Ze heeft de deur op slot gedraaid en de veiligheidsketting erop gedaan. Ze heeft me beloofd dat ze voor niemand opendoet.' Zijn stem werd wat zachter. 'Bovendien heb ik haar verteld waar mijn wapen ligt. Het is al geladen.'

'Wapen?' herhaalde ze, duizelig van angst.

'Ja. Als het nodig is, moet ze Emma en zichzelf kunnen beschermen.'

De taxichauffeur drukte ongeduldig op zijn claxon. 'Wilt u nu nog een taxi, of niet?' riep hij.

Haastig stapten Luke en zij in.

Het was ontzettend druk op de weg, waardoor de rit naar het motel wel een eeuwigheid leek te duren. Ze deed haar best om niet te huilen of in paniek te raken, maar kon alleen maar denken aan Emma. Wat zou John Powers met haar doen als hij haar te pakken kreeg? Ze kon zichzelf wel voor het hoofd slaan dat ze zo dom was geweest. Waarom had ze meteen aangenomen dat ze Luke aan de lijn had? Ze had hem nauwelijks kunnen verstaan.

John Powers weet alles van ons, dacht ze wanhopig. Hij wist waar Luke naartoe ging en waarschijnlijk ook waarom. Hij wist dat Emma ziek was en dat ze haar daarom bij Julianna zou achterlaten.

De tranen sprongen haar in de ogen. Als er iets met Emma gebeurde, zou ze het zichzelf nooit vergeven. Nooit.

Luke legde zijn hand op de hare. 'Hou vol, Kate. Het komt vast allemaal goed.'

'Ik doe mijn best, Luke,' mompelde ze.

'Ik heb de informatie die we zochten,' vertelde hij. 'Julianna's moeder en senator Jacobson zijn in dezelfde nacht en op hetzelfde tijdstip vermoord. Kennelijk is de plaatselijke politie bij het onderzoek meteen aan de kant geduwd door de federale politie. Dat viel natuurlijk niet lekker bij de Metropolitan Police. Er werd meteen gespeculeerd over doofpotten en vernietiging van bewijsmateriaal.'

Ze had moeite zich te concentreren op zijn woorden. 'Kunnen we hiermee naar Morris?' wilde ze weten.

'Helaas niet. Ten eerste heeft Powers senator Jacobson vermoord nadat Julianna zijn notitieboekje had gestolen, dus daarvan kunnen we in elk geval geen aantekening vinden. Ten tweede heeft rechercheur Sims voor me uitgezocht wie het onderzoek naar Jacobsons dood verder heeft afgehandeld. Raad eens?'

'De CIA?'

'In één keer goed,' antwoordde hij. 'Volgens mij worden we gebruikt.'

'Wát?'

'Ik denk dat ze allang weten wie Jacobson heeft vermoord, Kate. Toch loopt Powers nog steeds rustig rond.'

Verslagen leunde ze achterover op de bank. 'Wat moeten we nu doen?'

Zijn kaak verstrakte. 'Als Tom niet doet wat ik heb gevraagd, stap ik naar de landelijke pers. Ik denk dat dat een mooi schandaal kan worden. Stel je voor: een vermoorde senator, een verdoezeld onderzoek, een CIA-moordenaar die niet meer in de hand te houden is en een boekje vol akelige geheimpjes. We kunnen het Tom bijzonder lastig maken, Kate. Condor zei al dat ze niet zitten te wachten op media-aandacht.'

'Wie?'

'Een kennis van me.'

De taxi stopte bij het motel. Ondanks Lukes waarschuwing dat ze moest wachten, holde ze de trap op naar hun kamers. Zodra Luke de taxichauffeur had betaald, rende hij achter haar aan.

Ze haastte zich over de galerij naar hun deur. Tot haar ontzetting stond de deur op een kiertje. Het had niet veel gescheeld, of ze had het uitgegild van paniek.

Luke greep haar stevig vast aan haar arm. 'Stil zijn. Blijf achter me,' fluisterde hij.

Radeloos deed ze wat hij haar had opgedragen.

Uiterst voorzichtig deed hij de deur open. Binnen was het donker. De gordijnen waren dichtgedaan, en alle lampen waren uit. Met zijn hand om de hoek van de deur deed hij het licht aan.

De kamer was leeg. Met een hysterische snik snelde Kate naar Emma's bedje.

Leeg.

In paniek rende ze naar Julianna's kamer, waar Luke voorovergebogen op de grond zat. De blik die hij haar over zijn schouder toewierp, voorspelde niet veel goeds.

'Nee!' riep ze uit. Toen ze bij hem kwam, zag ze echter dat niet Emma, maar Julianna op de grond lag.

Julianna was naakt en zat onder de blauwe plekken. Uit haar neus en mond liepen straaltjes bloed.

Plotseling opende ze haar ogen.

Ze leeft nog, flitste het door Kate heen. Gelukkig!

Julianna probeerde te praten, maar er kwam geen geluid over haar lippen.

'Wanneer kwam hij, Julianna?' vroeg Luke.

'Was er al... voordat jullie...' Haar gezicht vertrok van de pijn. 'Te sterk voor mij. Ik...'

Kate pakte haar hand. 'Waar is Emma, Julianna?'

Hoestend spuwde Julianna bloed. 'Wilde net zo zijn als jij... Spijt me...' Ze hoestte weer. Het afschuwelijke, rochelende geluid deed vermoeden dat ze inwendige bloedingen had.

'Je mag niet doodgaan, Julianna,' fluisterde Kate, haar armen om haar heen slaand. 'Probeer vol te houden.'

Er gingen stuiptrekkingen door Julianna's lichaam heen, alsof haar lichaam zich tegen beter weten in aan het leven wilde vastklampen. Langzaam gingen haar ogen dicht.

'Doe je ogen open,' smeekte Kate. 'Je mag niet doodgaan!'

Met moeite slaagde Julianna erin haar oogleden op te tillen. Haar mooie blauwe ogen waren bleek en dof, alsof de dood al bezit van ze had genomen. Kate zag haar afglijden naar de duistere afgrond.

'Red mijn... Red Em...'

Haar laatste adem was als een zacht gefluister. Haar spieren werden slap, waarna haar hoofd achterover zakte in Kates armen.

Een paar tellen lang kon Kate niet geloven dat ze er niet meer was. Toen pas drongen Julianna's laatste woorden tot haar door. 'Hij mag haar niet hebben,' zei ze fel. 'Over mijn lijk!' Met tranen in haar ogen liep ze naar Emma's bedje, waar haar dochters zachte dekentje en lievelingsknuffel nog lagen.

'Waarom heeft hij haar spulletjes niet meegenomen?' vroeg ze huilend. 'Waar moet Emma zichzelf nu mee troosten?' Ze hield haar gezicht tegen de knuffel, die naar Emma rook. Nog nooit van haar leven was ze zo intens wanhopig geweest.

De telefoon ging.

Voordat het toestel nog een keer kon overgaan, nam ze al op.

'Dag, Kate. Hoe gaat het, lieverd? Je spreekt met John. Of zo je wilt, Nick.'

'Waar is mijn kind?'

'Ben je verbaasd dat Nick en John een en dezelfde man zijn?' vroeg hij, haar vraag negerend. 'Of wist je het zodra je die foto bij mij thuis zag? Ik was niet blij met die ravage in mijn appartement, Kate. Ik werd er erg boos van.'

'Rotzak, geef me mijn dochter terug!'

Luke kwam dicht bij de telefoon staan om mee te kunnen luisteren. Vanuit haar ooghoek zag ze dat hij een beddensprei over Julianna heen had gelegd en dat hij zijn wapen had gepakt.

'Ik bewonder je standvastige loyaliteit, Kate. Maar goed, dat wist je al,' zei hij. Hij slaakte een diepe zucht. 'Ik vind het echt vervelend dat jij en je gezin bij deze puinhoop betrokken zijn geraakt, maar Julianna liet me geen keus. Ze was jong en impulsief. Net als de meeste andere ongehoorzame kinderen luisterde ze niet, hoe ik haar ook waarschuwde. Jullie hebben daarvan de wrange vluchten geplukt.'

Ze greep de hoorn steviger vast. Ze werd misselijk van deze man. 'En Tess dan?'

'Tess had de pech dat ze op het verkeerde moment op de verkeerde plaats was, net als Jacobson. Sylvia had altijd al een zwak voor dikke oude mannen met macht. Idioot, hè?'

'Wat heeft Tess jou in vredesnaam ooit misdaan?' vroeg ze met trillende stem.

'Ze kwam binnen toen ik je adressenboek wilde meenemen, Kate.' Hij kreunde, alsof hij pijn had. 'Het spijt me van je glaswerk. Dat had ik niet moeten doen. Ik vind het echt jammer dat ik zulke mooie kunstwerken heb vernield.'

Die man is echt knettergek, dacht ze. En hij heeft mijn dochter!

'Dat glaswerk kan me niet schelen,' zei ze. 'Ik wil alleen maar mijn dochter terug.'

'Ze is bij mij. Bij haar pappie.' Hij liet een koud, akelig lachje horen, dat haar tot in het diepst van haar ziel verkilde.

Hoe was het mogelijk dat een mens zo emotieloos kon zijn? Het liefst wilde ze in een donker hoekje wegkruipen om dagenlang te huilen, maar dat kon niet. Emma had haar nodig.

'Jammer van Julianna,' vervolgde hij. 'Maar je zult moeten toegeven dat het allemaal haar eigen schuld was. Ze heeft me verraden, Kate. Begrijp je dat nou? Mij. Hoewel ik haar alles gaf wat ze wilde, keerde ze me de rug toe.'

'Je hebt haar helemaal niets gegeven,' zei ze vol walging. 'Je hebt haar juist gebruikt, smeerlap die je bent.'

'Foei toch! Wat een taalgebruik! En dat uit jouw mond!' Hij klakte bestraffend met zijn tong. 'Ik dacht juist dat jij wel zou begrijpen hoe naar het voelt om bedrogen te worden. Richard heeft jou toch ook als deurmat gebruikt? Eigenlijk zou je me zelfs moeten bedanken voor mijn werk.'

'Wat heb je met Emma gedaan? Ik wil haar terug.'

'Nu je het daar toch over hebt: jij hebt iets van mij. Iets wat ik graag terug wil.'

Op de achtergrond klonk het gehuil van een baby.

Emma.

Kate moest moeite doen om niet te gillen. Ze herkende Emma's huiltje uit duizenden. Ze leefde dus nog!

'En ík heb iets van jou,' vervolgde hij. 'Iets wat je dolgraag terug wilt hebben, aan je stem te horen.'

'Doe haar alsjeblieft geen pijn,' smeekte ze. 'Doe haar geen pijn, dan doe ik alles wat je vraagt. Alles! Zeg maar wat je wilt.'

'Goed zo, lieverd. Je bent dus bereid om mee te werken. Daar ben ik blij om, al zou ik het prettig vinden als je dat hysterische gejammer achterwege liet. Dit is een zakelijke overeenkomst, verder niets. Als je dat kind heelhuids terug wilt, moet je zorgen dat je vannacht om twee uur op pier 12 van de Bay Harbor Yacht Club in Annapolis bent. Als je de politie of de CIA inschakelt, zie je dat kleine mormel nooit meer terug.'

78

Annapolis, Maryland, lag aan Chesapeake Bay, op ongeveer een uur rijden van Washington.

Luke en Kate arriveerden tien minuten te vroeg in Bay Harbor. Luke parkeerde de auto op een verlaten parkeerplaats, maar liet de motor lopen. Achter de parkeerplaats zagen ze de pieren, waaraan talloze zeilboten waren vastgemaakt.

Het was een koude, stille en afschuwelijk donkere winternacht. Huiverend dook ze weg in de kraag van haar jas. Ze was bang en voelde zich kwetsbaar. De afgelopen uren waren de langste uit haar leven geweest.

Voordat ze uit het motel waren vertrokken, hadden ze het alarmnummer gebeld om te zeggen dat er iemand was vermoord. Daarna waren ze weggereden, omdat ze geen andere keus hadden.

Ze wreef zich rillend over de armen. Voortdurend kwamen Julianna's laatste momenten haar voor de geest. Daarnaast moest ze er steeds aan denken dat Julianna's moordenaar nu haar dochtertje in handen had. Emma was in handen van een levensgevaarlijke maniak.

Wist ze maar een manier om de nare gedachten uit haar hoofd te verdrijven. Voortdurend dacht ze dat ze Emma hoorde huilen, uit angst en verlangen om haar moeders veilige armen om zich heen te voelen. Maar haar moeder kwam niet.

Zou Emma nog leven?

Bij die laatste gedachte ontsnapte er ongewild weer een zachte snik aan haar keel.

Meteen wist Luke waar ze aan dacht. 'Ze leeft nog, Kate,' zei hij sussend. 'Powers wil dat boekje terug. Hij weet dat hij dat nooit terugkrijgt als hij Emma om het leven brengt.' Hij pakte haar hand. 'We krijgen haar terug, Kate. Dat beloof ik je.'

Ze kon geen woord meer uitbrengen. Hoewel ze hem dolgraag wilde geloven, durfde ze er zelf niet meer op te hopen.

'Kijk me eens aan, Kate.'

'Dat kan ik niet,' mompelde ze huilend.

'Ik wil dat je me aankijkt wanneer ik dit zeg. Het is belangrijk.'

Gehoorzaam richtte ze haar betraande ogen op zijn gezicht.

Hij nam haar gezicht tussen zijn handen en veegde met zijn duimen haar tranen weg. 'Ik hou van je,' zei hij. 'Ik ben al die jaren van je blijven houden.'

Snikkend trok ze zich los. Het leek wel of hij afscheid van haar wilde nemen! 'Zeg dat nou niet, Luke. Alsjeblieft.'

Hij legde zijn vinger op haar mond. 'Of Powers dat boekje nou krijgt of niet, we weten allebei dat hij niet van plan is ons allebei zomaar te laten gaan. Maar ik beloof je dat ik mijn uiterste best zal doen om jou en Emma te redden.' Zelfs als me dat mijn eigen leven kost, was de onuitgesproken boodschap die hij eraan toevoegde.

Ze wist niet wat ze moest zeggen.

'Als je de kans krijgt ervandoor te gaan, moet je die grijpen,' vervolgde hij. 'Ik wil dat je Emma oppakt en rent voor je leven, zonder nog één keer om te kijken. Beloof je me dat?'

'Dat kan ik niet, Luke,' fluisterde ze. 'Ik laat je niet achter. En ik wil al helemaal geen afscheid van je nemen.'

'Goed, dan nemen we geen afscheid,' zei hij met een droevig lachje. 'Ik zal altijd van je blijven houden. Niets of niemand kan daar iets aan veranderen. Zelfs de dood niet.'

Met tranen op haar wangen kuste ze zijn handpalm. 'Ik hou ook van jou.'

'Kom hier.'

Ze omhelsden elkaar alsof ze elkaar nooit meer wilden loslaten. Ze wist echter dat hun lot met elke seconde dichterbij kwam.

'Het is tijd,' zei hij op een zeker moment.

Hoewel ze wist dat hij gelijk had, hield ze hem nog even vast, alsof ze bang was het leven zelf kwijt te raken. Nu de dood zo vlakbij leek, was ze er hevig van doordrongen dat het leven haar nog veel te bieden had. In stilte bad ze voor het leven van haar dochter en zegde ze dank voor alle goede jaren die ze had gehad. Daarna was ze klaar om met Luke mee te gaan.

Haar ogen zochten de zijne. 'Kom, we gaan Emma halen.'

Het geluid van hun dichtslaande autoportieren weerklonk in de kille nacht. Ze hoorde de vlaggenlijnen van de boten tegen de aluminium masten tikken. De golven klotsten zachtjes tegen de rompen van de boten. Ze rook vis en zout en alle andere geuren die hoorden bij de zee. Ze snoof diep, want misschien was het de laatste keer dat ze dit alles kon ruiken. Het was alsof al haar zintuigen door die wetenschap op scherp stonden.

Luke pakte haar hand. 'Op naar pier 12.'

Samen liepen ze rustig langs het water naar pier 12.

Toen ze daar aankwamen, hoorden ze John Powers zacht roepen. Het volgende moment kwam hij te voorschijn uit de schaduw, met de kleine Emma tegen zich aan. Het meisje lag slap in zijn armen en had een brede reep plakband over haar mond.

'Emma!' schreeuwde Kate, die het ergste vreesde.

Bij het horen van haar moeders stem, begon Emma te wriemelen in John Powers' armen, in een poging haar hoofd te draaien in de richting van het geluid.

Ze leefde nog! Meteen wilde Kate op haar af rennen.

Powers hield haar echter tegen door een vuurwapen tegen Emma's hoofdje te houden. 'Blijf staan, Kate,' commandeerde hij met een wreed lachje. 'Anders haal ik de trekker over. Wil je dat?'

'Laat haar leven,' smeekte ze. 'Alsjeblieft. Ik wil alles voor je doen.'

'Dat weet ik.' Weer verscheen dat kille, roofdierachtige grijnsje. 'Dat bewonder ik ook aan jou. Je liefde en loyaliteit zijn grenzeloos.' Hij schudde zijn hoofd. 'Richard was een sufferd dat hij dat niet waardeerde. Ik denk dat Dallas in dat opzicht minder tekortkomingen heeft. Maar ja, helaas zit hij in hetzelfde schuitje als jij.'

'Geef me Emma alsjeblieft ongedeerd terug,' smeekte ze. 'Toe nou, Nick... John... Ze is onschuldig. Ze heeft er niet om gevraagd te worden verwekt.'

Hij deed net of hij haar niet had gehoord. 'Waar is mijn boekje, Dallas?' vroeg hij aan Luke.

'In mijn zak,' antwoordde Luke. 'Je krijgt het pas als je Emma teruggeeft.'

Powers lachte. 'Wat had je er eigenlijk mee willen doen, superheld?' vroeg hij spottend. 'De code ontcijferen en een dealtje sluiten met de CIA? Dan kan ik je uit de droom helpen, vriend. Ze hebben je belazerd. De CIA bestaat uit een zootje onbetrouwbare, oneerlijke rotzakken.'

'Vreemd, die omschrijvingen gebruikten zij nou net voor jou,' zei Luke. 'Wat was je eigenlijk van plan, Ice? Ons vermoorden en dan wegrijden naar de zonsondergang?'

'Hoe raad je het zo. Mijn boot ligt al klaar om naar Bermuda te vertrekken.' Hij wees op een prachtige boot die bij pier 12 lag. 'Mooi, hè? Ik heb haar The Julianna genoemd.'

Hij voelt zich niet eens schuldig over Julianna's dood, dacht Kate ontzet. John Powers heeft geen menselijke gevoelens.

'Je bent een walgelijk, zielig mannetje, Powers,' zei Luke.

Powers' gezicht verstrakte. 'Een beetje respect, Dallas. Ik had jullie al tien keer kunnen afmaken. Weet je waarom ik het nog niet heb gedaan?'

'Ik heb geen flauw idee.'

'Omdat ik je van dichtbij wil zien doodgaan,' siste Powers hem toe. 'Ik wil je angstzweet ruiken en je horen smeken voor je leven.' Langzaam kwam hij dichterbij. 'Pas dan weet ik zeker dat je wordt gestraft voor je misdaden.'

Luke liet een luide minachtende lach horen. 'Je bent niet erg professioneel meer, hè? Je raakt net zo emotioneel bij je werk betrokken als de eerste de beste psychopaat. Dat valt me vies van je tegen. De koelbloedige Ice is eigenlijk maar gewoon een jaloers vriendje.'

Een spiertje in Powers' kaak spande zich.

Van pure spanning hield Kate haar adem in. Ze hoopte maar dat Luke wist wat hij deed, want bij het eerste verkeerde woord was Emma er geweest. Tegelijkertijd wist ze dat ze alleen maar een kans hadden als ze Powers' aandacht konden afleiden van zijn missie.

'Heb je senator Jacobson daarom vermoord?' wilde Luke weten. 'Was je jaloers? Was je ook jaloers op Clark Russell?'

'Doe niet zo achterlijk,' sneerde Powers. 'Jacobson had gewoon pech, en Russell bemoeide zich met mijn zaken. Hij moest gestraft worden.'

'Het valt me op dat je het steeds over straf hebt,' merkte Luke op. 'Waarom moet iedereen gestraft worden? Omdat ze die arme Johnny op zijn teentjes hebben getrapt? Omdat je vriendin je dumpte zodra ze doorhad dat je haar kind misbruikte?'

'Hou je bek!' schreeuwde Powers. 'Hou je bek en geef me mijn boekje terug.'

'Bedoel je dit?' vroeg Luke, het boekje omhooghoudend. 'Je mag het hebben, maar eerst moet je Emma teruggeven.'

'Met alle plezier, en daarna zal ik met alle plezier een kogel door je kop jassen.'

Tot haar schrik zag Kate dat hij Emma omhoog gooide. Als slowmotion zag ze haar dochter door de lucht vliegen.

Luke sprong naar voren.

Zij dook in Emma's richting, in de hoop dat ze de val van het meisje kon breken. Als door een wonder slaagde ze erin Emma op te vangen. Met het kind in haar armen gleed ze door op de grond, waardoor ze haar armen, ellebogen en benen openhaalde.

In de stille nacht klonk een luide knal.

'Nee!' schreeuwde ze.

Luke kwam abrupt tot stilstand en zakte als een zoutzak in elkaar.

Het volgende moment gingen overal om hen heen lichten aan. Uit het niets sprongen mannen met wapens te voorschijn, die allemaal hun loop op Powers richtten. 'CIA, Powers! Laat je wapen vallen!'

Met een huilkreet van woede richtte Powers zijn wapen op Emma en haar.

In een tel flitste haar leven aan haar ogen voorbij. Ze dook op haar zij, Emma met haar lichaam beschermend. Gelaten wachtte ze de inslag van de kogel af.

De gewapende mannen openden het vuur.

Powers' lichaam schudde en schokte terwijl het met kogels werd doorzeefd.

Opeens was het doodstil.

Powers stond nog steeds overeind. Met het wapen in zijn hand keek hij nog steeds met grote hatelijke ogen naar haar.

In een kort, hysterisch moment vroeg ze zich af of John Powers wel gedood kon worden. Misschien was hij wel zo'n monster, dat hij geen bloed, vlees of adem nodig had om te kunnen blijven leven. Kwam er dan nooit een einde aan deze nachtmerrie?

Toen, eindelijk, zeeg hij ineen, als een marionet waarvan de touwtjes plotseling werden doorgeknipt. Zijn lichaam sloeg dubbel en raakte de grond zonder ook maar enig geluid te maken.

79

Met knallende hoofdpijn en een droge mond werd Luke wakker. Het duurde een paar tellen voordat het tot hem doordrong dat hij in een ziekenhuisbed lag.

Naast het bed zat Kate in een gemakkelijke stoel te slapen, met de kleine Emma in haar armen.

Ze leven nog, dacht hij blij. We leven allemaal nog!

Bij zijn eerste beweging schoot er een felle pijnscheut door zijn schouder. De pijn maakte hem zo wakker, dat hij zich de gebeurtenissen van de nacht opeens weer kon herinneren. Kate had gegild. Hij had een felle pijn in zijn schouder gevoeld en warm plakkerig bloed over zijn kleren voelen lopen. Daarna was hij in elkaar gezakt met de gedachte dat zijn laatste uur had geslagen.

Nu bleek echter dat ze alle drie nog leefden.

Kate werd wakker van zijn gedraai. 'Ik dacht dat ik je kwijt was,' zei ze zacht.

'Ik ook,' zei hij, zijn hoofd naar haar toe draaiend. 'Je bent verdraaid gevaarlijk gezelschap, dame.'

'Het spijt me zo, Luke,' mompelde ze met tranen in haar ogen.

'Dat hoeft niet.' Hij keek naar Emma, die een vuurrode, pijnlijk uitziende streep op haar gezicht had waar Powers het plakband had geplakt. 'De rotzak,' fluisterde hij. 'Ik begrijp niet hoe hij dat kon doen.'

'Dat geneest wel,' zei ze. 'Het enige wat telt, is dat ze nog leeft.'

'Ik ben blij dat de reddingstroepen net op tijd kwamen. Als zij er niet waren geweest...' Hij maakte zijn zin niet af, want ze wisten allebei wat er zou zijn gebeurd als Tom Morris en zijn mannen er niet waren geweest. Luke bleek gelijk te hebben gehad: de CIA had hen gebruikt. Ze hadden al een tijdje het vermoeden dat Powers niet meer te vertrouwen was en hadden Kate en Luke gebruikt om die vermoedens te bewijzen.

'Ik was blij dat jij er was,' zei ze, zijn hand pakkend.

Hij lachte schamper. 'Waarom? Ik had niet eens de kans om mijn wapen te pakken.'

Glimlachend drukte ze een kus op zijn hand. 'Als jij er niet was geweest, zouden Emma en ik allang dood zijn geweest. Ik ben je eeuwig dankbaar voor alles wat je voor ons hebt gedaan.'

'Het is allemaal voorbij, lieverd. Je bent nu veilig.'

'Dat weet ik, maar ik moet er nog aan wennen. Als ik hem niet met mijn eigen ogen had zien sterven...'

Bemoedigend kneep hij in haar hand. 'Hij is dood, Kate. Hij kan ons niets meer doen.

De deur ging open.

'Goedemorgen, mensen,' groette een man in een doktersjas. Hij liep naar het bed om Lukes status te bekijken. 'Hoe gaat het, Mr. Dallas?'

Condor.

Luke vernauwde zijn ogen tot spleetjes. Ineens besefte hij dat Condor al die tijd op de hoogte moest zijn geweest van de plannen van de CIA.

'Ik voel me beroerd,' antwoordde hij. 'En ik kan jou wel villen, want je had ons kunnen helpen. In plaats daarvan keek je vanaf de zijlijn toe terwijl Tom Morris ons gebruikte als pionnen in een dodelijk spelletje.'

'Ik had mijn instructies, Dallas,' zei Condor ernstig. 'Vat het alsjeblieft niet persoonlijk op. We moesten uitzoeken waarom Powers Jacobson en Russell had vermoord, en die vragen heb jij voor ons beantwoord. We wilden ook dolgraag dat boekje te pakken krijgen. Dankzij jou hebben we dat nu ook.'

'Hoe wisten jullie waar we waren? Hadden jullie de telefoon afgetapt?' vroeg hij.

Condor knikte.

Aan Condors gezicht zag Luke dat deze geen spijt had van de gang van zaken. 'Toch vind ik je een zak,' zei hij hoofdschuddend.

'Ik heb je zoveel mogelijk geholpen,' zei Condor onaangedaan. 'Ik heb je toch geadviseerd dat boekje te bewaren? Ik had het ook van je kunnen aannemen en je aan je lot kunnen overlaten.'

'En Julianna dan? Je had haar dood kunnen voorkomen.'

Condor knikte. 'Dat klopt. Maar mijn loyaliteit ligt bij mijn werkgever, Dallas. Julianna's belangen waren ondergeschikt aan die van het land.'

'Powers had het ook steeds over loyaliteit, en hij was getikt,' snauwde hij.

Condor glimlachte flauwtjes. 'Soms is de scheidslijn moeilijk aan te geven.' Hij draaide zich om om weg te gaan. 'Tot ziens, Kate,' zei hij voor hij de kamer verliet.

Met open mond staarde ze hem na. 'Die man was een klant van The Bean! Hij was een hippie, een enorme fan van The Grateful Dead!' Ze fronste haar wenkbrauwen. 'Volgens mij is hij ook bij me thuis geweest om de telefoon te repareren.'

'Hij werkt voor de CIA, Kate. Ik vermoed dat hij naar Mandeville is gestuurd om Powers in de gaten te houden. Ik denk dat hij jouw telefoon en die van The Bean heeft afgetapt.'

Ze huiverde. 'Laten we alsjeblieft ophouden over Powers, deze man en de CIA. Ik heb het liever over jou.'

'Mij?'

'Ja.' Opnieuw pakte ze zijn hand. 'De dokter zegt dat je een bofkont bent. Als de kogel een paar centimeter meer naar links had gezeten, was je er een stuk slechter aan toe geweest. Maar zal ik jou eens iets zeggen?' Ze vlocht haar vingers door de zijne. 'Ik denk dat ík degene ben die vreselijk geboft heeft.'

Ook verschenen bij MIRA BOOKS:

Alex Kava – Duister kwaad

Als er drie maanden na de executie van een seriemoordenaar een lijk met alle kenmerken van diens werkwijze wordt gevonden, wordt FBI-profiler Maggie O'Dell te hulp geroepen bij het onderzoek.

'Alex Kava is een van de grootste verrassingen van het afgelopen jaar!'
Crimezone.nl

ISBN 90 8550 030 3 – 440 pagina's – € 9,95

Taylor Smith – Dodelijk zwijgen

In Wenen raken David Tardiff en zijn dochtertje zeer ernstig gewond bij een auto-ongeluk. Mariah Bolt, Davids echtgenote en werkzaam bij de CIA, gaat op onderzoek uit, maar beseft al snel dat zij nu het doelwit is.

'Smith bewijst zichzelf als een van Mira's sterkste auteurs.'
Publisher's Weekly

ISBN 90 8550 032 x – 360 pagina's – € 9,95

Heather Graham – Teken de dood

Wanneer in de Everglades het verminkte lijk van een vrouw wordt gevonden, is de gelijkenis met een reeks vijf jaar eerder gepleegde moorden onmiskenbaar. Is destijds de verkeerde achter de tralies gezet?

'Graham hanteert niet alleen een strakke plot, ze weet de spanning perfect te doseren.'
Publisher's Weekly

ISBN 90 8550 014 1 – 416 pagina's – € 9,95

Meg O'Brien – Fataal bewijs

In Seattle wordt een prostituée mishandeld en verkracht door vijf mannen – politiemannen, volgens haar. Ze wordt vermoord voor de zaak kan voorkomen, maar haar advocate heeft een cruciaal bewijsstuk in handen.

'Een intrigerende thriller die tot op het laatst spannend blijft.'
Midwest Book Review

ISBN 90 8550 017 6 – 336 pagina's – € 9,95

Erica Spindler – Voor het oog van de duivel

Een vermiste vrouw, een vermoorde tiener, een rijke bankier die van zijn balkon springt... Op het zonnige Key West lijken duistere krachten ongestoord hun werk te kunnen doen.

'Geloofwaardige personages, prima setting, sterke plot...'
Globe and Mail

ISBN 90 8550 002 8 – 400 pagina's – € 15,95